Jonathan Swift

Voyages de Gulliver

Traduit et annoté
par Jacques Pons
d'après l'édition de
ÉMILE PONS

Préface
de Maurice Pons

Gallimard

LE PETIT MONDE
DE JONATHAN SWIFT

Aussi loin que je puis remonter dans ma mémoire, je trouve la figure de Swift suspendue au-dessus de mon enfance comme une divinité familière. C'est en 1925 que mon père, Émile Pons, devait soutenir sur la jeunesse de Swift les thèses qui fondèrent sa réputation. Depuis lors, la place du Doyen était marquée à la maison parmi les génies bienfaisants. Extrait d'une planche gravée de l'Encyclopédie britannique, le noble portrait de Jonathan Swift, « peint par Markham, gravé par Buford, 1744 », a toujours décoré le bureau de travail de mon père. De ses yeux placides et de ses mains molles, l'illustre doyen de la cathédrale St. Patrick de Dublin a présidé à tous les événements de notre vie familiale.

Il y accueillit ma naissance, et celles de mes jeunes sœurs, et lorsque les Allemands nous chassèrent de Strasbourg, semblables aux tribus slaves qui emportent leurs icônes sacrées à travers leurs pérégrinations, nous retrouvions, à chaque étape de notre exode, le visage triste et gras, la longue perruque blanche de notre chanoine irlandais, tenant toujours à la main le même livre ouvert à la même page.

Bien avant de savoir lire, il me semble aujourd'hui que je connaissais déjà les aventures de Gulliver. Avec celles d'Alice au pays des merveilles, elles composaient mon univers imaginaire le plus familier.

A plat ventre sur le tapis du bureau, je feuilletais devant la bibliothèque de mon père les diverses éditions illustrées de Swift, en français ou en anglais, et certaines images, autour desquelles je suppose qu'à l'occasion on me brodait des histoires, me sont encore aujourd'hui extrêmement présentes. Je me souviens notamment d'un petit livre cartonné, à la jaquette bleue assez déchirée, représentant Gulliver à son premier réveil sur le rivage de Lilliput, lié et garrotté par les Lilliputiens : il y en avait des centaines, que je connaissais alors un par un, escaladant le corps du voyageur avec des échelles, les plus hardis grimpant jusque sur son nez. Ce qui me plaisait c'est qu'ils avaient aussi garrotté le chapeau, le superbe feutre de Gulliver qui, quelques pages plus loin, faisait son entrée dans la capitale lilliputienne, traîné par six forts chevaux.

Le plus bel exploit de Gulliver, lorsqu'il séjourna chez l'empereur de Lilliput, est la capture de la flotte de Blefuscu. Mais je m'irritais qu'un illustrateur ait dessiné les navires ennemis comme des coquilles de noix portant mâts et gréement. Ces noix géantes au royaume de Blefuscu étaient une absurdité ! J'aimais beaucoup, en revanche, la façon désinvolte qu'avait Gulliver d'enfouir vaches et moutons dans la poche de son manteau, comme provision de voyage, lorsque ayant quitté les rivages des petits hommes, il monte enfin à bord d'un navire anglais.

Dans le voyage à Brobdingnag, où par un renversement radical des proportions, ce même Gulliver que les Lilliputiens appelaient l'Homme-Montagne se trouve à son tour réduit à la taille d'un dé à coudre, j'avais tout loisir de glaner de fascinantes images : le petit homme conversant avec le roi, juché sur son écritoire ou installé sur la table du repas, parmi les couverts et des salières plus hautes que lui ; tirant l'épée contre un rat gros comme un dogue ou pourfendant des guêpes de la taille des perdrix. La plus troublante était celle où l'on voyait le

*petit Gulliver obligé, pour lire un des livres de son maître,
de grimper aux barreaux d'une échelle appuyée contre
la page ouverte, et d'en descendre les degrés ligne à ligne.
Il me semblait que des histoires de cette dimension devaient être singulièrement riches.*

*Mais mon univers préféré était de loin le pays des
Houyhnhnms, le dernier de ceux qu'atteint le capitaine
Gulliver, heureux pays gouverné par des chevaux beaux
et sages, et où d'abominables caricatures humaines,
plutôt simiesques que vraiment humaines, sont réduites
à l'état de servage animal. Je n'éprouvais pas la moindre
pitié pour les pauvres Yahoos que je voyais sur les eaux-
fortes anglaises anciennes, attelés par six à des charrettes et traînant de lourds fardeaux — seulement l'admiration la plus vive pour les superbes Houyhnhnms, à l'œil
rêveur et philosophe, à la crinière flottante.*

*Élevés dans l'univers de Swift, nos jeux reflétaient
les thèmes des voyages gullivériens. Avec mes frères et
sœurs, nous ne jouions pas aux gendarmes et aux voleurs, ni aux cow-boys et aux Indiens : nous jouions
aux Houyhnhnms et aux Yahoos. Nous caracolions
dans l'appartement ou dans le jardin en hennissant :
« Houyhnhnms ! Houyhnhnms ! » Il n'était jusqu'à la
table familiale, où ne se reflétât l'esprit du grand Jonathan : car on nous avait raconté la guerre lilliputienne
des Gros-boutiens et des Petits-boutiens, et la querelle
recommençait entre nous chaque fois qu'on nous servait
des œufs à la coque — mes sœurs prétendant avec les
souverains de Lilliput qu'il convenait de les ouvrir par
le petit bout, mon frère et moi, épousant la thèse de
Blefuscu, par le gros.*

*C'est beaucoup plus tard que je devais me ranger à la
sage tolérance de Swift : que chacun ouvre les œufs par le
bout qui convient le mieux. Et quel est le bout qui convient
le mieux ? Voilà qui doit être laissé à la conscience de
chacun. C'est beaucoup plus tard en effet que je fus à*

même de lire vraiment les Voyages de Gulliver, *beaucoup plus tard encore qu'à la lumière des travaux de mon père, je parvins à en saisir le sens et la portée.*

Pour qui lirait les Voyages *en y cherchant seulement des récits d'aventures, la déception serait grande. En comparaison de Foe, de Cook, de Stevenson, Swift est dans ce genre un bien piètre auteur. On peut même dire qu'il n'entend rien aux voyages, il ne sait en traduire ni le bruit de vent, ni le goût de sel, ni l'odeur de poudre. Sans doute, pour respecter les règles du genre, au début et à la fin de chaque voyage, Swift se fait-il un devoir de jouer avec les longitudes et les latitudes. Il va même jusqu'à emprunter une page entière à un traité de navigation, pour avoir l'air de manier allégrement les termes de marine :*

« ... Le bateau courait grand largue... Nous prîmes des ris à la voile de misaine... Nous fixâmes les amures à tribord, nous démarrâmes nos balancines et nos bras de vergues du côté du vent, ... déhalâmes les boulines, ... mîmes l'amure de misaine devers le vent... »

Bien malin qui comprend ce jargon ! Sûrement pas le doyen de St. Patrick, dont je parierais, s'il est vrai qu'il est allé quelquefois d'Irlande en Angleterre, qu'il a dû rester blotti au fond d'une cabine !

En fait, Swift se soucie bien peu de faire croire à la réalité de ses navigations. Il n'est pas comme l'impudent Psalmanazar qui réussit pendant près de vingt ans à faire croire aux lettrés et savants du monde entier qu'il avait visité longuement une île dont il ignorait tout, mais dont il inventa, avec autant de méthode que de sang-froid, la langue tout entière, la géographie et les mœurs ! Il ne joue pas le jeu du fameux John Mandeville qui présenta pêle-mêle, avec un naturel déconcertant et le plus paradoxal air de vraisemblance, les authentiques récits de ses vrais voyages et de vagues souvenirs de bestiaires, des anecdotes scientifiques remontant à Pline l'Ancien et mille visions fantastiques du Moyen Age, comme celle des hommes à tête de chien. Le Journal des Sçavants *de 1677 discute très sérieusement d'une communication qui lui fut faite concernant l'existence des Iles flottantes. Mais lorsque Lemuel Gulliver feint de nous exposer les principes de manœuvre de l'Ile volante de Laputa, il le fait de façon si sommaire et si maladroite que c'est nous demander de ne pas y croire. On est bien loin de la fantaisie échevelée, de la verve étourdissante, du prodigieux sens cosmique et même de la rigueur scientifique dont* Cyrano de Bergerac *faisait parade dans ses* États de la Lune et du Soleil, *que* Swift *pourtant avait lus et connaissait parfaitement.*

La vérité est que Swift *joue un jeu autrement dangereux, et autrement passionnant que celui du voyage imaginaire. Il joue le jeu du voyage philosophique, et qui dit philosophique entend clairement politique. Car si les prétendus voyages de Lemuel Gulliver sont imaginaires, les dangers auxquels s'exposait* Swift *en les publiant ne l'étaient absolument pas. De nos jours encore, et chez nous, il arrive qu'un livre considéré comme subversif soit arbitrairement saisi par le ministère de l'Intérieur. Mais une loi en vigueur dans l'Angleterre du* XVIIIe *siècle permettait aux autorités, par privilège spécial de Sa Gracieuse Majesté, de faire couper les oreilles de l'auteur et de l'imprimeur. En 1704,* Daniel de Foe, *pour sa part, se vit infliger publiquement le supplice du pilori.*

On comprend mieux dès lors l'alibi du Voyage *imaginaire auquel recourut* Swift, *le prudent anonymat derrière lequel il s'abrita longtemps, et jusqu'au stratagème qu'il imagina pour faire publier son œuvre. La légende veut en effet que ce soit* Alexander Pope, *écrivain et ami de* Swift, *qui, une nuit, laissa tomber de la portière d'une voiture le manuscrit des* Voyages *devant la porte de l'éditeur* Benjamin Motte. *Une lettre accompagnait l'envoi, signée* Richard Sympson, *lequel se disait le*

*cousin du capitaine Gulliver, et chargé par lui d'assurer
la publication de ses Mémoires. Le scénario fut même
poussé plus loin, car six mois après la sortie de la première édition, l'éditeur recevait une nouvelle lettre du
nommé Sympson, lui fixant un rendez-vous secret au domi-
cile d'un certain Erasmus Lewis, afin de lui régler les
sommes convenues. Mieux encore : un peu plus tard,
pour faire croire à toute cette machination littéraire, Swift
est allé jusqu'à rédiger une lettre du capitaine Gulliver
à son cousin Sympson, dans laquelle il proteste contre
toutes les omissions, additions et modifications apportées
sans son consentement à son manuscrit :*

« *Je vous avais remis pour publication un manuscrit
décousu et non corrigé de mes " Voyages "... Mais je ne
me rappelle pas vous avoir laissé le droit de retoucher
mon texte ni surtout d'y rajouter quoi que ce soit. Je vous
écris donc pour désavouer toutes les additions qui vous
sont dues... Je regrette d'avoir eu la sottise... d'autoriser
la publication.* »

*Que révèle donc ce livre anonyme, édité sous un faux
nom à Londres en 1726, pour nécessiter de telles précautions et une telle mise en scène ? Si l'on s'en tient à la
trame extérieure de l'ouvrage, rien d'autre que le récit
des* Voyages en plusieurs lointaines contrées du monde
en quatre parties, par Lemuel Gulliver, d'abord chirurgien, puis capitaine de plusieurs navires.

*Au début de son récit, Lemuel Gulliver, après nous
avoir donné quelques détails sur sa famille, nous raconte
brièvement comment il s'embarqua comme chirurgien à
bord du navire* Antilope, *en partance pour les mers du
Sud, comment il fit naufrage et comment il aborda à
l'île de Lilliput, dont les habitants ne mesurent pas plus
de quinze centimètres. Profitant du sommeil et de l'épuisement du naufragé, les Lilliputiens le garrottent à l'aide
de mille petits liens et le transportent, par un système de
treuils fort ingénieux, à l'intérieur des terres, jusqu'à la
capitale. Là, Gulliver, enchaîné par mesure de précau-*

*tion, émerveille la population par sa taille extravagante
et divertit la cour par son esprit éblouissant. Remis en
liberté pour sa bonne conduite, Gulliver, qui a appris la
langue du pays, s'initie aux mœurs et coutumes des Lilliputiens. Il sauve l'empire d'une imminente invasion, en
capturant la flotte ennemie, on le comble d'honneurs et
de titres. Mais des courtisans jaloux ont juré la perte de
« l'homme-montagne » ; un incendie ayant éclaté et
Gulliver appelé à l'aide ayant sauvé des flammes le
palais impérial en pissant résolument dessus, il est
accusé de lèse-majesté, condamné à la crevaison des
yeux, mais il s'enfuit à temps dans le royaume ennemi
de Blefuscu, d'où il réussira à gagner un navire anglais,
et bientôt l'Angleterre.*

*Au cours de son second grand voyage, Gulliver aborde
une côte inconnue, le pays de Brobdingnag, habité par
des géants, auprès de qui c'est lui, cette fois, qui fait
figure de Lilliputien. Caché dans une immense forêt de
tiges de blé, Gulliver, qui a tout juste la taille d'un épi,
est découvert par un paysan qui le saisit entre le pouce et
l'index et le rapporte à la ferme, où il conquiert l'affection
d'une petite fille de neuf ans. Elle s'occupe de lui, lui
donne à manger, le protège des insectes et des rats, et
l'installe dans une boîte de poupée. Exhibé d'abord sur les
marchés, Gulliver est bientôt présenté à la cour, où il
suscite le plus vif intérêt du roi, avec qui il entretient
de longues conversations. Mais au cours d'un voyage en
province, un aigle emporte entre ses serres la boîte-maison
de Gulliver et la laisse tomber au milieu de la mer.
Recueilli comme il se doit par un navire anglais, Gulliver retrouve une nouvelle fois sa famille et sa patrie.*

*Quand il repart, c'est pour aborder bientôt au rivage
de l'île de Lindalino, que domine, au sens propre du
terme, l'île volante de Laputa. Montant par une échelle
de corde dans cette dernière, il y découvre un monde
étrange, régi par des savants hurluberlus : l'un d'eux
cherche depuis des années à obtenir des rayons de soleil*

*à partir des citrouilles, un autre essaie de fabriquer de
la poudre à canon à partir de la glace. Dans l'île voisine
de Glubbdubdrib, refuge de devins et de nécromants,
Gulliver a le privilège de converser longuement avec les
grandes figures de l'Antiquité. Chez les Luggnaggiens,
il découvre des citoyens immortels, condamnés à l'immortalité et qui se considèrent, à cause de cette malédiction,
comme les plus malheureux des hommes.*

*Le dernier des voyages du capitaine Gulliver l'emmène
au pays des Houyhnhnms. Les Houyhnhnms sont de
beaux et vertueux chevaux qui gouvernent leur pays en
maîtres raisonnables et tiennent sous leur dépendance
les descendants ou les ancêtres d'une espèce humaine
répugnante et dégénérée, les Yahoos, présentant toutes
les marques de la pire bestialité. Gulliver, malgré son
apparence humaine qui le rapproche des Yahoos, parvient à se lier d'amitié avec un noble Houyhnhnm, dont
il apprend la langue et avec qui il mène de longues conversations. Mais cette amitié paraît dégradante à l'assemblée
des Houyhnhnms : Gulliver est prié de reprendre la mer.
Rentré chez lui, il a le plus grand mal à se réhabituer à
la société des hommes.*

*Telles sont les grandes lignes de cet ouvrage clan-
destin, qui retentit comme une bombe dans les milieux
aristocratiques de la cour d'Angleterre. La petite histoire
veut que la princesse de Galles, épouse du futur roi
George II, accueillit le livre avec des éclats de rire. Mais
son époux, assure-t-on, s'amusa beaucoup moins... Or,
soyons honnêtes, rien de ce que je viens de raconter ne nous
paraît aujourd'hui ni drôle à ce point, ni à ce point
subversif. C'est là qu'il convient de regarder les* Voyages
de Gulliver *comme autre chose que ce qu'ils paraissent ;
c'est là que pour en goûter le sel, la clairvoyance, la
hardiesse, pour simplement essayer d'y voir un peu plus
clair, il convient de rouvrir les chroniques du petit monde
dans lequel vivait Swift.*

Cette Angleterre du XVIIIe *siècle, Voltaire en a dressé un tableau flatteur qui faisait ressortir les vives lumières de son libéralisme. Mais il ne faudrait pas se laisser éblouir par les riches couleurs des* Lettres anglaises. *En fait, Voltaire n'a jamais fait l'éloge du régime monarchique anglais que pour mieux s'en prendre au régime de la monarchie française. C'est de bonne guerre — mais l'intolérance et le despotisme sévissaient aussi durement à Londres qu'à Paris. Ainsi les catholiques s'y trouvaient, de par la loi, exclus de toutes les fonctions publiques, et lorsque le roi Jacques II, qui inclinait au « Papisme », tenta en 1689 d'atténuer les effets du Test Bill par une* Déclaration d'Indulgence, *il fut obligé de quitter le trône et de se réfugier en France. Voltaire ne pouvait ou ne voulait pas dire que c'est l'Église qui en fait régnait sur l'Angleterre.*

Il faut distinguer cependant deux tendances dans l'Église Anglicane : les traditionalistes de la Haute Église (High Church) qui sont encore plus opposés aux déviationnistes protestants qu'aux catholiques — les « latitudinariens » de la Basse Église (Low Church), plus tolérants pour les diverses sectes protestantes que pour le catholicisme ou « papisme » exécré. Sur ces deux tendances de l'Église régnante se modèlent les deux grands partis politiques de l'Angleterre : les tories et les whigs, les premiers se recrutant parmi les aristocrates, les seconds dans la classe montante de la bourgeoisie d'affaires et des banques, qui poussait à la guerre contre la France, à cause des profits qu'elle escomptait en retirer. La lutte politique entre whigs et tories prendra, au début du XVIIIe *siècle, une tournure d'une violence inouïe et la corruption électorale qui l'accompagne atteindra un cynisme sans précédent. Le Parlement achète ouvertement les fiefs qui lui conviennent. A l'avènement de George II, Robert Walpole, le leader des whigs, est Premier ministre, et comme il sent sa position menacée, il a recours*

*au moyen le plus efficace : il achète la reine, puis il achète
le roi, en faisant voter par « son » Parlement des augmen-
tations fabuleuses de leurs « listes civiles ». « Chaque
homme a son prix », avait-il coutume de dire, et il savait
que pour être roi, on n'en est pas moins homme. Quant à
leurs adversaires politiques, les whigs avaient un moyen
radical de s'en débarrasser : il suffisait de lancer contre
l'un quelconque d'entre eux une accusation de « jaco-
bisme », c'est-à-dire de le présenter comme un partisan du
roi Jacques en exil et toujours prétendant au trône.
Swift lui-même n'échappa que de justesse à cette accusation
de trahison.*

*A l'intolérance religieuse, à la corruption politique,
il convient d'ajouter, au passif de la monarchie anglaise,
l'oppression séculaire qu'elle fait subir à l'île voisine
d'Irlande, depuis sa conquête par Henry II. Les Anglais
ont toujours affecté de considérer les Irlandais comme
des sauvages, au point que le roi Henry VIII, jouant
le jeu logique de la colonisation, avait frappé d'interdiction l'usage et l'étude de la langue irlandaise. Ses succes-
seurs au trône achevèrent son œuvre de destruction,
d'oppression et de misère. Au milieu du XVIIIᵉ siècle,
les Irlandais sont pratiquement exclus de toutes fonctions
publiques, leurs droits civils et politiques sont strictement limités, l'exercice de leur religion leur est interdit ;
ils sont dépossédés de leurs terres et paient des fermages
exorbitants à des seigneurs anglais résidant à Londres ;
les industries locales, le commerce, l'exportation sont
paralysés par des lois draconiennes ; le chômage et la
misère sont effroyables et plus d'un auteur a décrit l'abominable spectacle de ces troupeaux d'Irlandais affamés
et déguenillés, errant de village en village, se nourrissant
de trèfle et de cresson, heureux de découvrir une charogne.
Swift, quant à lui, reste « rempli de rage et de ressentiment
devant les spectacles mortifiants qui l'entourent, d'esclavage, de folie et d'abjection ».*

On a voulu montrer que Swift, né Anglais et de souche anglaise sur la terre d'Irlande, n'aimait pas les Irlandais. C'est possible. Mais on n'en appréciera que mieux la généreuse et constante position qu'il prit tout au long de sa vie, et presque tout au long de son œuvre, en faveur de cette Irlande opprimée qu'il n'aimait pas. On sait aussi que Swift a fait carrière dans l'Église, qu'il ambitionna toute sa vie un évêché et finit doyen de St. Patrick, à Dublin : mais il n'en a pas moins lutté ardemment contre les prérogatives de l'Église anglicane et contre toutes les formes de l'intolérance religieuse. Enfin, bien qu'il eût été tantôt du côté des whigs, tantôt du côté des tories, il n'a jamais hésité à vitupérer les uns comme les autres. Il n'était pas dupe de ces « sottes distinctions » qui ne distinguent en fait qu'entre les intérêts momentanément opposés d'une même classe ; il n'a jamais cherché qu'à faire pencher la balance politique en faveur de la paix : « Entre deux diables, disait-il, je choisis au moins le diable qui veut la paix. »

Pacifisme, tolérance, liberté des peuples, voici donc trois points du programme politique de Swift, au hasard des gouvernements et des fortunes — et il est remarquable que l'ensemble de son œuvre, si l'on néglige quelques exercices purement poétiques et littéraires, polémique constamment en ce sens.

C'est en 1701 que Swift appelle pour la première fois l'attention du monde politique en publiant un essai sur Athènes et Rome. S'appuyant sur les exemples antiques, il montre vigoureusement les dangers de l'empiétement des pouvoirs, qui menace l'Angleterre du XVIII⁰ siècle et prépare inéluctablement la tyrannie. Mais en 1704 paraît Le Conte du Tonneau, *le premier chef-d'œuvre de Swift, livre éclatant de hardiesse, de verve, de fougue, d'anticonformisme, satire cinglante des dogmes et des rites, non seulement du papisme mais de toute religion. Swift dès lors est écouté, redouté même, dans tous les milieux influents de la cour et du pouvoir, et il ne manque*

*pas, par ses articles dans l'*Examiner*, par de nombreux
pamphlets, de prendre violemment position sur les problèmes de l'heure. Sa* Conduite des Alliés *qui ouvre les
yeux du public sur le problème de la paix avec la
France, sciemment déformée par les partisans de la guerre,
connaît un succès sans précédent. Mais c'est avec les*
Lettres du Drapier *(1724) que Swift entre vraiment
dans l'action politique : en lançant cette série de lettres
ouvertes « aux boutiquiers, commerçants, fermiers et
bonnes gens d'Irlande », signées du pseudonyme illustre
et transparent de M. B. Drapier, c'est un véritable cri
pour la liberté de l'Irlande, un véritable appel à l'insurrection que lance Swift à la face de l'odieux Walpole :
« Il n'y a pas de honte à succomber devant un lion — mais
quel homme digne de ce nom acceptera de se laisser dévorer vivant par un rat ? » Et en même temps qu'il affirme
ses positions politiques, Swift fourbit ses armes de cin-
glant polémiste : dans sa* Modeste Proposition *pour
empêcher que les enfants des pauvres d'Irlande ne
soient une charge à leurs parents et à leur pays, il ne
suggère rien moins, et avec toute l'apparence du sérieux,
que de les livrer à la consommation comme viande de
boucherie. Swift vient d'inventer un nouveau genre
littéraire, la polémique par l'absurde et par l'atroce, mê-
lant, sous les apparences du plus profond sérieux, l'humour macabre et la souriante férocité.*

*A la lumière de ses ouvrages précédents, on comprend
mieux dans quelles perspectives Swift a pu être amené à
écrire les* Voyages du capitaine Gulliver. *Il serait fort
étonnant en effet que cet écrivain combatif et profondément engagé dans toutes les luttes politiques de son temps
entreprît brusquement, en pleine maturité, une œuvre de
pur divertissement. Rien n'a pu desservir davantage le
chef-d'œuvre que sont les* Voyages *que ces éditions dites
populaires ou enfantines, qui pour les réduire au squelette des anecdotes, n'ont jamais réussi qu'à fausser le*

jugement du grand public et à ennuyer les enfants.

Au reste, pour qui en douterait encore, Swift s'explique clairement sur ses desseins dans la lettre qu'il adressa sur ce sujet à Pope en 1725 : « L'objet que je me suis principalement assigné est de tourmenter le monde plutôt que de le divertir. » Gulliver lui-même, porte-parole de l'auteur, reprend à peu près les mêmes termes avant de conclure le récit de ses Voyages : « Mon propos était de t'informer et non de te distraire, dit-il en s'adressant à son " ami lecteur "... Je ne suis pas le moins du monde lié à un parti, mais j'écris sans passion, sans préjugés, sans malveillance envers aucun homme ni aucun groupe d'hommes. J'écris pour la plus noble des causes : pour informer et instruire l'Humanité. »

Ainsi lorsque Swift, par son extravagant et imaginaire voyage, nous entraîne à la cour de l'empereur de Lilliput, ne nous y trompons pas, c'est à la cour du roi George qu'il nous fait entrer. Deux partis s'y disputent les faveurs royales, les Tramecksans ou Hauts-Talons et les Slamecksans ou Bas-Talons : on y reconnaît évidemment les tenants de la Haute et de la Basse Église, les tories et les whigs. Quant au prince héritier de Lilliput, bien qu'appartenant au parti au pouvoir des Slamecksans, il manifeste un certain penchant pour les Hauts-Talons et porte un talon plus haut que l'autre, ce qui le fait boitiller en marchant... Les contemporains de Swift n'avaient aucun mal à reconnaître le prince de Galles, dont la politique était pour le moins tortueuse et qui, en mauvais termes avec son père, faisait mine de se rapprocher des tories. Il leur était facile aussi de deviner Walpole dans le personnage de Flimnap, le danseur de corde-ministre : « éblouissant danseur de corde raide, il saute au moins un pouce plus haut qu'aucun autre grand seigneur de l'Empire ». Quant à la fameuse guerre qui oppose les Gros-boutiens et les Petits-boutiens, qui oppose les Lilliputiens et les habitants de Blefuscu, « le deuxième

*grand empire de l'Univers », elle est bien évidemment
l'image de la lutte dérisoire des protestants contre les
catholiques soutenus à l'extérieur par les Français :
« On estime à onze mille au total, commente Swift le
plus sérieusement du monde, le nombre de ceux qui ont
préféré mourir plutôt que de céder et de casser leurs œufs
par le petit bout. » Atroce épitaphe qu'on pourrait apposer
sur quelque bûcher de Montségur...*

*Il ne faudrait pas croire que Swift s'impose de raconter
à sa manière les événements politiques de son temps. Pas
du tout. Une fois posés les principes de son récit, une fois
établies les allusions, ô combien transparentes, il invente,
il brode, il s'amuse, il laisse aller sa verve et sa
malice.*

*Sa cible principale, c'est l'homme politique anglais
— à commencer par les rois d'Angleterre —, sa folie
criminelle de grandeur et de domination, son intolérance
et sa corruption. Tous les moyens lui sont bons : à
Lilliput, utilisant le gros bout de la lorgnette, il réduit
à néant les grandes théories, les discours enflammés
de ces politiciens de quinze centimètres de haut, il ridiculise ces puissantes armées qui défilent en ordre de parade
entre les jambes écartées de Gulliver : « Mes culottes
étaient alors assez mal en point pour donner (aux jeunes
officiers) l'occasion de rire et de s'émerveiller. »*

*A Brobdingnag, renversant les proportions, Swift se
montre plus féroce encore, et chargeant un Gulliver
lilliputien de faire l'éloge de la nation anglaise, le panégyrique tourne à la condamnation la plus impitoyable :
« Mon petit ami, lui répond le roi, vous m'avez fait de
votre pays un panégyrique tout à fait admirable. Vous
avez nettement prouvé que l'ignorance, l'incapacité et le
vice sont les qualités que vous requérez d'un législateur,
et que personne n'explique, n'interprète et n'applique les
lois aussi bien que ceux dont l'intérêt et le talent consistent
à les dénaturer... Je ne puis tirer qu'une conclusion :
c'est que les gens de votre race forment, dans leur en-*

semble, la plus odieuse petite vermine à qui la Nature ait jamais permis de ramper à la surface de la terre. »

Les allusions à l'Irlande, à l'atroce situation politique de l'Irlande qui préoccupait Swift si profondément, abondent, on s'en doutera, dans la chronique des contrées imaginaires. Swift sait trouver çà et là des phrases cinglantes de sa manière pour fustiger le principe même de la conquête : « A la première occasion, on envoie des navires ; les indigènes sont déportés ou exterminés, leurs princes torturés, jusqu'à ce qu'ils révèlent où est caché leur or ; pleine licence est donnée à tous les actes de cruauté et de luxure ; la terre fume du sang de ses habitants, et cette odieuse troupe de bouchers, employée à une si pieuse entreprise, c'est une expédition coloniale moderne, envoyée pour convertir et civiliser un peuple idolâtre et barbare. » Voilà pour le principe, mais pour exprimer la situation particulière de l'Irlande à l'égard de la Grande-Bretagne, Swift a imaginé l'étonnante allégorie du Voyage à Laputa, qui est certainement l'un des plus originaux des voyages du capitaine Gulliver. Laputa est une île volante, et volant à son gré au-dessus des territoires de Lindalino. Jamais l'expression : « un peuple dominé par un autre » n'a trouvé une imagerie aussi claire, aussi précise, aussi forte. Les malheureux habitants de Lagado, capitale de Lindalino, en sont réduits à accrocher des pétitions aux ficelles que laissent pendre au-dessus de leurs têtes les seigneurs de Laputa. Cette auguste société, entièrement dévouée en apparence à l'avancement des sciences humaines, en réalité met au point, sous couvert de recherches abstraites, tous les moyens scientifiques d'oppression et d'exploitation de l'île « soumise ». Si leurs sujets tentent de se rebeller, ou refusent de payer l'impôt, le roi de Laputa ordonne d'amener l'île volante juste au-dessus de la ville rebelle et des terres avoisinantes, les privant ainsi des bienfaits du soleil et de la pluie, les condamnant à la sécheresse, la famine et la

*maladie. S'il le juge bon, il peut faire bombarder le pays
de grosses pierres, détruisant les habitations et tuant leurs
habitants ; dans les cas extrêmes, il peut laisser descendre
l'île entière droit sur leurs têtes, exterminant toute la
population...*

Sur le sens qu'il convient de donner à la terrible
allégorie des Houyhnhnms et des Yahoos, les érudits
swiftiens discutent encore et discuteront longtemps. Il
n'est pas de mois où, du vivant de mon père, je ne vis
s'accumuler sur son bureau, venues des cinq continents,
les dernières et savantes interprétations.

Les Yahoos représentent-ils les pauvres Irlandais
réduits par leurs maîtres anglais à la misérable condition
d'un véritable servage animal ? Swift s'est-il servi pour
les décrire des images qui l'avaient frappé, de ces troupeaux d'hommes, de femmes et d'enfants errant à demi
nus dans les champs, se nourrissant de racines et de
charognes ? Cela expliquerait à la fois la pitié généreuse
qu'il ressentait pour le peuple irlandais asservi, et le peu
de sympathie qu'on prétend qu'il éprouvait pour les
Irlandais. Mais comment justifier alors cet aveu terrible
du capitaine Gulliver : « Il m'était impossible de nier que
je fusse un Yahoo » ? Et qui seraient alors les Houyhnhnms ? Seraient-ils aussi, comme on l'a suggéré, les
Irlandais, mais les Irlandais d'autrefois, les bardes
nobles et libres, amicaux et bienveillants, poètes et philosophes, tels qu'ils existaient dans l'ancienne Irlande
d'avant la colonisation anglaise ?

J'incline à penser qu'au dernier livre des Voyages de
Gulliver, le philosophe, en Swift, ou disons : le moraliste,
a pris le pas sur le politique. En divisant le monde en
Houyhnhnms sages, beaux et vertueux et en Yahoos
répugnants et vicieux, Swift a sans doute voulu donner
une saisissante image de la dualité de l'homme. Le mot :
houyhnhnm ne signifierait-il pas : homme, en langage
de cheval ? et ne faut-il pas traduire, comme le suggérait

Émile Pons, le « Yahoo » par le « Je », et « the odious Yahoo » par « le Moi haïssable », que Swift emprunterait à Pascal ? Dans une lettre célèbre à Alexander Pope, datée de septembre 1725, il semble que Swift s'en explique assez clairement : « Je hais et je déteste, écrit-il, cet animal qu'on appelle l'homme, encore que je puisse avoir une certaine affection pour John, Peter ou Thomas... »

Sur la fin de sa vie, condamné à une installation définitive à Dublin, qui ressemblait un peu pour lui à un exil, il n'est pas impossible que Swift se soit laissé aller à l'amertume et à la misanthropie. Avec une délectation un peu morbide, il se prend à dresser de l'homme, « cet animal fourchu à jambes torses », un portrait physique et moral que ses contemporains ne sont pas près de lui pardonner, ni les générations d'oublier : « C'étaient des bêtes très bizarres et difformes... : leur tête et leur poitrine étaient couvertes d'une toison épaisse, frisée chez les uns, raide chez les autres... Partout ailleurs le corps était nu... Ils n'avaient pas de queue ni de poil sur les fesses, excepté autour de l'anus... Les femelles étaient plus petites que les mâles. Elles avaient sur la tête de longs cheveux plats, mais leur face était dégagée et leur corps ne portait qu'un léger duvet, sauf autour de l'anus et des parties génitales. Leurs pis pendillaient entre les pattes de devant, touchant presque le sol à chaque pas... Je n'ai jamais vu... d'animaux plus répugnants... Dans la plupart des troupeaux il y avait une sorte de chef yahoo... qui était toujours le plus mal bâti, et le plus malfaisant de tous... Le favori (de ce chef)... conserve d'habitude ses fonctions jusqu'à ce qu'on trouve à le remplacer par un de plus méchant que lui, et à peine est-il déchu qu'il voit venir en corps, conduits par son successeur en personne, tous les Yahoos du quartier, jeunes et vieux, mâles et femelles, qui le recouvrent des pieds à la tête de leurs excréments. »

En contrepoint, Swift dessine une image radieuse

*de ce même homme, incarné par les nobles Houyhnhnms.
Ils sont doués par la nature d'une disposition générale
à toutes les vertus, principalement l'amitié et la bienveillance ; ils cultivent le plus heureusement du monde le
sport, la philosophie, la poésie ; ils ne connaissent pas
la maladie et n'ont pas de mot, dans leur langage, pour
exprimer le vice ni le mal. Swift ne cesse de louer leur
excellente société, où l'on ne trouve jamais ni mouchards,
ni railleurs, ni bavards, ni médisants, ni hypocrites, ni
bandits, ni cambrioleurs, ni hommes de loi, ni proxé-
nètes, ni bouffons, ni joueurs, ni politiciens, ni beaux-
esprits, ni assassins, ni voleurs, ni charlatans, ni chefs
de parti, ni boutiquiers, ni fripons, ni fats, ni bra-
vaches, ni ivrognes, ni prostituées, ni épouses criardes,
lascives et dépensières, ni pédants stupides et orgueilleux,
ni gredins que leurs vices ont tirés de la boue, ni de
nobles, ni de seigneurs, ni de juges, ni de maîtres à
danser...*

Lorsque Gulliver, après un long séjour chez les
Houyhnhnms, revient dans sa patrie, la simple vue d'un
homme suffit à le remplir « de haine, de dégoût et de
mépris ». L'idée qu'il a pu s'accoupler à une femelle de
son espèce et engendrer des êtres semblables à lui le
remplit « de honte, de confusion et d'horreur ». Le premier
baiser de son épouse le fait s'évanouir pour plus d'une
heure.

Mais bientôt, il s'applique à supporter sa propre
image dans un miroir, il autorise sa femme à s'asseoir à
sa table et à échanger avec lui quelques mots. Il se demande
déjà si l'homme, après tout, n'est pas « un animal édu-
cable ».

Certes, Swift n'est pas homme à se vanter d'avoir
deux bras et deux jambes. Mais ses dernières conclusions
sur la nature humaine ne sont pas marquées d'une totale
désespérance. Qui sait si dans son exil de Dublin, le
vieux misanthrope de St. Patrick, qui avait créé des

mythes atroces, à faire rougir de honte et de dégoût toute l'humanité, ne rêvait pas en secret de voir s'établir un jour sur la terre des hommes une société semblable à celle de ses amis les Houyhnhnms, où régneraient la beauté, la raison et la justice?

Maurice Pons.

VOYAGES
EN PLUSIEURS LOINTAINES CONTRÉES
DU MONDE
EN QUATRE PARTIES

PAR

LEMUEL GULLIVER
D'ABORD CHIRURGIEN PUIS
CAPITAINE DE PLUSIEURS NAVIRES

L'ÉDITEUR AU LECTEUR

L'auteur de ces Voyages, M. Lemuel Gulliver, est depuis très longtemps un de mes amis intimes. Nous sommes même un peu parents du côté de nos mères. Il y a environ trois ans, M. Gulliver, qui supportait mal d'être constamment assailli chez lui, à Redriff, par des foules de curieux, fit l'achat d'une petite terre, avec une agréable maison près de Newark, dans le comté de Nottingham, son pays natal. C'est là qu'il s'est retiré et qu'il vit entouré de l'estime de ses voisins.

Bien que M. Gulliver soit né dans le comté de Nottingham, je l'ai entendu dire que sa famille était originaire du comté d'Oxford ; j'ai en effet observé moi-même dans le cimetière de Banbury, dans ce même comté, plusieurs tombes ou monuments funéraires portant le nom de Gulliver. Avant de quitter Redriff, il me remit en manuscrit l'ouvrage que nous publions ici, me laissant la liberté d'en disposer à ma guise. J'ai lu ces pages en entier, trois fois, et avec grand soin. Le style en est simple et dépouillé, et je n'y trouve qu'un seul défaut, commun d'ailleurs à tous les récits de voyages, c'est d'attacher un peu trop d'importance aux détails. L'ensemble donne une grande impression de vérité ; et il faut bien dire que l'auteur était si connu pour sa véracité, qu'il était devenu traditionnel chez ses voisins de Redriff, pour affirmer

*quelque chose, de déclarer : « Aussi vrai que si M. Gul-
liver l'avait dit. »*

*Après avoir consulté plusieurs personnes de bon
conseil, à qui j'avais, par permission de l'auteur, communiqué son manuscrit, j'ose aujourd'hui présenter cet
ouvrage au public, espérant qu'il fournira aux jeunes
gens de la noblesse, au moins pendant un certain temps,
un passe-temps plus profitable que les pauvretés de la
politique et de l'esprit partisan. Ce volume aurait été au
moins deux fois plus important, si je n'avais pris sur moi
d'en supprimer les innombrables passages relatifs aux
vents et aux marées, ainsi qu'aux changements de cap et
aux relevés de positions ; j'ai écarté également les descriptions minutieuses, en termes de marine, de la manœuvre des navires au cours des tempêtes ; de même que
les énumérations de longitudes et de latitudes ; j'ai donc
quelque sujet de craindre que M. Gulliver ne soit pas très
satisfait, mais j'étais résolu à adapter autant que possible
l'ouvrage aux capacités du lecteur moyen. Si, dans mon
ignorance des choses de la mer, j'ai pu me laisser aller
à commettre des erreurs, j'en revendique pour moi seul
la responsabilité. Et si un navigateur a le désir de voir
le texte intégral, en manuscrit, je serai très heureux de le
satisfaire.*

*Le lecteur désireux d'avoir d'autres précisions sur la
personnalité de l'auteur les trouvera dans les premières
pages de ce livre.*

Richard Sympson.

PREMIÈRE PARTIE

Voyage
à Lilliput

CHAPITRE I

L'auteur donne quelques renseignements sur lui-même et sa famille, sur les premiers motifs qui le portèrent à voyager. — Il fait naufrage et tente de se sauver à la nage. Il parvient sain et sauf au rivage du pays de Lilliput. — Il est enchaîné et transporté à l'intérieur des terres.

Mon père avait un petit bien dans le comté de Nottingham. J'étais le troisième de ses cinq fils. Il m'envoya à l'âge de quatorze ans au collège Emmanuel à Cambridge, où je demeurai trois années durant lesquelles je m'adonnai à l'étude avec une grande application. Mais la charge de mon entretien (je ne recevais pourtant de ma famille qu'une très maigre pension) était trop lourde pour des gens de fortune modique : on me mit en apprentissage à Londres, auprès de Mr. James Bates, chirurgien éminent chez qui je demeurai quatre ans. Mon père m'envoyait de temps à autre de petites sommes d'argent que j'employais à l'étude de la navigation, et autres disciplines mathématiques, fort utiles à ceux qui songent à partir en voyage, car je prévoyais que telle devait être tôt ou tard ma destinée. Quand je quittai Mr. Bates, je retournai chez mon père dont la libéralité, jointe à celle de mon oncle John et de quelques autres parents, me mit en possession de quarante livres et de la promesse de trente livres par an, pour subvenir à mes besoins à Leyde [1]. C'est là que j'étudiai la médecine durant deux ans et sept mois, sachant de quelle utilité me serait cette science au cours de mes longs voyages.

Peu après mon retour de Leyde, je dus à la recommandation de mon bon maître Mr. Bates, l'emploi de chirurgien à bord de l'*Hirondelle*, capitaine Abraham Pannell. Je demeurai trois ans et demi sur ce navire, faisant un voyage ou deux dans le Levant et en d'autres régions. A mon retour je résolus de m'établir à Londres, ainsi que m'y encourageait Mr. Bates, mon maître, qui me recommanda à quelques-uns de ses malades. Je louai un logis, dans une petite maison d'Old Jewry [2], et comme on me conseillait alors de changer d'état, j'épousai une demoiselle Mary Burton, seconde fille de Mr. Edward Burton, bonnetier dans la rue de Newgate, laquelle m'apporta en dot quatre cents livres sterling. Mais mon bon maître mourut moins de deux ans après, et le nombre de mes amis diminuant, mes affaires se mirent à péricliter. Ma conscience ne me permettait pas de recourir à des pratiques répréhensibles, à l'instar de trop de mes confrères. C'est pourquoi, après en avoir délibéré avec ma femme et quelques amis, je résolus de reprendre la mer. Je fus successivement chirurgien sur deux vaisseaux et fis, durant six ans, plusieurs voyages aux Indes orientales et occidentales, ce qui me permit d'accroître un peu ma petite fortune. Comme j'étais toujours pourvu d'un bon nombre de livres, j'employais mes heures de loisir à lire les meilleurs auteurs anciens et modernes, ou, quand je me trouvais à terre, à observer les mœurs et les coutumes des hommes tout en apprenant leur langue, étude pour laquelle j'avais une grande facilité en raison de l'excellence de ma mémoire.

Le dernier de ces voyages n'ayant pas été très heureux, je me lassai de la mer, et pris le parti de rester chez moi, avec ma femme et mes enfants. Je quittai

Old Jewry pour Fatter Lane, et m'installai ensuite à Wapping [1] dans l'espoir de me faire une clientèle parmi les matelots. Mais je ne trouvai là qu'un maigre profit. Après avoir attendu pendant trois ans que ma situation s'améliorât, j'acceptai une offre avantageuse du capitaine William Pritchard, commandant l'*Antilope*, qui s'apprêtait à partir pour les mers du Sud [2]. Nous mîmes à la voile à Bristol, le quatre mai mil six cent quatre-vingt-dix-neuf, et notre voyage fut d'abord très heureux.

Il ne convient pas d'importuner le lecteur par le détail de nos aventures en ces mers. Qu'il suffise de lui dire qu'avant notre arrivée aux Indes orientales, nous fûmes chassés par une violente tempête vers le nord-ouest de la terre de Van Diemen [3]. Nous pûmes constater que nous nous trouvions alors par trente degrés, deux minutes de latitude australe. Douze hommes de notre équipage étaient morts d'excès de fatigue et de mauvaise nourriture ; les autres étaient dans un état de grand épuisement. Le cinq novembre, commencement de l'été dans ces régions, le ciel étant très brumeux, les matelots aperçurent soudain un rocher à moins d'un demi-câble du navire. Le vent était si fort que nous fûmes poussés tout droit contre l'écueil, et notre navire se brisa aussitôt. Six hommes de l'équipage, dont j'étais, ayant pu mettre la chaloupe à la mer, parvinrent à s'écarter à la fois du vaisseau et du rocher. Nous fîmes, autant que je pus m'en rendre compte, environ trois lieues à la rame, jusqu'au moment où tout effort nous devint impossible, après l'extrême lassitude dont nous avions déjà souffert à bord. Nous nous abandonnâmes donc à la merci des vagues, et environ une demi-heure après, la chaloupe fut renversée par un soudain coup de vent du nord. Ce qui advint de mes compagnons de chaloupe, ou de ceux qui avaient pu s'accrocher aux récifs, ou de ceux encore qui étaient restés sur le navire, il m'est impossible de le

dire, mais je crois qu'ils périrent tous. Pour moi, je
nageai à l'aventure, poussé à la fois par le vent et la
marée. J'essayais parfois, mais en vain, de toucher le
fond ; finalement, alors que j'étais sur le point de
m'évanouir, et dans l'impossibilité de prolonger la
lutte, je m'aperçus que j'avais pied. La tempête s'était
considérablement apaisée. La pente était si insensible
que je dus marcher près d'une demi-lieue avant de
parvenir au rivage, que j'atteignis seulement, me sembla-t-il, vers huit heures du soir. J'avançai à l'intérieur
des terres sur près d'un mille, sans pouvoir découvrir
trace d'habitation ni d'habitants ; ou du moins, j'étais
trop exténué pour en apercevoir.

L'extrême fatigue jointe à la chaleur et à une demi-
pinte d'eau-de-vie que j'avais bue en quittant le navire
firent que je me sentis fort enclin au sommeil. Je
m'étendis sur l'herbe qui était douce et unie et j'y fis
le somme le plus profond de ma vie, je crois. Et je
pense avoir dormi plus de neuf heures, car lorsque je
m'éveillai le jour venait de poindre. J'essayai alors de
me lever, mais ne pus faire le moindre mouvement ;
comme j'étais couché sur le dos, je m'aperçus que mes
bras et mes jambes étaient solidement fixés au sol
de chaque côté, et que mes cheveux, qui étaient longs
et épais, étaient attachés au sol de la même façon.
Je sentis de même tout autour de mon corps de nombreuses et fines ligatures m'enserrant depuis les aisselles
jusqu'aux cuisses.

Je ne pouvais regarder qu'au-dessus de moi ; le
soleil se mit à chauffer très fort et la lumière vive
blessait mes yeux. J'entendis un bruit confus autour
de moi, mais, dans la position où j'étais, je ne pouvais
voir rien d'autre que le ciel. Au bout d'un instant, je
sentis remuer quelque chose de vivant sur ma jambe
gauche, puis cette chose avançant doucement sur ma
poitrine arriva presque jusqu'à mon menton ; inflé-
chissant alors mon regard aussi bas que je pus, je

découvris que c'était une créature humaine, haute tout au plus de six pouces, tenant d'une main un arc et de l'autre une flèche et portant un carquois sur le dos.

Dans le même temps, je sentis une quarantaine au moins d'êtres de la même espèce ou qui me parurent tels, grimpant derrière le premier. J'éprouvai la plus inimaginable surprise et poussai un cri si étourdissant qu'ils s'enfuirent tous épouvantés. Quelques-uns d'entre eux, comme je l'appris par la suite, sautèrent du haut de mes côtes pour échapper plus vite, et se blessèrent en tombant. Néanmoins ils ne tardèrent pas à revenir, et l'un d'entre eux qui s'aventura assez loin pour avoir une vue complète de mon visage, levant soudain les mains et les yeux en signe d'émerveillement, s'écria d'une voix aiguë, mais distincte : *Hekinah Degul* [1]. Les autres répétèrent ces mêmes mots plusieurs fois de suite, mais je ne savais pas alors ce qu'ils signifiaient. Durant tout ce temps, je demeurai, comme le lecteur l'imagine, dans une très gênante posture. A la fin, faisant de grands efforts pour me libérer, j'eus la bonne fortune de rompre les fils et d'arracher les chevilles qui fixaient mon bras gauche au sol ; en le haussant jusqu'à mon visage je découvris de quelle façon on m'avait enchaîné. Au même instant, par une secousse violente qui me causa une douleur intolérable, je parvins à distendre un peu les ficelles qui retenaient mes cheveux du côté gauche, de sorte que je pus faire exécuter à ma tête un mouvement tournant d'un ou deux pouces d'amplitude. Mais ces êtres étranges s'enfuirent une seconde fois avant que je pusse mettre la main sur eux, et ce fut alors une explosion de cris perçants ; après quoi j'entendis l'un d'eux s'écrier : *Tolgo Phonac*, et aussitôt je sentis sur ma main gauche s'abattre des centaines de flèches qui me piquaient comme autant d'aiguilles ; puis ils lancèrent une autre rafale en l'air, comme nous lançons des

bombes en Europe. Un bon nombre de leurs projectiles
dut, je crois, me retomber sur le corps (mais en vérité
je ne les sentis pas). D'autres tombèrent sur mon
visage, que je protégeai aussitôt de ma main gauche.
Quand cette grêle de flèches eut cessé, je ne pus m'empêcher de geindre de douleur, mais comme je faisais
de nouveaux efforts pour me dégager, ils lancèrent une
nouvelle rafale plus forte que la première, et quelques-
uns tentèrent de me percer le flanc de leurs lances. Par
bonheur je portais un pourpoint de buffle qu'il leur
était impossible de traverser. Je pensai que le parti le
plus sage était de me tenir coi, et résolus de demeurer
ainsi jusqu'à la nuit, où il me serait facile, ma main
gauche étant déjà libre, de me libérer tout à fait.

Quant aux habitants, j'avais quelque raison de
croire que je pourrais à moi seul tenir tête aux plus
grandes armées que l'on m'opposerait, si tous du moins
étaient de la même taille que l'homme que j'avais vu.
Mais la fortune devait disposer de moi tout autrement.
Quand ces gens virent que je me tenais tranquille, ils
cessèrent de me tirer des flèches, mais je devinai au
bruit grandissant autour de moi que leur nombre se
multipliait ; à environ deux toises de mon corps,
au niveau de mon oreille droite, j'entendis pendant
plus d'une heure des bruits de coups de marteau : il
semblait que des ouvriers étaient au travail ; et quand
enfin je pus tourner la tête de ce côté, autant que fils
et chevilles me le permettaient, je vis, à quatre pieds
et demi au-dessus du sol, un échafaudage sur lequel
quatre de ces indigènes pouvaient tenir, avec deux ou
trois échelles pour y monter. De cette plate-forme, un
d'entre eux, qui me semblait être une personne de
qualité, m'adressa une longue harangue dont je ne
compris pas le moindre mot. Mais je devrais dire d'abord
qu'avant de commencer son discours cet important
personnage s'était écrié par trois fois : *Langro dehul
san* (ces mots ainsi que les précédents me furent par

la suite répétés et expliqués). Sur quoi cinquante
hommes s'avancèrent et coupèrent les liens qui retenaient encore le côté gauche de ma tête, ce qui me
permit de la tourner à droite et d'observer la physionomie et les attitudes de celui qui devait parler. C'était
un homme entre deux âges, et plus grand que tous
ceux qui l'entouraient : l'un était son page, et portait
la queue de sa robe, tandis que les deux autres le soute-
naient de chaque côté. Il se montra orateur accompli
et je pus discerner dans son discours des mouvements
successifs et divers de menace, de promesse, de pitié et
de bonté. Je répondis brièvement, mais sur le ton le
plus humble, levant ma main gauche et mes yeux vers
le soleil, comme pour le prendre à témoin. Je commençais à sentir les tortures de la faim, car j'avais mangé
pour la dernière fois plusieurs heures avant de quitter
le navire, et j'étais tellement harcelé par cette exigence
de la nature, que je ne pus m'abstenir de traduire
mon impatience (enfreignant peut-être ainsi les règles
de la stricte civilité) en portant plusieurs fois le doigt
à la bouche pour montrer le besoin que j'avais de
nourriture. Le *Hurgo* (c'est ainsi que parmi eux on
appelle un grand seigneur, comme je l'ai su depuis) me
comprit fort bien. Il descendit de la tribune et donna
l'ordre d'appliquer contre mon côté plusieurs échelles
sur lesquelles montèrent bientôt une centaine d'hommes ; ils se mirent en marche vers ma bouche, chargés
de paniers pleins de victuailles, préparés et envoyés
par les ordres du Roi, dès que Sa Majesté avait eu
connaissance de mon arrivée. Je remarquai qu'on me
servait des morceaux de divers animaux, mais sans
pouvoir les distinguer par leur goût. Il y avait des
gigots, des épaules, des longes ayant la forme de ceux
du mouton et fort bien accommodés, mais plus petits
que les ailes d'une alouette. J'en avalai deux ou trois
d'une bouchée et engloutis trois pains à la fois, qui
étaient de la grosseur d'une balle de fusil. Ces gens

m'approvisionnaient aussi rapidement qu'ils le pouvaient, témoignant par mille signes de leur émerveillement et de leur stupéfaction devant l'énormité de mon appétit. Puis je fis un autre geste pour montrer que je voulais boire. Ils devinèrent, à me voir manger, qu'une petite quantité de boisson ne pourrait me suffire et, comme ils étaient d'une grande ingéniosité, ils soulevèrent très habilement au moyen de cordes une de leurs plus grosses futailles, qu'ils firent rouler jusqu'à ma main, et défoncèrent par le haut. Je la vidai, d'un seul coup, et sans peine, car elle contenait tout juste une demi-pinte. Ce vin ressemblait à un bourgogne léger mais il était d'un goût bien plus exquis. On m'en apporta une autre barrique, que je vidai de la même façon ; j'en réclamai d'autres encore par signes, mais leur provision était épuisée. Quand j'eus accompli ces prodiges, ils poussèrent des cris de joie et dansèrent sur ma poitrine en répétant plusieurs fois leur premier cri : *Hekinah Degul*. Ils me firent signe de jeter à terre les deux tonneaux, mais non sans avoir averti d'abord les assistants de s'éloigner en criant très haut *Borach Mivola*. Quand ils virent les deux barriques en l'air, ce ne fut partout qu'une même clameur : *Hekinah Degul*. J'avoue que je fus maintes fois tenté, pendant qu'ils allaient et venaient sur mon corps, de saisir les quarante ou cinquante premiers qui me tomberaient sous la main et de les écraser contre le sol. Mais le souvenir de mes épreuves passées, qui pouvaient fort bien n'être pas les pires, ainsi que la promesse formelle que je leur avais faite tacitement, car j'interprétai ainsi ma docilité, eurent tôt fait de bannir ces pensées. D'ailleurs, je me regardai désormais comme lié par les lois de l'hospitalité envers un peuple qui venait de me traiter avec tant de faste et de magnificence. Cependant, au fond de moi-même je ne pouvais m'empêcher d'admirer la hardiesse de ces êtres minuscules, qui se risquaient à monter et à courir sur mon corps, tandis qu'une de

mes mains était libre, sans trembler le moins du monde
à la vue de l'être gigantesque que je devais apparaître
à leurs yeux. Quand, au bout de quelques instants, ils
remarquèrent que je ne demandais plus à manger, on
fit avancer vers moi un personnage d'un rang supérieur, envoyé par Sa Majesté Impériale. Son Excellence,
montant par le bas de ma jambe, s'avança jusqu'à mon
visage, avec une douzaine de gens de sa suite, et là,
produisant ses lettres de créance, revêtues du sceau
royal, qu'il plaça tout près de mes yeux, parla durant
environ dix minutes sans la moindre véhémence, mais
sur un ton de fermeté résolue, tendant le bras, à
plusieurs reprises, dans une direction que je reconnus
être plus tard celle de la capitale, distante d'un demi-
mille, où il avait été décidé par Sa Majesté, en séance
du Conseil, que je devais être transporté. Je répondis
quelques mots, mais ce fut en pure perte ; je fis alors
un signe de ma main libre, la posant d'abord sur l'autre,
après l'avoir fait passer très au-dessus de la tête de
Son Excellence, de peur de le blesser lui ou quelqu'un
de sa suite, puis la portant à ma tête et en plusieurs
points de mon corps pour donner à entendre que je désirais être mis en liberté. Il semble qu'il me comprit fort
bien, car il secoua la tête en signe de refus, et tint un
instant sa main dans une position qui indiquait que je
devais être transporté enchaîné. Toutefois, il fit d'autres
signes tendant à m'assurer que j'aurais à boire et à manger à discrétion et que je serais à tous égards bien traité.
Sur quoi, je fus repris du désir de briser mes liens. Mais
lorsque je sentis à nouveau la piqûre de leurs flèches
sur mon visage et sur mes mains qui étaient encore
pleines d'ampoules et toutes couvertes de leurs petits
dards, lorsque je vis grossir le nombre de mes ennemis,
je leur adressai des signaux montrant qu'ils pouvaient faire de moi ce qu'il leur plaisait. Là-dessus le
Hurgo et sa suite se retirèrent en me prodiguant les
marques de leur civilité et les témoignages de leur satis-

faction. Bientôt, j'entendis des clameurs unanimes, parmi lesquelles je distinguai à maintes reprises les mots *Peplom Selan* ; je sentis sur mon côté gauche un grand nombre de gens qui s'employaient à détendre les cordes, de sorte que je pus enfin me mettre sur le flanc droit et soulager ma vessie. Je le fis avec une abondance qui émerveilla la foule. Celle-ci, d'ailleurs, devinant à mes gestes ce que j'allais faire, s'était rapidement écartée sur la droite et sur la gauche, afin d'éviter le torrent qui jaillissait de moi avec tant de fracas et de violence. Auparavant on m'avait enduit le visage et les mains d'une sorte d'onguent, d'une odeur très agréable, qui, en quelques minutes, fit disparaître le mal cuisant causé par les flèches. Tout cela, ajouté à l'effet réconfortant de ce qu'on m'avait fait manger et boire, me disposa au sommeil. Je dormis environ huit heures, comme je m'en assurai plus tard ; il n'y avait là rien d'un prodige, car les médecins, sur l'ordre du Roi, avaient mélangé aux barriques de vin une potion soporifique.

Il semble en effet que, dès l'instant même où l'on m'avait découvert dormant sur le rivage, l'Empereur en avait été informé par un exprès et qu'il avait décidé en son Conseil que je serais enchaîné de la manière que je viens de rapporter (ce qui fut exécuté dans la nuit et durant mon sommeil) ; que de copieuses provisions de vivres et de boissons me seraient envoyées, et qu'une machine serait construite pour me transporter dans la capitale.

Une telle décision pourra paraître téméraire et dangereuse, et je gagerais qu'aucun prince d'Europe en pareil cas n'agirait de cette façon ; cependant, à mon sens, la mesure était d'une extrême prudence autant qu'elle était généreuse. Car, supposez que ces gens eussent essayé de me tuer à coups de lances ou de javelots durant mon sommeil, je me serais certainement éveillé à la première sensation de douleur ; et ma fureur eût à ce point décuplé mes forces que j'en aurais brisé mes liens, ce qui les eût mis, dans leur impuissance, inexorablement à ma merci.

Ces gens, qui sont d'excellents mathématiciens, sont parvenus à une parfaite maîtrise des arts mécaniques, grâce à l'appui et aux encouragements de leur Empereur, grand protecteur de la science. Ce prince possède une quantité de machines montées sur roues pour le transport des arbres et des poids lourds. Ses plus grands vaisseaux de guerre, dont quelques-uns atteignent neuf pieds de long, sont le plus souvent construits dans la forêt qui fournit le bois de charpente; on les transporte de là jusqu'à la mer à l'aide d'un de ces appareils, à mille ou douze cents pieds de distance. Cinq cents charpentiers et mécaniciens reçurent l'ordre de se mettre immédiatement à l'œuvre pour construire le plus formidable engin qu'ils eussent encore vu. C'était une plate-forme en bois s'élevant à trois pouces au-dessus du sol, de sept pieds de long sur quatre de large, et posée sur vingt-deux roues. Les cris que j'avais entendus saluaient l'arrivée de cette machine, qui, semblait-il, avait été mise en route moins de quatre heures après mon arrivée dans l'île. Elle fut placée parallèlement à mon corps. Mais la principale difficulté était de me hisser jusqu'à ce véhicule et de m'y installer. Pour cela, on dressa d'abord quatre-vingts poteaux, d'une hauteur d'un pied, et de fortes cordes de la grosseur d'un fil d'emballage furent reliées par des crochets à des bandes que l'on avait passées autour de mon cou, de mes mains, de mon corps et de mes jambes. Neuf cents hommes, choisis parmi les plus vigoureux, reçurent alors l'ordre de tirer sur ces cordes par des poulies fixées aux poteaux et en moins de trois heures je fus ainsi hissé et installé sur la machine, où l'on m'attacha solidement.

Tout cela me fut conté par la suite, car pendant la durée de l'opération je dormais encore d'un profond

sommeil, sous l'effet du narcotique que l'on avait mis
dans ma boisson.

Quinze cents chevaux, choisis parmi les plus grands
des écuries impériales, et dont la taille atteignait jusqu'à quatre pouces et demi, m'amenèrent jusqu'à la
capitale qui était, ai-je dit, à une distance d'un demi-
mille. Il y avait environ quatre heures que nous étions
en route quand je fus éveillé par un incident fort ridicule. Le chariot s'étant arrêté un instant pour que l'on
y remît quelque chose en ordre, deux ou trois de ces
jeunes insulaires eurent la curiosité de voir quelle pouvait être mon apparence dans mon sommeil. Ils grimpèrent sur le véhicule et s'avancèrent très doucement
jusqu'à mon visage ; l'un d'entre eux, officier des
gardes, enfonça la pointe aiguë de son épée fort avant
dans ma narine gauche, ce qui me chatouilla le nez,
comme une paille, et me fit éternuer avec violence. Sur
quoi ils détalèrent sans demander leur reste et ce ne
fut qu'au bout de trois semaines que je connus la
cause de ce réveil soudain. Le reste de la journée, nous
marchâmes sans arrêt. La nuit venue, durant la halte,
cinq cents gardes furent postés à chacun de mes côtés ;
la moitié portait des torches, et les autres, arcs et
flèches en main, étaient prêts à tirer sur moi si je
bougeais. Le lendemain, nous reprîmes notre marche
au lever du soleil, et arrivâmes vers midi à moins de
deux cents pas des portes de la ville. L'Empereur,
avec toute sa Cour, s'avança au-devant de nous, mais
les grands dignitaires ne permirent pas que Sa Majesté
mît sa personne en danger en faisant l'escalade de mon
corps.

A l'endroit même où s'était arrêté le chariot, se
dressait un antique temple, estimé le plus vaste du
Royaume ; ce lieu ayant été, quelques années auparavant, souillé par un meurtre horrible, on le considérait comme profané et on l'employait en conséquence
à des usages profanes, après l'avoir dépouillé de tous

les ornements et objets sacrés. C'est dans cet édifice que l'on décida de me loger. La grande porte, face au nord, avait environ quatre pieds de haut et deux de large, ce qui me permettait aisément de passer, en marchant sur les genoux. De chaque côté de la porte il y avait une petite fenêtre à moins de sept pouces du sol ; à travers celle de gauche, les forgerons du Roi firent passer quatre-vingt-une chaînes, semblables à celles qui en Europe pendent aux montres de dame — et presque aussi grosses — que l'on fixa à ma jambe gauche par trente-six cadenas. En face du Temple, à environ vingt pieds de distance de l'autre côté de la route, s'élevait une petite tour d'au moins cinq pieds de haut. C'est là que monta, me dit-on, l'Empereur, avec les plus hauts personnages de sa Cour, pour me regarder à loisir sans que je les visse. On évalua à plus de cent mille le nombre de curieux venus de la ville dans la même intention, et en dépit de la surveillance de mes gardes, je suis convaincu qu'il n'y eut pas moins de dix mille personnes, qui, une fois ou l'autre, me grimpèrent sur le corps à l'aide d'échelles. Mais une proclamation fut faite, interdisant cet acte sous peine de mort. Quand les équipes à l'œuvre constatèrent qu'il m'était impossible de m'échapper, on coupa les cordes qui me liaient ; je me dressai aussitôt avec un sentiment de tristesse que je n'ai que bien rarement éprouvé. La rumeur de la foule, l'étonnement des gens quand ils me virent me lever et marcher sont impossibles à décrire. Les chaînes qui m'entravaient avaient environ six pieds de long et me permettaient d'aller et venir en décrivant un demi-cercle. Comme elles n'étaient fixées qu'à quatre pouces de la porte, je pouvais, en outre, la franchir en rampant et m'étendre de tout mon long dans le Temple.

CHAPITRE II

L'Empereur de Lilliput, accompagné de plusieurs de ses gentils-hommes, vient voir l'auteur dans sa prison. — Description de la personne et du costume de Sa Majesté. — Des savants sont désignés pour enseigner à l'auteur la langue du pays. — Il se concilie la faveur générale par la douceur de son caractère. — Ses poches sont visitées ; on lui retire son épée et ses pistolets.

Quand je me retrouvai sur mes pieds, je regardai autour de moi et je dois avouer que jamais mes yeux n'avaient embrassé de vue plus agréable : le parc environnant semblait n'être qu'un jardin ininterrompu et les champs clos de murs, qui mesuraient pour la plupart quarante pieds carrés, avaient l'aspect de plates-bandes fleuries. Ces champs étaient entremêlés de bois d'un demi-arpent, et les plus grands arbres me parurent avoir sept pieds de haut. Je parcourus du regard la ville qui se trouvait à ma gauche, et qui ressemblait aux villes peintes dans les décors de théâtre.

Depuis quelques heures, j'étais extrêmement pressé par certaine nécessité de la nature [1], ce qui n'avait rien d'étonnant, si l'on songe qu'il y avait près de deux jours que je ne m'étais soulagé. Entre l'urgence et la honte, je me trouvai dans le plus cruel embarras.

Le meilleur expédient dont je m'avisai fut de me glisser dans ma maison, de fermer la porte derrière moi, et reculant de toute la longueur de ma chaîne, d'alléger mon corps de ce gênant fardeau. Mais ce fut la seule fois que je me rendis coupable d'un acte aussi malpropre, auquel le lecteur sincère voudra bien, je l'espère, accorder quelque indulgence, après mûr et impartial examen de mon cas et de ma détresse. A partir de ce moment j'adoptai l'habitude dès mon lever d'accomplir cette fonction en plein air, aussi loin que le

permettait ma chaîne, et l'on prit grand soin chaque
matin, avant que personne ne fût sorti, de faire enlever
dans des brouettes la matière offensante : deux domestiques étaient chargés de cet office. Je n'aurais pas
si longuement insisté sur un fait qui, à première vue,
peut apparaître dépourvu d'importance, si je n'avais
estimé nécessaire de me justifier et de défendre devant
tous ma réputation sur le sujet de ma délicatesse, —
que, m'assure-t-on, mes détracteurs ont cru bon, en
cette occasion comme en d'autres, de révoquer en
doute. L'opération terminée, je revins dans la rue.
J'avais vraiment besoin de grand air.

L'Empereur cependant était déjà descendu de la tour
et s'avançait vers moi à cheval, ce qui faillit lui coûter
cher, car la bête, fort bien dressée cependant, se cabra
de toute sa hauteur à la vue de cette montagne en
marche, mais le prince était excellent cavalier, et se
tint ferme en selle, donnant à sa suite le temps d'ac-
courir et de saisir la bride. Sa Majesté mit donc pied à
terre, et m'examina sous tous les angles, éprouvant
une grande admiration, mais restant toujours hors de
ma portée... Cuisiniers et sommeliers étaient prêts. Sur
son ordre, ils poussèrent jusqu'à moi des sortes de
chariots pleins de victuailles et de vin. Je les saisis et
les vidai, ce ne fut pas long : il y en avait vingt chargés
de viandes et dix de vin. Chacun des premiers me
fournissait deux ou trois bonnes bouchées. Quant au
vin, il était contenu dans de petites fioles de faïence ;
je les vidais dix par dix dans une voiture que je lam-
pais d'un trait, le reste à l'avenant...

L'Impératrice, les jeunes Princes ou Princesses du
sang, entourés de nombreuses dames d'honneur, étaient
restés à quelque distance dans leurs chaises. Mais les
difficultés équestres de l'Empereur firent qu'ils en
sortirent et se rapprochèrent de lui. Passons maintenant au portrait de ce Prince : il dominait d'au moins
la largeur de mon ongle tous les Seigneurs de sa Cour,

et cela suffisait à en imposer à tous ceux qui l'approchaient. Ses traits était mâles et fermes, la lèvre autrichienne [1] et le nez aquilin ; son teint était mat et son port majestueux, le corps et les membres fort bien proportionnés. Ses gestes étaient toujours empreints de grâce, et ses attitudes pleines de majesté. Ce n'était plus un jouvenceau, mais un homme de vingt-huit ans et trois quarts d'année ; il avait régné sept ans avec beaucoup de bonheur, presque toujours victorieux. Afin de le voir plus commodément, je m'étendis sur le côté, mon visage au niveau du sien, et il se rapprocha à moins de trois yards : je l'ai du reste bien souvent tenu dans mes mains par la suite et ne puis donc me tromper dans ma description. Son habit était fort simple, et, par la coupe, évoquait à la fois l'Europe et l'Orient ; il portait sur la tête un léger casque d'or orné d'un plumet. Il tenait à la main son épée nue pour se défendre au cas où je briserais mes chaînes : elle avait près de trois pouces de long et la hampe et le fourreau étaient d'or rehaussé de diamants. Sa voix était aiguë, mais si nette et distincte que je l'entendais fort bien, même debout.

Les dames et les courtisans étaient tous magnifiquement vêtus, si bien que la tache que le groupe faisait sur le sol rappelait une jupe étendue à terre et couverte de broderies d'or et d'argent.

Sa Majesté Impériale voulut plusieurs fois me dire quelque chose et je lui répondis, mais sans qu'aucun de nous comprît une syllabe aux discours de l'autre. Il y avait là des prêtres et des hommes de loi, à en juger par leur costume, qui reçurent l'ordre de m'adresser la parole. Je leur parlai dans toutes les langues dont j'avais quelques notions : haut et bas-allemand, latin, français, espagnol, italien, et *lingua franca* [2] — mais sans aucun résultat.

Au bout de deux heures environ la Cour se retira, et on me laissa une forte garde pour me protéger contre les impertinences et peut-être les cruautés de la populace, laquelle attendait impatiemment de pouvoir s'attrouper autour de moi, du plus près qu'elle l'oserait. Certains eurent l'impudence, en me voyant tranquillement assis par terre près de ma porte, de me lancer des flèches, dont l'une manqua de me crever l'œil gauche. Mais le colonel fit arrêter six des plus excités, et pensa que le meilleur châtiment serait de me les remettre garrottés. Des soldats les poussèrent donc avec la hampe de leurs piques jusqu'à portée de mes mains. Je les saisis tous de ma main droite, et en mis cinq dans la poche de mon pourpoint. Quant au sixième, je fis mine de le manger tout vif. Le malheureux poussait des cris affreux ; le colonel et ses officiers parurent eux-mêmes très affectés, surtout lorsqu'ils me virent tirer mon canif. Mais je les rassurai bientôt : je pris un visage moins sévère et, coupant les liens de mon prisonnier, je le déposai doucement sur le sol, où il s'enfuit à toutes jambes. Je traitai les autres de même façon, les tirant un à un de ma poche, et je remarquai que les soldats et le peuple étaient profondément touchés de ce geste de clémence, qui fut rapporté à la Cour en termes très élogieux.

Le soir, je me glissai, non sans peine, dans ma demeure et je m'y couchai à même le sol. Je n'eus pas d'autre couche pendant les quinze jours que dura la confection de mon lit. Par ordre de l'Empereur on apporta en charrettes six cents matelas de taille normale et on les assembla chez moi en quatre couches de cent cinquante matelas chacune, cousus ensemble pour être à mes dimensions, mais ne rendant guère moelleux un sol fait de pierres polies. On me confectionna de même les draps, les couvertures et les couvre-pieds ; le tout me satisfit, car je sais dormir sur la dure.

Cependant, la nouvelle de mon arrivée se répandait dans le Royaume. Riches, oisifs, curieux, en nombre incroyable, venaient me contempler. Les villages se

vidaient. Sa Majesté Impériale dut lutter par édits et
décrets royaux contre l'abandon qui menaçait les terres
et les fermes. On obligea les gens à rentrer chez eux
après m'avoir vu et personne ne pouvait s'approcher
de moi à moins de cinquante yards sans un laissez-
passer officiel. La délivrance de ces laissez-passer fit
la fortune des ministres. Cependant l'Empereur tenait
fréquemment conseil à mon sujet. Qu'allait-on faire
de moi ? La Cour était dans le pire embarras. Je le sus
plus tard par un ami, un haut dignitaire très bien
informé. On craignait mon évasion, mais on ne craignait pas moins une famine car mon appétit pouvait
ruiner le pays. On parla donc de me laisser mourir de
faim, ou de me cribler les mains et le visage de flèches
empoisonnées fort efficaces, mais mon cadavre en se
décomposant ne pouvait qu'infester la capitale et
empuantir tout le Royaume. Pendant qu'on délibérait,
il se présenta à la porte du Grand Conseil de Chambre
plusieurs officiers. Deux d'entre eux furent admis, et
rapportèrent au Prince ma clémence envers les six
délinquants dont j'ai parlé plus haut. Ce récit fit si
bonne impression sur Sa Majesté et sur tous les
conseillers, qu'ils instituèrent aussitôt une Commission
impériale chargée de la réquisition quotidienne dans
tous les villages distants de moins de cinq cents toises
de la capitale, de six bœufs [1], quarante moutons et
autres victuailles à mon intention, ainsi que du pain,
du vin et d'autres boissons en quantité suffisante.
Tout cela serait payé par Sa Majesté en bons à valoir
sur les biens de la Couronne. Ce Prince n'a, en
effet, guère d'autres revenus que ceux de ses propres
domaines, et ne lève d'impôts qu'à titre exceptionnel
sur ses sujets. Ceux-ci, en revanche, sont tenus de le
suivre à la guerre à leurs frais. On me donna une maison
de six cents personnes nourries aux frais de l'État et fort
bien logées en des tentes que l'on dressa de part et
d'autre de ma porte. On prit d'autres mesures encore,

comme de commander à trois cents maîtres tailleurs
un costume pour moi, à la mode du Royaume, et de
charger six des plus grands savants de m'apprendre la
langue du pays ; enfin, il fut prescrit que les chevaux
de l'Empereur, de la noblesse et de la Garde feraient
souvent l'exercice en ma présence, afin de les habituer
à ma vue. Tous ces ordres furent dûment exécutés, et
en trois semaines environ je fis de grands progrès en
leur langue. Pendant ce temps-là, l'Empereur me fit
souvent l'honneur de me rendre visite, et se plut à
assister mes maîtres dans leurs leçons. Nous commen-
cions déjà à nous comprendre un peu, et les premiers
mots que j'appris furent pour lui demander de me
rendre ma liberté — prière que chaque jour je répétais
à genoux. Comme je le craignais, il me répondit qu'il
fallait attendre, que cette décision ne pouvait être
prise sans l'avis du Conseil et qu'il faudrait d'abord
Lumos kelmin pesso desmar lon Empesso, c'est-à-dire
m'engager à vivre en paix avec le Prince et son
Royaume. Il m'assura qu'on me traiterait toujours
avec de grands égards, et il me conseillait de gagner
son estime et celle de son peuple par ma patience et
ma bonne conduite. Il me pria encore de ne point le
prendre en mauvaise part s'il donnait ordre à ses
officiers de me fouiller, car il était probable que j'eusse
sur moi des armes qui ne pouvaient manquer d'être
très dangereuses, si leurs dimensions étaient aussi
prodigieuses que les miennes. Je répondis, m'exprimant autant par signes qu'en paroles, que Sa Majesté
serait satisfaite car j'étais prêt à me dévêtir et à retourner mes poches devant lui. Il répliqua que, d'après
la loi du Royaume, je devais être fouillé par deux de
ses officiers, ce qui n'était possible, il le voyait bien,
qu'avec mon consentement, et mon aide ; mais il
avait de ma justice et de ma générosité une si bonne
opinion qu'il ne craignait pas de remettre leurs personnes entre mes mains ; il m'assura en outre que tout

ce qu'ils pourraient confisquer me serait rendu à mon départ du pays, ou payé au prix que je fixerais.

Je pris les fonctionnaires dans ma main et les posai d'abord dans la poche de mon pourpoint, puis dans toutes les autres poches de mes vêtements, sauf mes deux goussets, et une autre poche secrète que je ne voulais pas laisser fouiller, car j'y gardais certains objets fort utiles mais absolument personnels. Dans l'un des goussets il y avait une montre d'argent, dans l'autre une bourse avec un peu d'or. Les commissaires, qui s'étaient munis de plumes, d'encre et de papier, firent un inventaire exact de tout ce qu'ils trouvèrent, et, quand ils eurent terminé, ils me demandèrent de les poser à terre pour en remettre le texte à l'Empereur. Plus tard je pus traduire en anglais cet inventaire, le voici mot pour mot : « In primis, dans la poche de droite de la veste du grand Homme-Montagne (c'est le sens que je donne aux mots : *Quinbus Flestrin*) après une fouille minutieuse, nous n'avons rien trouvé sinon un morceau de toile grossière assez grand pour faire un tapis de sol dans la salle du Trône de Votre Majesté. Dans la poche de gauche, nous avons observé un énorme coffre en argent, avec un couvercle du même métal, que les soussignés, incapables de le soulever, ont fait ouvrir par l'Homme-Montagne. L'un de nous, y ayant pénétré, s'est enfoncé jusqu'à mi-jambe dans une sorte de poussière qui nous vola au visage, nous faisant éternuer violemment à plusieurs reprises. Dans la poche droite du gilet, nous avons observé une liasse énorme de substances minces et blanches, repliées les unes sur les autres, en tout de la grosseur de trois hommes ; elle était nouée par un gros câble et marquée de grands signes noirs. Nous avons lieu de croire qu'il s'agit là de textes écrits, dont chaque lettre serait grande comme la main. Dans la poche de gauche se trouvait une sorte d'engin, du dos duquel sortaient vingt pieux faisant penser à la palissade du Château

de Votre Majesté. Nous avons supposé que l'Homme-
Montagne l'emploie pour se peigner, mais nous n'avons
pas voulu l'importuner de nos questions, voyant la
difficulté qu'il avait à nous comprendre.

« Dans la grande poche du côté droit de son "couvre-
milieu" (c'est le sens du mot *Ranfu-Lo* par lequel ils
désignaient ma culotte) nous avons observé un pilier
de fer creux, de la longueur d'un homme et fixé à une
pièce de charpente plus volumineuse que le pilier.
Faisant saillie sur un des côtés du pilier, il y avait de
grosses pièces de fer découpées en formes bizarres et
que nous n'avons pu identifier.

« Dans la poche de gauche, un deuxième engin du
même type. Dans la petite poche à droite, il y avait
plusieurs rondelles de métal, de deux sortes : blanc et
rouge. Quelques-unes des blanches (qui semblaient
être d'argent) étaient si grandes et si lourdes que mon
collègue et moi ne les avons soulevées qu'à grand-peine.

« Dans la poche de gauche, se trouvaient deux piliers
noirs de forme irrégulière dont nous pûmes tout juste
toucher le sommet, nos pieds reposant sur le fond de la
poche. L'un d'eux était dans une housse et semblait
fait d'une seule pièce. L'autre comportait à son sommet un objet rond, de couleur blanche, gros comme
environ deux têtes. Dans chacun de ces cylindres était
enchâssée une prodigieuse lame d'acier, que, selon nos
instructions, nous avons enjoint l'intéressé de nous
montrer, craignant qu'il s'agît là d'engins dangereux.
Il les fit sortir pour nous de leur logement, nous expli-
quant qu'il avait l'habitude chez lui de se faire la
barbe avec l'une et de couper sa viande avec l'autre.
Il existe également deux poches dans lesquelles nous
n'avons pu pénétrer, celles qu'il nommait ses goussets :
ce sont deux larges fentes pratiquées dans le haut de
son "couvre-milieu" mais maintenues fermées par la
pression du ventre.

« Une grosse chaîne d'argent pendait du gousset droit, et, au fond de celui-ci, il y avait un engin extra-ordinaire : nous avons ordonné à l'intéressé de produire l'objet, quel qu'il fût, qui se trouvait au bout de la chaîne. Nous avons vu apparaître alors un globe dont la moitié était d'argent, l'autre moitié d'une sorte de métal transparent : sur le côté transparent, nous avons observé certains signes bizarres, disposés en cercle, et nous pensions pouvoir les toucher, quand nous sen-tîmes nos doigts arrêtés par cette substance invisible. L'intéressé approcha l'engin de nos oreilles : celui-ci faisait un bruit incessant, pareil au tic-tac d'un moulin à eau.

« D'après nos conjectures, nous sommes en présence soit de quelque animal inconnu, soit du dieu que l'in-téressé adore. Nous inclinerions plutôt pour cette seconde hypothèse, car il nous a déclaré (ou du moins c'est ce que nous avons interprété car il s'exprimait fort imparfaitement) qu'il n'agissait rarement sans l'avoir consulté. Il l'appelait son oracle : " C'est lui qui fixe un temps pour tous les actes de ma vie ", ajouta-t-il... Du gousset gauche, l'intéressé a retiré un filet presque aussi vaste que ceux des pêcheurs mais qu'on ouvrait et fermait comme une bourse. C'est d'ailleurs à cet usage que l'objet semble affecté, car nous y avons constaté la présence de plusieurs pièces pesantes faites d'un métal jaune : si c'est vraiment de l'or, ces pièces doivent avoir une valeur immense.

« Ayant ainsi, conformément aux ordres de Votre Majesté, inspecté scrupuleusement toutes ses poches, nous avons observé autour de sa taille une ceinture, faite du cuir de quelque animal prodigieux ; elle por-tait à gauche une épée longue comme cinq fois le corps d'un homme, et à droite une bourse ou sacoche divisée en deux parties qui chacune contiendrait bien trois des sujets de Votre Majesté. L'une d'elles conte-nait des globes, ou boules d'un métal extrêmement pesant, car seul un bras vigoureux eût pu les soulever, bien qu'elles ne fussent pas plus grosses que nos têtes. L'autre partie était remplie d'un tas de grains noirs, qui n'étaient ni très gros ni très lourds, car nous avons pu en prendre plus de cinquante dans le creux de la main.

« Tel est l'inventaire exact de tout ce dont nous avons constaté la présence sur le corps de l'Homme-Montagne, lequel nous a reçus avec beaucoup de civilité, et tous les égards dus à la Commission de Sa Majesté.

« Signé et scellé, le quatrième jour de la quatre-vingt-neuvième lune du règne bienheureux de Votre Majesté. »

CLEFREN FRELOCK, MARSI FRELOCK.

Lorsque l'Empereur eut reçu lecture de cet inventaire, il m'ordonna de lui remettre ces différents articles. Il réclama tout d'abord mon sabre que je décrochai avec son fourreau. Entre-temps il avait donné l'ordre à son escorte, forte ce jour-là de trois mille hommes d'élite, de former autour de moi un vaste cercle, arcs bandés et flèches braquées sur moi. Mais je ne les avais pas remarqués car je tenais les yeux fixés sur Sa Majesté. Il me pria alors de tirer mon sabre. Celui-ci bien qu'un peu rouillé par l'eau de mer restait étincelant et ce fut dans tous les rangs un cri de terreur et de surprise quand je me mis à faire des moulinets, car le soleil brillait, et son éclat sur la lame éblouissait les yeux. Sa Majesté, qui est un Prince du plus grand courage, parut moins impressionné que je n'aurais pu croire ; il me dit de remettre mon sabre au fourreau et de le jeter aussi doucement que je pouvais, à six pieds de l'extrémité de ma chaîne. Après quoi, il voulut voir un de mes « piliers creux en fer », désignant par là mes pistolets de poche. J'en tirai un et sur sa demande lui expliquai du mieux que je pus à quoi cela

servait, puis je le chargeai, mais seulement à poudre
(la mienne était restée sèche, grâce à la précaution que
prend tout marin expérimenté de la tenir toujours
dans une sacoche hermétique). Je recommandai à
l'Empereur de ne pas prendre peur, et je tirai en l'air.
L'effet en fut bien plus terrible que n'avait été la vue
de mon sabre ; des centaines de soldats, comme fou-
droyés, tombèrent à la renverse, et même le Prince, qui
pourtant était resté ferme sur ses jambes, mit quelques instants à reprendre ses esprits. Je lui remis mes
deux pistolets, de la même façon que mon sabre, ainsi
que la poire à poudre et les balles, non sans l'avertir
qu'il fallait surtout ne pas approcher la poudre du feu,
car elle était très inflammable et la moindre étincelle
eût pu faire sauter d'un seul coup tout le Palais impérial. Je lui remis ensuite ma montre, qui l'intriguait
fort. Il se la fit apporter par deux gardes, les plus
grands de son régiment, qui s'y prirent à la manière de
nos portefaix, quand ils ont à livrer un tonneau de
bière : à l'aide d'une perche posée sur leurs épaules.
Il s'étonnait de son bruit incessant et du mouvement
de la grande aiguille (qu'il discernait très bien, car leur
vue est bien plus perçante [1] que la nôtre). Il consulta
là-dessus les lettrés de sa suite dont les opinions, le
lecteur le concevra de lui-même, furent aussi diverses
qu'aberrantes — je n'ai d'ailleurs pas tout compris.

Enfin, je déposai aux pieds du Prince mes pièces
d'argent et de cuivre, ma bourse contenant neuf grosses
pièces d'or, et plusieurs petites, mon canif et mon
rasoir, mon peigne et ma tabatière d'argent, enfin
mon mouchoir et mon journal de bord. Le sabre et
les pistolets ainsi que la sacoche de munitions furent
transportés par route à l'arsenal de Sa Majesté, mais
on me rendit tout le reste.

Comme je l'ai déjà dit, j'avais encore une poche
secrète qui avait échappé à la fouille, et où se trouvaient
mes besicles (qui me servent souvent, car ma vue est

faible), une longue-vue, et d'autres babioles qui ne
devaient présenter aucun intérêt pour l'Empereur
(bonne raison, pensais-je, de ne pas les lui montrer),
mais que j'aurais craint de laisser perdre ou abîmer en
venant à m'en dessaisir.

CHAPITRE III

L'auteur donne à l'Empereur ainsi qu'aux Seigneurs et Dames de la
Cour un divertissement fort original. — Les amusements de la Cour.
— L'auteur obtient sa liberté sous condition.

Ma douceur et ma patience m'avaient si bien gagné
la faveur du Prince et de la Cour, et même, à dire
vrai, la faveur de l'armée et du pays tout entier, que
j'avais bon espoir de recouvrer bientôt ma liberté. Je
ne négligeais rien qui pût contribuer à cette bonne
impression, et petit à petit les Lilliputiens cessèrent de
me craindre. Il m'arrivait de m'étendre par terre et
d'en laisser danser cinq ou six sur ma main, et même,
au bout de quelque temps, les garçons et les filles
s'enhardissaient jusqu'à jouer à cache-cache dans mes
cheveux. Je parlais et je comprenais de mieux en
mieux leur langue.

L'Empereur eut l'idée de me présenter certains
divertissements où son peuple excelle et où il fait
preuve d'une adresse et d'une magnificence que je
n'ai vues dans aucune nation. Rien ne me charma tant
que les danses sur la corde raide. Elles s'exécutaient
sur un mince fil blanc de plus de deux pieds de long,
tendu à dix pouces du sol. Ce spectacle mérite, si le
lecteur m'y autorise, une description plus détaillée.

Ne viennent danser que les candidats aux charges
importantes, et au seul gré du monarque. On s'en-

traîne donc dès l'enfance, qu'on soit ou non de naissance noble et d'éducation libérale. Lorsqu'un décès,
ou plus souvent une disgrâce, laisse vacant quelque
poste élevé, cinq ou six prétendants prient par écrit
l'Empereur de leur laisser offrir à Sa Majesté et à sa
Cour un numéro de corde raide, car c'est celui qui sau-
tera le mieux sans tomber qui obtiendra la charge.
Bien souvent, les ministres en place sont invités à
montrer leur habileté et à prouver au Prince qu'ils
n'ont rien perdu de leur talent. Flimnap [1], le Grand
Trésorier du Royaume, est un éblouissant danseur
de corde raide, il saute au moins un pouce plus haut
qu'aucun autre grand seigneur de l'Empire. Je l'ai
vu danser plusieurs fois le saut périlleux [2] sur une
planchette fixée à la corde ; et celle-ci est à peine plus
grosse que ce que nous appelons « petite ficelle ». Si
mon jugement est bien impartial, c'est mon ami Reldresal [3], Premier Secrétaire du Conseil privé, qui
mérite la deuxième place ; puis vient le reste des grands
officiers, qui m'ont paru à peu près d'égale force.

Ces divertissements sont souvent marqués d'accidents funestes, dont on cite encore un très grand nombre. Pour ma part, j'ai vu deux ou trois candidats se
casser un membre. Mais le danger est beaucoup plus
grand quand il s'agit de Ministres sommés de donner
des preuves de leur adresse, car ils font de tels efforts
pour se surpasser eux-mêmes, pour faire mieux que
leurs rivaux, qu'il est bien rare de ne pas en voir tomber un ou même plusieurs. On m'a raconté qu'un an ou
deux avant mon arrivée, Flimnap se fût infailliblement rompu le col, si l'un des coussins du roi, qui se
trouvait là par hasard, n'eût alors amorti sa chute [4].

Il existe un autre divertissement qui ne se donne
qu'en certaines grandes occasions devant l'Empereur,
l'Impératrice, et le Premier Ministre. Sa Majesté place
sur une table trois fils de soie, longs de six pouces :
l'un est bleu, l'autre est rouge, et le troisième vert [5].

Ces fils sont les récompenses que l'Empereur se propose de décerner à ceux qu'il désire honorer d'une
marque spéciale de faveur. La cérémonie a lieu dans
la grande salle du trône, où les candidats doivent
subir une épreuve d'agilité très différente de la précédente, et sans équivalent, que je sache, dans aucun
autre pays de l'Ancien ou du Nouveau Monde. L'Empereur a un grand bâton, qu'il tient horizontalement,
tantôt au niveau du sol, tantôt plus haut, et les candidats doivent tour à tour sauter par-dessus ou ramper
par-dessous, selon la hauteur du bâton ; il y a plusieurs épreuves, de face et à reculons. Parfois l'Empereur tient le bâton par un bout, et le Premier Ministre
par l'autre, parfois aussi le Ministre est le seul à l'avoir
en main. Celui qui se montrera le plus agile et le plus
endurant à cet exercice aura en récompense le fil bleu,
le second aura le rouge et le suivant le vert. On les
porte enroulés deux fois autour de la taille, et tous
ceux qui jouent quelque rôle à la Cour ont l'une de ces
décorations.

Grâce à leurs exercices quotidiens en ma présence,
les chevaux de l'armée comme ceux des écuries royales
n'avaient plus peur de moi, mais venaient sans bron-
cher jusqu'entre mes pieds. Les cavaliers faisaient
sauter leurs montures par-dessus ma main posée à plat
sur le sol, et un des piqueurs du Roi, montant un grand
cheval de course, franchit mon pied tout chaussé, en
un bond qui, vraiment, tenait du prodige.

J'eus l'heur de distraire un jour l'Empereur d'une
façon fort peu banale : je lui demandai de me faire
apporter des bâtonnets de la longueur de deux pieds
et de la grosseur d'une canne ordinaire. Sa Majesté
fit donc donner par son maître forestier des ordres en
conséquence, et le lendemain, six bûcherons me
livraient les pièces de bois, en un nombre égal de voitures, tirées par huit chevaux chacune. Je pris donc
neuf de ces bâtons que je plantai fermement dans le

sol, de façon à délimiter un espace rectangulaire,
d'une surface de deux pieds et demi carrés. Je plaçai
horizontalement à chaque coin quatre autres bâtons
à deux pieds environ du sol. Je fixai ensuite mon mouchoir aux neuf piquets verticaux et je le tendis comme
une peau de tambour. Les quatre bâtons horizontaux
qui se trouvaient à cinq pouces au-dessus du mouchoir
servaient de balustrade à l'entour. Quand tout fut
terminé, je proposai à l'Empereur cette esplanade
comme champ de manœuvre, pour deux douzaines de
ses meilleurs cavaliers. Mon projet lui plut : les soldats
se présentèrent à cheval et en armes, je les pris tels
quels et les déposai là-haut ainsi que les officiers qui
devaient commander l'exercice. Sitôt installés ils se
divisèrent en deux camps et exécutèrent tous les
mouvements d'un combat simulé : tir de flèches mou-
chetées, escrime au sabre, décrochage et poursuite,
attaque et retraite, bref la plus belle démonstration
de tactique que j'aie jamais vue. La balustrade que
j'avais fixée prévint tout accident, et l'Empereur prit
tant de plaisir à ce spectacle qu'il le fit recommencer
plusieurs fois. Un jour même, il lui plut de monter en
personne sur le plateau et de commander l'exercice. Il
obtint aussi — non sans mal — de l'Impératrice qu'elle
se laissât soulever en l'air dans sa chaise à porteurs, à
moins de deux yards de la scène, afin de voir plus commodément l'ensemble des combats. J'eus de la chance
au cours de ces exercices : on n'eut jamais à déplorer
d'accidents graves. Un jour, pourtant, le cheval d'un
des capitaines, une bête pleine de feu, donna un tel
coup de pied qu'il troua l'étoffe de mon mouchoir. Sa
patte s'enfonça, il s'abattit, le cavalier fit la culbute.
Mais je vins aussitôt à leur aide et couvrant le trou
d'une main, je reposai de l'autre tous les cavaliers sur
le sol. Le cheval accidenté eut l'épaule gauche démise,
son maître n'eut aucun mal et je réparai mon mouchoir du mieux que je pus. Cependant je n'avais plus

assez confiance en sa solidité pour continuer des jeux
si dangereux.

Au milieu d'une séance de ce genre, quelques jours
avant qu'on me rendît ma liberté, un messager vint
annoncer à Sa Majesté que certains de ses sujets, par-
courant à cheval l'endroit où j'avais débarqué, avaient
découvert sur le sol un énorme objet noir, d'une forme
extraordinaire : un rebord circulaire, et plus grand que
la chambre à coucher de Sa Majesté ; au centre, une
éminence de la hauteur d'un homme. Il ne s'agissait
pas d'un être animé, comme on l'avait craint tout
d'abord, car il gisait dans l'herbe sans le moindre
mouvement. Certains en avaient fait le tour plusieurs
fois, puis, se faisant la courte échelle, en avaient
atteint le sommet, lequel était plat et de surface unie.
Cela sonnait creux, quand on frappait du pied. Il
devait s'agir, à leur humble avis, d'un objet appartenant à l'Homme-Montagne. Si Sa Majesté l'ordonnait,
il le ferait venir ; cinq chevaux y suffiraient. Je compris à l'instant ce qu'ils voulaient dire, et me réjouis
fort de la nouvelle. J'étais si mal en point, semble-t-il,
en atteignant la rive après notre naufrage, que ce fut
sur la terre ferme que j'avais perdu mon chapeau, en
cherchant un endroit où dormir. Je l'avais attaché
avec une corde pendant que je ramais, il était resté
sur ma tête quand je me fus mis à la nage, puis la
corde avait dû casser sans que je m'en aperçusse et je
crus que mon chapeau s'était perdu en mer. J'expliquai donc à Sa Majesté Impériale la nature et l'usage
de cet objet, la priant de me le faire rapporter au plus
vite. Le lendemain on me le remettait, mais pas en très
bon état : les convoyeurs y avaient percé deux trous
à un pouce et demi du bord ; ils avaient passé deux
crochets dans ces trous et attelé le tout grâce à une
longue corde fixée aux crochets. Le remorquage fut d'un
bon demi-mille. Heureusement le sol de ce pays est
remarquablement lisse et uni ; aussi mon couvre-

chef fut moins abîmé que je ne pouvais le craindre.

Deux jours après cette aventure, l'Empereur eut un caprice : il battit le rappel de toutes les troupes cantonnées dans la capitale et dans les environs, et mit au point un divertissement des plus cocasses. Il me pria de prendre la pose du Colosse de Rhodes, debout et les jambes écartées au maximum, puis il chargea son Général, vieux chef plein d'expérience (et un de mes grands soutiens à la Cour), de mettre ses troupes en colonne et de les faire défiler sous moi : l'infanterie par rangs de vingt-quatre, la cavalerie par rangs de seize, tambours battants, drapeaux au vent et piques hautes. Il y avait là trois mille fantassins et mille cavaliers. Sa Majesté avait interdit à tout soldat sous peine de mort le moindre manque d'égards envers ma personne au cours du défilé ; ce qui n'empêcha pas certains jeunes officiers de lever les yeux en passant sous moi. Et la vérité m'oblige à dire que mes culottes étaient alors assez mal en point pour leur donner l'occasion de rire et de s'émerveiller.

J'avais présenté tant de requêtes et de pétitions pour obtenir ma liberté, qu'à la fin Sa Majesté traita de l'affaire d'abord en Cabinet, ensuite au Grand Conseil. Il n'y eut d'autre opposition que celle de Skyresh Bolgolam [1], qui décida d'être mon ennemi mortel — sans la moindre provocation de ma part — mais le vote de tous les autres emporta la décision, que l'Empereur ratifia aussitôt. Ce Ministre était *Galbet*, c'est-à-dire Grand Amiral du Royaume. C'était un homme très habile en affaires et fort écouté du Roi, mais d'un tempérament aigre et chagrin. Il se rangea finalement à l'avis de la majorité, mais obtint qu'on le laissât fixer les conditions de ma mise en liberté, et rédiger le serment que j'aurais à faire. Ce texte me fut présenté par Skyresh Bolgolam lui-même, accompagné de deux Sous-Secrétaires et de plusieurs personnes de haut rang. Il m'en fut fait lecture, après quoi je dus jurer de m'y conformer d'abord selon les us de ma patrie, et ensuite de la façon établie par leurs lois, c'est-à-dire en tenant mon pied droit dans la main gauche, et en plaçant le doigt majeur de la main droite sur le sommet de ma tête, le pouce touchant mon oreille droite.

Mais, pensant que le lecteur peut trouver intéressant de connaître un peu le style particulier et les tournures de ce peuple, comme aussi les conditions de ma mise en liberté, je traduis à son intention ce document, mot pour mot, et aussi exactement que je le puis.

GOLBASTO MOMAREN EVLAME GURDILO SHEFIN MULLY ULLY GUE, très puissant Empereur de Lilliput, Terreur et délices de l'Univers ; dont les domaines couvrent cinq mille *blustrugs* (soit un cercle de douze milles de circonférence) et vont jusqu'aux extrémités du globe ; Monarque entre les monarques ; le plus grand des fils des hommes ; dont le pied descend jusqu'au centre de la terre et le front s'élève jusqu'au soleil ; dont le regard fait trembler les Rois du Monde et fléchir leurs genoux ; généreux comme l'automne, aimable comme le printemps, réconfortant comme l'été, terrible comme l'hiver [1]. Sa Très Sublime Majesté propose à l'Homme-Montagne, nouvel arrivé dans Notre Céleste Royaume, les articles suivants que, par serment solennel, il jure de respecter :

I. L'Homme-Montagne ne quittera pas Notre Empire sans Notre autorisation dûment scellée du Grand Sceau.

II. Il ne prendra pas la liberté de venir dans Notre Capitale sauf permission spéciale de Notre part, auquel cas la population sera avertie deux heures à l'avance de se tenir dans les maisons.

III. Ledit Homme-Montagne ne pourra circuler que sur les grandes routes et se gardera de s'étendre ou de marcher sur les prairies et les champs de blé.

IV. Au cours de ses déplacements sur lesdites routes, il veillera soigneusement à ne pas écraser quelqu'un de Nos fidèles sujets, non plus que leurs voitures ou leurs attelages ; il ne prendra jamais dans sa main aucun desdits sujets sans son consentement.

V. Quand l'un de Nos courriers recevra une mission exceptionnellement urgente, l'Homme-Montagne sera tenu de le transporter avec sa monture. Ce service ne devra jamais lui prendre plus de six jours par lune. Si l'ordre lui en est donné, il devra ramener ledit courrier sain et sauf en Notre impériale présence.

VI. Il sera notre allié contre nos ennemis de l'île de Blefuscu [1], et fera tout son possible pour détruire la flotte qu'ils arment en ce moment pour envahir nos terres.

VII. Ledit Homme-Montagne, à ses heures de loisir, prêtera assistance aux ouvriers du Royaume, en les aidant à soulever et à poser les pierres faîtières sur le mur qui enclôt le Parc royal, et sur d'autres chantiers royaux.

VIII. Ledit Homme-Montagne devra, dans le délai de deux lunes, nous donner la mesure exacte du contour de Notre Empire, qu'il établira en longeant toute la côte de l'île et en comptant le nombre de ses pas.

IX et fin. Si l'Homme-Montagne jure solennellement d'observer tous et chacun des articles ci-dessus énoncés, il recevra chaque jour la ration alimentaire de mille sept cent vingt-huit de nos sujets, et jouira en outre d'un libre accès à Notre personne, ainsi que d'autres marques de Notre faveur.

Donné en Notre Palais de Belfaborac, le douzième jour de la quatre-vingt-onzième lune de Notre règne.

Je signai cet acte, et prêtai serment avec grande joie, en dépit de certains articles qui me faisaient un peu déchoir, et que je devais à la seule malveillance du Grand Amiral Skyresh Bolgolam. On m'enleva aussitôt mes chaînes et je me retrouvai libre. L'Empereur m'avait fait l'honneur d'assister en personne à toute la cérémonie ; je lui témoignai ma reconnaissance en me prosternant à ses pieds ; mais il me fit relever en termes que je ne répéterai pas, crainte de me voir taxé de vanité. Il espérait, ajouta-t-il, que je me montrerais loyal sujet de son Royaume, et mériterais les faveurs qu'il m'avait faites et se plairait à me faire dans l'avenir.

Le lecteur aura sans doute remarqué que le dernier article de l'acte qui mettait fin à ma captivité m'octroyait la ration alimentaire de mille sept cent vingt-huit [1] Lilliputiens. A quelque temps de là, je demandai à un courtisan de mes amis comment on avait pu donner un chiffre aussi précis, et il m'expliqua que les mathématiciens de Sa Majesté avaient pris ma hauteur à l'aide d'un sextant, puis, ayant établi qu'elle était par rapport à la leur ce que douze est à un, ils avaient calculé, d'après la similitude de nos corps, que ma contenance était au moins mille sept cent vingt-huit fois supérieure à la leur, et que par conséquent il me fallait la ration d'un nombre égal de Lilliputiens. Par quoi le lecteur pourra juger de l'intelligence de ce peuple, ainsi que de l'économie sage et éclairée de leur Prince.

CHAPITRE IV

Description de Mildendo, capitale de Lilliput, ainsi que du Palais de l'Empereur. — Conversation entre l'auteur et un Secrétaire d'État sur les affaires de l'Empire. — L'auteur offre ses services à l'Empereur dans les guerres à venir.

La première faveur que je sollicitai de l'Empereur après ma mise en liberté fut de pouvoir visiter Mildendo, la capitale, ce qu'il m'accorda volontiers, mais

en me recommandant spécialement de ne causer aucun
dommage aux maisons ni à leurs habitants. Mon projet
fut notifié au peuple par proclamation. La cité était
entourée d'un mur de deux pieds et demi de hauteur,
et qui avait bien onze pouces d'épaisseur — ce qui
permet à une voiture attelée d'y circuler en toute
sécurité ; tous les dix pieds, cette muraille s'appuie
sur une forte tour. J'enjambai la Grande Porte de
l'Ouest, et, marchant de côté, m'avançai lentement
dans les deux rues principales. J'étais vêtu de mon
gilet, car je craignais d'endommager les toits ou les
gouttières avec les pans de ma veste. Je marchais avec
une extrême prudence, de peur d'écraser quelque
retardataire qui se trouverait encore dans les rues, en
dépit des ordres formels enjoignant à chacun de rester
chez soi, car il y avait danger de mort. Une telle foule
de spectateurs se pressaient aux fenêtres des mansardes,
et même sur les toits, qu'il me sembla que jamais au
cours de mes voyages je n'avais vu cité si populeuse.
La ville a la forme d'un carré et chaque côté de la
muraille a cinq cents pieds de long. Les deux artères
principales se coupent à angle droit, divisant la ville
en quatre quartiers ; elles ont cinq pieds de large, mais
les autres rues et les ruelles que je vis en passant, sans
pouvoir y pénétrer, n'ont que douze à dix-huit pouces.
La ville peut abriter cinq cent mille âmes [1], les maisons
ont de trois à cinq étages, les marchés et les boutiques
paraissent bien fournis.

Le Palais de l'Empereur s'élève au centre de la
ville, à la croisée des deux artères principales. Il est
entouré d'un mur haut de deux pieds et situé à vingt
pieds de distance des bâtiments. Sa Majesté m'avait
accordé la permission d'enjamber ce mur, et grâce
à tout cet espace libre j'eus une bonne vue d'ensemble de l'extérieur du Palais : la cour d'entrée est un
carré de quarante pieds de côté, avec, en son centre,
des bâtiments qui délimitent la deuxième cour. Au

centre de celle-ci se trouve un second corps de bâtiments, avec sa cour intérieure. C'est précisément sur
la cour intérieure que donnaient les appartements
royaux que je souhaitais tant connaître. Mais je me
trouvais devant de grandes difficultés, car les portails
qui permettaient de passer d'une cour à l'autre n'avaient
que dix-huit pouces de haut et sept de large ; et
comme les bâtiments entre la première et la deuxième
cour n'avaient pas moins de sept pieds de haut, jamais
je n'aurais pu passer par-dessus sans ébranler la masse
de l'édifice, bien que les murs fussent solidement bâtis
en pierres de taille et épais de quatre pouces. L'Empereur, néanmoins, désirait fort me faire admirer la
magnificence de son Palais. Il me fallut trois jours de
travail pour y parvenir : je coupai avec mon canif les
plus grands arbres du Parc royal (à quelque cinquante
toises de la ville), pour fabriquer deux tabourets hauts
de trois pieds, et assez solides pour soutenir le poids
de mon corps. On avertit donc encore une fois la
population, et je retraversai la ville jusqu'au Palais
portant avec moi mes deux tabourets. Parvenu dans
la cour d'entrée, je montai sur l'un d'eux et fis doucement passer l'autre par-dessus les toits pour le poser
dans l'espace intermédiaire de la deuxième cour qui
avait huit pieds de large — je pus alors facilement
passer d'un tabouret à l'autre par-dessus l'édifice, puis
ramener à moi le premier à l'aide d'un bâton crochu.
La même manœuvre me permit d'arriver à la cour
intérieure. Là, me couchant sur le côté, j'avais mon
visage à la hauteur des deuxième et troisième étages,
dont on avait ouvert à dessein toutes les fenêtres. Je
découvris à l'intérieur les appartements les plus
somptueux qu'on puisse imaginer, et je vis aussi
l'Impératrice et les jeunes Princes entourés de toute
leur Maison. Sa Majesté Impériale voulut bien
m'honorer d'un gracieux sourire, et me donna par la
fenêtre sa main à baiser.

Je ne veux pas entrer plus avant dans des descriptions de ce genre, car je réserve tous ces détails pour un plus grand ouvrage, qui n'est pas. loin d'être mis sous presse, et qui comportera une description générale de cet Empire depuis sa fondation, avec l'histoire de la longue succession de ses Princes, leurs guerres et leur politique, ainsi qu'une étude des lois, de la science, et de la religion de ce pays, enfin la faune et la flore, les us et coutumes des habitants, et d'autres matières fort curieuses et instructives. Mon dessein ici se borne à rapporter fidèlement ce qui m'arriva à moi et aux Lilliputiens pendant mon séjour de neuf mois parmi eux. Un matin, quinze jours environ après ma mise en liberté, Reldresal [1], Premier Secrétaire d'État pour les affaires privées (c'est son titre officiel), vint me voir chez moi, suivi d'un seul domestique. Il fit stationner son carrosse à quelque distance de là, et me demanda une heure d'entretien. Je l'accordai bien volontiers, tant par égard pour son rang et son mérite personnel, qu'en raison des services qu'il m'avait rendus lors de mes démarches à la Cour. Je proposai de m'étendre par terre, pour qu'il se trouvât plus près de mon oreille, mais il préféra que je le tinsse dans ma main pendant toute notre conversation.

Il commença par me faire compliment de ma mise en liberté, se flattant, disait-il, d'y avoir quelque peu contribué. Cependant il ajoutait que j'aurais, sans aucun doute, eu plus de mal à l'obtenir, n'eût été la situation actuelle à la Cour. « Car, me disait-il, si florissant que semble notre État, aux yeux d'un étranger, nous n'en souffrons pas moins de deux grands maux : une violente lutte de partis à l'intérieur, et, au-dehors, une menace d'invasion que fait peser sur nous un ennemi extrêmement puissant. En ce qui concerne le premier, sachez que, depuis plus de soixante-dix lunes [2], il y a dans notre Empire une lutte constante entre les deux partis nommés les *Tramecksans* et les

Slamecksans [1], d'après les talons de leurs chaussures, qu'ils portent hauts ou bas pour se distinguer. On prétend, il est vrai, que les Hauts-Talons seraient plus dans la ligne de notre ancienne Constitution, mais quoi qu'il en soit, Sa Majesté a pris la décision de ne nommer que des Bas-Talons au gouvernement [2], et à toutes les charges qui dépendent directement de la Couronne, ce que vous n'avez pas manqué de remarquer vous-même. Vous avez sûrement noté aussi que les talons impériaux de Sa Majesté ont un bon *drurr* de moins que tous ceux de la Cour (le *drurr* vaut environ la quatorzième partie d'un pouce). La haine partisane est si vive que ni pour boire, ni pour manger, ni même pour se parler, on ne saurait frayer ensemble. Nous pensons que les Tramecksans ou Hauts-Talons nous dépassent en nombre, mais le pouvoir est entièrement entre nos mains. Hélas! nous craignons fort que Son Altesse Impériale, le Prince héritier de la Couronne [3], n'ait des sympathies pour les Hauts-Talons ; en effet, c'est un fait notoire qu'il a un talon nettement plus haut que l'autre, ce qui le fait boiter en marchant. Eh bien, au milieu de ces dissensions intestines, nous voilà menacés d'invasion par nos ennemis de l'île de Blefuscu, qui est l'autre Empire de l'Univers, presque aussi vaste et puissant que le Royaume de Sa Majesté. Car pour ce qui est des affirmations que vous avez faites touchant l'existence sur la terre d'autres États ou Royaumes, habités par des humains de votre taille, nos philosophes les mettent sérieusement en doute [4] : ils croiraient plus volontiers que vous êtes tombé de la lune ou de quelque étoile, car il est incontestable qu'une centaine d'êtres semblables à vous aurait en très peu de temps dévoré tout le bétail et toutes les récoltes de notre Empire. De plus, nos annales, qui portent sur plus de six mille lunes, ne parlent jamais d'aucun autre pays au monde que des deux grands Empires de Lilliput et de Blefuscu... J'en reviens donc à ce que j'allais vous dire : ces deux formidables puissances se trouvent engagées depuis trente-six lunes dans une guerre à mort, et voici quelle en fut l'occasion. Chacun sait qu'à l'origine, pour manger un œuf à la coque, on le cassait par le gros bout. Or, il advint que l'aïeul de notre Empereur actuel, étant enfant, voulut manger un œuf en le cassant de la façon traditionnelle, et se fit une entaille au doigt. Sur quoi l'Empereur son père publia un édit ordonnant à tous ses sujets, sous peine des sanctions les plus graves, de casser leurs œufs par le petit bout. Cette loi fut si impopulaire, disent nos historiens, qu'elle provoqua six révoltes, dans lesquelles un de nos Empereurs perdit la vie, un autre sa Couronne [1]. Ces soulèvements avaient chaque fois l'appui des souverains de Blefuscu et, lorsqu'ils étaient écrasés, les exilés trouvaient toujours un refuge dans ce Royaume [2]. On estime à onze mille au total le nombre de ceux qui ont préféré mourir plutôt que de céder et de casser leurs œufs par le petit bout. On a publié sur cette question controversée plusieurs centaines de gros volumes ; mais les livres des Gros-Boutiens sont depuis longtemps interdits et les membres de la secte écartés par une loi de tous les emplois publics [3]. Au cours de ces troubles, les Empereurs de Blefuscu nous ont, à maintes reprises, fait des remontrances par leurs ambassadeurs, nous accusant d'avoir provoqué un schisme religieux et d'être en désaccord avec les enseignements que notre grand prophète Lustrog donne au chapitre cinquante-quatre du Blundecral (c'est le nom de leur Coran). Cela s'appelle, bien sûr, solliciter les textes. Voici la citation : " Tous les vrais fidèles casseront leurs œufs par le bout le plus commode. " Quel est le plus commode ? On doit, à mon humble avis, laisser à chacun le soin d'en décider selon sa conscience ou s'en remettre alors à l'autorité du premier magistrat. Or les Gros-Boutiens exilés ont trouvé tant de

crédit à la Cour de l'Empereur de Blefuscu et chez nous
tant d'aide et d'encouragements secrets que depuis
trente-six lunes [1], une guerre sanglante met aux prises
les deux Empires, avec des fortunes très diverses ;
elle nous a coûté, jusqu'à présent, la perte de quarante
vaisseaux de ligne, d'une quantité d'autres navires,
ainsi que de trente mille de nos meilleurs matelots ou
soldats, et l'on estime que les pertes de l'ennemi sont
encore plus considérables. Il vient cependant d'armer
une flotte redoutable et s'apprête à débarquer sur nos
côtes. Sa Majesté Impériale m'a chargé de vous donner
cet aperçu de la situation présente, car elle met toute
sa confiance en votre force et votre courage. »

Je priai le Secrétaire de présenter à l'Empereur mes
humbles respects, et de lui faire savoir que s'il n'était
pas dans mon rôle, semblait-il, puisque j'étais étranger, d'intervenir dans une querelle de partis, j'étais
prêt en revanche, au péril de ma vie, à défendre contre
tout agresseur sa personne et son Empire.

CHAPITRE V

L'auteur, par un extraordinaire stratagème, sauve le pays d'une
invasion. — Arrivée des ambassadeurs de Blefuscu, qui demandent la
paix. — Le feu prend aux appartements de l'Impératrice. — L'auteur contribue à sauver le reste du Palais.

L'empire de Blefuscu est une île située au nord-
est de Lilliput, dont elle n'est séparée que par un bras
de mer large de huit cents yards. Je ne l'avais pas encore
vu, et lorsqu'on m'eut parlé de ces menaces d'invasion,
j'évitais de me montrer sur la côte lui faisant face pour
qu'aucun navire n'allât révéler ma présence à l'ennemi.
Celui-ci l'ignorait, car depuis la guerre toutes les communications étaient interdites sous peine de mort,

d'un Empire à l'autre, et l'embargo mis par l'Empereur sur tout navire quel qu'il soit.

Je fis part à Sa Majesté d'un plan que j'avais imaginé pour m'emparer de toute la flotte ennemie, laquelle, affirmaient nos espions, était ancrée dans le port, prête à faire voile vers nous au premier vent favorable. Je me renseignai sur la profondeur de ce canal auprès des marins les plus expérimentés, et qui avaient fait de nombreux sondages ; ils me dirent qu'on trouvait, au milieu et à marée haute, des fonds de soixante-dix *glumgluffs* (c'est-à-dire environ six pieds, mesure d'Europe). Nulle part ailleurs, on n'avait plus de cinquante *glumgluffs* de fond. J'allai donc vers la côte nord-est, celle qui fait face à Blefuscu, et là, à plat ventre derrière une colline, je tirai ma lunette d'approche pour examiner la flotte ennemie. Elle était forte de cinquante vaisseaux de guerre, et de nombreux navires de transport. Je rentrai alors chez moi et je donnai des ordres (ce droit m'était reconnu) pour qu'on m'apportât en quantité des câbles très forts et des barres de fer. Le câble n'était qu'une mince ficelle, et les barres avaient la longueur et l'épaisseur des aiguilles à tricoter de chez nous. Je triplai le câble pour le rendre plus résistant, et de même, je fis tenir ensemble, en les tordant, trois barres de fer à la fois. Puis je les courbai, leur donnant la forme d'un crochet. Quand j'eus cinquante crochets, je leur mis à chacun un câble, puis je retournai à la côte nord-est, j'ôtai mon habit, mes souliers et mes bas, ne gardant que mon justaucorps de cuir ; je m'avançai alors dans la mer, une demi-heure environ avant la marée haute. Je marchais aussi vite que je pouvais, et ne me mis à la nage que vers le milieu ; après trente mètres, je repris pied et en moins d'une demi-heure j'avais atteint la flotte. Les ennemis furent pris à ma vue d'une telle frayeur qu'ils sautèrent tous à l'eau et nagèrent vers le rivage, où il s'en rassembla

bien trente mille. Je pris alors mon attirail et fixai
chaque crochet à la proue d'un navire, où il y a toujours un trou ; puis je réunis tous les câbles ensemble
en un seul gros nœud. Tout le temps que dura cette
opération, l'ennemi me cribla de milliers de flèches,
dont beaucoup se fichèrent dans mes mains et mon
visage, ce qui non seulement me causait une très vive
douleur, mais me gênait terriblement dans mon travail. Je craignais surtout pour mes yeux, que j'aurais
perdus sans aucun doute si je ne m'étais soudain avisé
d'un expédient : entre autres affaires personnelles,
j'avais dans ma poche secrète une paire de lunettes,
qui avait échappé à la fouille des fonctionnaires, ainsi
que je l'ai narré plus haut. Je les tirai et les fixai sur
mon nez du mieux que je pus ; après quoi, ainsi protégé,
je me remis à l'œuvre en dépit des flèches ennemies,
dont beaucoup frappaient contre les verres de mes
lunettes, sans autre effet que de les érafler un peu.

J'avais maintenant fixé mon dernier crochet. Saisissant d'une main le nœud de cordes, je tirai le tout vers
moi — mais pas un vaisseau ne bougea, car ils étaient
tous solidement retenus par leurs ancres. Le plus hasar-
deux me restait à faire : lâchant les cordes, mais laissant en place les crochets, je coupai résolument toutes
les amarres à l'aide de mon canif, ce qui me valut plus
de deux cents flèches dans les mains et le visage. Après
quoi je repris tous mes câbles et, le plus aisément du
monde, je me mis à remorquer cinquante vaisseaux
ennemis, tous les plus grands de leur flotte.

Les Blefuscudiens, qui n'avaient rien deviné de mes
projets, restèrent tout d'abord stupéfaits, et comme
paralysés par la surprise. Ils m'avaient vu couper les
amarres, et m'avaient prêté l'intention de laisser leurs
navires s'en aller à la dérive, et de s'aborder entre eux.
Mais lorsqu'ils virent la flotte tout entière s'éloigner
en ordre derrière moi, ils poussèrent un cri de détresse
et de désespoir, presque impossible à imaginer ou à

décrire. Lorsque je fus hors de danger, je m'arrêtai un
peu pour enlever toutes les flèches fichées dans mon
visage et dans mes mains et m'enduire de cette pom-
made que l'on m'avait appliquée peu après mon arrivée,
comme je l'ai conté plus haut. Je retirai aussi mes
lunettes, et attendis une heure environ, que la marée
ait baissé, puis je me mis en marche avec ma prise et
arrivai sans encombre au port de guerre de Lilliput.

L'Empereur et toute sa Cour attendaient sur le
rivage l'issue de cette grande aventure. Ils virent les
navires qui s'avançaient, déployés en demi-cercle,
mais ils ne pouvaient me voir, car j'étais dans l'eau
jusqu'à la poitrine. Quand j'eus atteint le milieu du
bras de mer ils s'inquiétèrent davantage encore, car
l'eau atteignait alors mon cou. L'Empereur finit par
croire que je m'étais noyé et que la flotte adverse avait
pris l'offensive. Mais il fut bientôt rassuré, car le fond
remontait à chacun de mes pas et dès que je fus à portée de voix, levant en l'air les câbles qui tiraient les
navires, je criai très haut : « Longue vie au très puissant Empereur de Lilliput. » Ce grand Prince m'accueillit sur le rivage avec toutes les louanges imaginables,
et me conféra à l'instant même la dignité de *Nardac*
— qui est leur plus haut titre de noblesse. Sa Majesté
désirait me voir faire une deuxième tentative et ramener dans ses ports le reste de la flotte ennemie. Si
démesurée est l'ambition des Princes qu'il ne proje-
tait rien de moins que de réduire tout l'Empire de
Blefuscu à l'état de province lilliputienne, d'y nommer
un Vice-Roi, d'anéantir les exilés gros-boutiens, et de
forcer les Blefuscudiens à casser leurs œufs par le
petit bout. Ainsi donc il obtiendrait la Royauté universelle. Mais je m'efforçai de le détourner d'un tel
projet, en faisant appel à tous les lieux communs de
la politique et de la morale, et je l'avertis tout net de
ne pas compter sur moi pour réduire en esclavage un
peuple libre et courageux [1] : je n'y consentirais jamais.

Et quand ce problème fut abordé au Grand Conseil, les Ministres les plus sensés furent de mon opinion. Cette prise de position franche et hardie contraria tellement les projets et la politique de l'Empereur qu'il ne me la pardonna jamais ; il en parla en des termes perfides devant le Conseil où, me dit-on, certains Ministres des plus sensés firent voir, du moins par leur silence, qu'ils étaient de mon avis. Mais d'autres, qui m'étaient secrètement hostiles, ne laissèrent pas d'employer certaines expressions qui, indirectement, me portèrent tort. De ce jour commença à s'ourdir entre Sa Majesté et une camarilla de Ministres coalisés contre moi une intrigue qui se dénoua deux mois plus tard, et faillit me coûter la vie. Tel est le peu de poids des plus grands services rendus aux Princes, quand ils sont mis en balance avec le refus de satisfaire leurs passions.

Environ trois semaines après cet exploit, il arriva de Blefuscu une ambassade solennelle demandant humblement la paix. On la conclut sans tarder à des conditions fort avantageuses pour notre Empereur, mais dont le détail n'offre aucun intérêt. Il y avait six ambassadeurs, avec une suite de cinq cents personnes et un train dont la magnificence était digne de la grandeur de leur maître et de l'importance de leur mission. Lorsqu'on eut conclu le traité — où je ne fus pas sans aider les Blefuscudiens, grâce au crédit que j'avais, ou croyais avoir à la Cour — Leurs Excellences, averties secrètement de l'appui que je leur avais porté, me firent une visite officielle. Ils commencèrent par me faire de grands compliments sur mon courage et ma générosité et m'invitèrent dans leur pays au nom de leur Empereur et Maître ; ils me prièrent aussi de leur donner quelques preuves de cette force prodigieuse dont on leur avait dit tant de merveilles. Je leur fis très volontiers ce plaisir, mais je veux épargner les détails inutiles à mon lecteur.

Quand j'eus distrait quelque temps Leurs Excellences d'une façon qui leur causa autant de surprise que d'agrément, je les priai de me faire l'honneur de présenter mes très humbles respects à leur Empereur et Maître, qui remplit si noblement l'univers tout entier du renom de ses vertus, et dont je tenais à saluer la royale personne avant de retourner dans mon pays. Aussi dès que j'eus l'honneur de revoir notre Empereur je lui demandai la permission d'aller rendre visite au monarque blefuscudien, et il me l'accorda, mais en y mettant une froideur qui me frappa. Je ne m'expliquai cette attitude que lorsqu'on m'eut rapporté secrètement que Flimnap et Bolgolam avaient présenté mes entretiens avec les ambassadeurs comme une preuve de désaffection à l'égard de Sa Majesté, sentiment dont mon cœur était parfaitement pur, je l'affirme. Ce fut à cette occasion que j'entrevis pour la première fois ce que sont les cours et les ministres [1].

Je dois faire remarquer que ces ambassadeurs me parlaient avec l'aide d'interprètes, car les langues des deux Empires sont tout aussi différentes l'une de l'autre que celles de deux nations d'Europe, et chacun des deux peuples vante l'ancienneté, la beauté et le pouvoir expressif de sa langue tout en professant le plus grand mépris pour celle de son voisin. Cependant notre Empereur, fort de sa victoire navale, obligea les ambassadeurs à présenter leurs lettres de créance, et à faire leurs discours en langue lilliputienne. Il faut d'ailleurs reconnaître qu'en raison des étroites relations d'affaires et de commerce qu'ont les deux pays, en raison de l'arrivée fréquente, dans l'un comme dans l'autre, d'exilés politiques, en raison aussi de cette habitude qui leur est commune d'envoyer dans l'île d'en face les jeunes gens des familles aisées et de la noblesse, pour se polir, voir du pays et apprendre l'usage du monde, toute personne de qualité, ou commerçant, ou marin, habitant la côte est pratiquement capable de tenir une conversation dans les deux langues. Je vérifiai ce fait quelques semaines plus tard à Blefuscu, au cours du voyage que j'y fis, pour présenter mes respects à l'Empereur, et qui se révéla providentiel, car il me permit d'échapper à l'emprise de mes ennemis, comme je le raconterai en temps voulu.

Le lecteur se souviendra que certains articles du traité que j'avais signé pour recouvrer ma liberté me déplaisaient fort par leur caractère servile, et que seule l'extrême nécessité où je me trouvais alors m'avait fait les admettre. Mais maintenant que j'avais obtenu la dignité suprême de *Nardac* de l'Empire, on jugea de tels travaux indignes de mon titre, et l'Empereur, je dois lui rendre cette justice, n'y fit jamais allusion. Cependant une occasion se présenta vite de travailler fort utilement pour Sa Majesté — je le croyais du moins à l'époque. Je fus une nuit tiré de mon sommeil par des centaines de voix qui retentirent à ma porte. Ce fut si brusque que j'en restai tout effrayé. J'entendais répéter sans arrêt le mot *Burglum*. Des officiers de la Cour, s'avançant à travers la foule, vinrent me supplier de me rendre au Palais sans retard : les appartements de l'Impératrice étaient en flammes. Le sinistre était dû à la négligence d'une dame d'honneur, qui s'était endormie en lisant un roman. Je me levai aussitôt. On fit s'écarter les gens devant moi, et, grâce aussi au beau clair de lune qu'il faisait cette nuit-là, j'eus la bonne fortune d'arriver au Palais sans écraser personne. J'y trouvais des échelles déjà dressées contre le mur, et les seaux répartis en bon nombre. Mais l'eau se trouvait loin ; les seaux avaient la taille d'un gros dé à coudre et les pauvres gens me les passaient aussi vite qu'ils pouvaient, mais l'incendie faisait rage et l'on n'avançait pas. J'aurais pu l'étouffer sans trop de mal avec ma veste, mais, dans ma hâte, j'étais sorti sans elle et n'avais que mon justaucorps de cuir. Les

choses se présentaient donc très mal, et c'était déplo-
rable ; ce magnifique Palais allait être réduit par le
feu jusqu'au sol, lorsque soudain, avec une présence
d'esprit qui ne m'est pas habituelle, j'eus l'idée d'une
solution : j'avais bu la veille de grandes quantités
d'un vin délicieux appelé *Glimigrin* (les Blefuscudiens l'appellent *Flunec*, mais le nôtre est plus apprécié) qui est très diurétique. Et par le plus grand hasard,
je n'avais pas encore vidé ma vessie. En m'approchant
ainsi des flammes et en travaillant dur à les éteindre,
je m'échauffais tellement que le vin commença à
opérer : j'eus envie d'uriner ; et je le fis si abondamment
et en visant si juste qu'en trois minutes le feu était
noyé [1]. Et le reste de ce noble édifice, qui avait coûté
tant de siècles de travail, fut préservé de la ruine.

Il faisait déjà grand jour et je rentrai directement
chez moi, sans attendre d'avoir salué l'Empereur. Je
lui avais rendu, certes, un signalé service, mais enfin
j'ignorais comment Sa Majesté apprécierait la façon
dont je le lui avais rendu. Car c'est une loi fondamen-
tale du Royaume, que personne, de quelque rang que
ce soit, ne peut faire pipi dans l'enceinte du Palais.
Je fus un peu rassuré par un message de Sa Majesté,
m'annonçant qu'il allait faire rédiger par son Garde
des Sceaux l'acte de mon pardon. En fait ce document
ne me fut jamais remis. Quant à l'Impératrice, on
m'avertit sous le manteau qu'elle avait été écœurée
de ma conduite. Elle avait déménagé à l'autre bout
du château et prévenu que si l'on réparait l'aile endom-
magée, ce ne serait pas pour elle. A ses confidentes, elle
disait : « Je saurai me venger de lui, je vous le jure. »

CHAPITRE VI

Les Lilliputiens. — Leurs sciences, leurs lois, leurs coutumes, l'éducation des enfants. — Mode de vie de l'auteur à Lilliput. — Plaidoyer en faveur d'une grande dame.

La description de l'Empire de Lilliput doit faire l'objet d'un traité particulier, mais en attendant que cet ouvrage ait paru, le lecteur voudra peut-être avoir quelques notions générales. Je suis heureux de les lui donner ici. La taille moyenne des habitants est un peu inférieure à six pouces, celle de tous les animaux, celle des arbres et des plantes leur sont exactement proportionnées [1] : par exemple, les chevaux et les bœufs sont hauts de cinq ou six pouces à l'encolure, les moutons de un pouce et demi, à peu près, leurs oies sont grosses comme des moineaux, et le reste à l'avenant, de sorte que les plus petites bêtes étaient pour moi presque invisibles. Mais la nature a adapté les yeux des Lilliputiens à la taille des objets qu'ils ont à voir : leur vue est extrêmement perçante, mais de faible portée. Je me plus un jour à regarder un cuisinier qui plumait une alouette pas plus grosse qu'une mouche de nos pays et une jeune fille enfilant à un fil invisible une aiguille que je ne voyais pas mieux. Leurs arbres les plus hauts peuvent atteindre jusqu'à sept pieds, mais je n'en ai vu de cette taille que dans le Parc royal : je pouvais tout juste toucher leur cime de ma main. Les autres plantes sont en proportion, mais je laisse au lecteur le soin de les imaginer.

Je ne m'étendrai pas ici sur leurs connaissances, qui sont très variées, dans ce pays de vieille et florissante culture, mais leur écriture est très particulière : ils n'écrivent ni de droite à gauche comme les Arabes, ni de gauche à droite comme les Européens, ni de haut en bas comme les Chinois, ni de bas en haut comme les Cascagiens [1], mais en oblique, d'un coin à l'autre de la feuille, comme les grandes dames en Angleterre.

Ils enterrent leurs morts la tête en bas, parce qu'ils croient qu'ils vont tous ressusciter dans onze mille lunes ; à ce moment-là, la terre, qu'ils conçoivent comme une grande plaque, se retournera sur l'autre face et les morts se retrouveront de la sorte debout sur leurs pieds, au jour de la résurrection [2]. Les esprits éclairés reconnaissent l'absurdité de cette doctrine, mais l'usage subsiste, pour ne pas rompre avec une tradition populaire.

Il y a dans cet Empire des lois et des coutumes très singulières, et que je serais assez tenté de défendre si elles n'étaient si directement contraires à celles de ma chère patrie. Les leurs sont en tout cas fort bien observées, ce qu'on pourrait souhaiter aux nôtres. La première que je mentionnerai est la loi sur les délateurs : tous les crimes contre l'État sont ici punis avec une extrême rigueur, mais si la personne mise en accusation peut au cours du procès prouver son innocence, alors l'accusateur est aussitôt ignominieusement mis à mort et ses biens ou propriétés servent à dédommager au quadruple l'innocent, pour le temps qu'il a perdu, pour le danger qu'il a couru, pour les rigueurs de sa captivité et pour les frais de sa défense. Si les biens confisqués sont insuffisants, la Couronne paye sans marchander le reste. De plus l'Empereur donne une marque publique de son estime à l'homme faussement accusé et fait proclamer son innocence dans toute la ville.

Ils tiennent l'escroquerie pour un crime plus grave que le vol, et la punissent presque toujours de mort, car, expliquent-ils, tout homme moyennement doué peut se défendre des voleurs, en prenant quelques précautions, tandis que l'honnêteté est désarmée devant un habile escroc ; or, la vente, l'achat, les affaires, toutes choses indispensables, ne se conçoivent que dans

un climat de confiance. Si donc la fraude est permise
ou tolérée, ou impossible à punir, c'est toujours l'honnête homme qui se trouvera pris, et le coquin qui aura
l'avantage. Je me rappelle avoir une fois intercédé
auprès du Roi en faveur d'un criminel qui avait dé-
tourné une importante somme d'argent, appartenant à
son maître, la touchant en son nom, et s'enfuyant avec.
J'en vins à dire à Sa Majesté, pensant diminuer à ses
yeux la gravité du crime, qu'il se réduisait à un abus
de confiance — or, l'Empereur jugea monstrueux
qu'on pût présenter comme circonstance atténuante
la circonstance aggravante entre toutes. De fait il ne
me vint pas d'autre réponse à l'esprit que le banal
proverbe : autres lieux, autres mœurs, car, je l'avoue,
j'étais couvert de honte.

Bien que nous ayons toujours à la bouche ce principe que récompense et châtiment sont les deux piliers
de l'État, je ne l'ai jamais vu mis en application ailleurs qu'à Lilliput. Là-bas quiconque peut établir de
façon probante qu'il a strictement observé les lois de
son pays depuis soixante-treize lunes, a droit à certains privilèges variables selon sa naissance et sa condition, ainsi qu'à des récompenses en argent, payées
sur une caisse spéciale et également variables. Il reçoit
en plus le titre de *Snilpall*, c'est-à-dire Loyal, qu'il
ajoute à son nom, mais qui n'est pas héréditaire. Et
quand je leur dis que chez nous les lois s'appliquaient
à grand renfort de châtiments, mais qu'on ne parlait
même pas de récompenses, ils s'étonnèrent de cette
prodigieuse faute politique. C'est intentionnellement
que, dans leurs tribunaux, ils représentent la Justice
— qui a d'ailleurs six yeux, deux devant, deux derrière,
et un de chaque côté, symbole de la circonspection —
avec, dans sa main droite, un sac d'or grand ouvert
et, dans sa main gauche, une épée au fourreau. Ils
veulent faire comprendre qu'elle incline à récompenser
plutôt qu'à punir.

Lorsqu'ils ont à choisir parmi plusieurs candidats à quelque office, ils regardent aux qualités morales, plus qu'aux dons de l'intelligence. Le gouvernement des hommes étant en effet une nécessité naturelle, ils supposent qu'une intelligence normale sera toujours à la hauteur de son rôle et que la Providence n'eut jamais le dessein de rendre la conduite des affaires publiques si mystérieuse et difficile qu'on la dût réserver à quelques rares génies — tels qu'il n'en naît guère que deux ou trois par siècle. Ils pensent au contraire que la loyauté, la justice, la tempérance et autres vertus sont à la portée de tous, et que la pratique de ces vertus, aidée de quelque expérience et d'une intention honnête, peut donner à tout citoyen capacité pour servir son pays, sauf aux postes qui exigent des connaissances spéciales. Ils ne pensent pas qu'une intelligence supérieure puisse pallier l'absence des vertus morales — bien au contraire, jamais ils n'oseraient confier un poste à un homme de ce genre, car on tient les fautes commises par l'ignorance d'un homme intègre pour infiniment moins préjudiciables au bien commun que les intrigues d'un homme sans scrupules et assez habile pour organiser, multiplier et défendre ses malhonnêtetés.

De la même façon, un homme qui ne croit pas à une providence divine sera écarté de toute fonction publique. En effet, puisque les Rois se disent les représentants sur terre de la Divinité, les Lilliputiens pensent qu'un Prince agirait avec une grande inconséquence s'il prenait à son service des hommes rejetant l'autorité de laquelle il se réclame.

Précisons que je ne décris et vais décrire les institutions de Lilliput que dans l'état où elles étaient à l'origine [1] et non dans celui de scandaleuse corruption, où les firent tomber plus tard les vices inhérents à la nature humaine. Signalons par exemple que des pratiques indignes telles que la danse sur la corde raide

pour obtenir les grandes charges, ou les exercices de
saut ou de reptation au-dessus ou au-dessous d'un
bâton pour quémander des rubans honorifiques, n'ont
été introduites que par l'aïeul [1] de l'Empereur actuel,
et n'ont acquis tellement d'importance qu'à cause des
luttes toujours plus vives entre les partis.

L'ingratitude est chez eux un crime capital — comme
jadis, nous apprend-on, chez d'autres peuples [2]. Leur
raisonnement est le suivant : celui qui fait du mal à son
bienfaiteur, comment restera-t-il sans en faire à tout
le reste des hommes, de qui il n'a pas reçu de bienfaits ?
Il ne convient donc pas de le laisser vivre.

Ils ne conçoivent pas du tout comme nous les devoirs
des parents et des enfants. C'est, en effet, uniquement
parce qu'ils y sont poussés par la Nature que les sexes
se rapprochent. L'ordre naturel veut la conservation
et la propagation des espèces, mais pour les Lilliputiens, l'homme et la femme, comme tous les animaux,
n'ont de rapports que pour satisfaire leurs désirs. De
même la tendresse des parents pour leurs enfants est,
selon eux, d'origine purement physiologique. On ne
leur fera pas admettre que les enfants restent les obligés du père qui les a engendrés et de la mère qui les a
mis au monde. Car il ne s'agit pas là d'un bienfait en
soi, étant donné les misères de la vie, et d'autre part
les parents avaient bien autre chose en tête lors de
leurs ébats amoureux. Pour ces raisons et d'autres du
même ordre, les parents sont les derniers à qui l'on
puisse confier l'éducation de leurs enfants, et c'est
pourquoi on trouve dans toutes les villes des pensions
d'État où tous les parents, sauf ceux qui vivent à la
campagne, doivent obligatoirement faire élever leurs
enfants des deux sexes, à partir de l'âge de vingt lunes,
où l'on pense qu'ils ont acquis un minimum de docilité.
Ces écoles sont différentes selon le sexe et l'origine de
leurs élèves. Des maîtres très expérimentés y préparent
les enfants à l'avenir qui convient à leur naissance,

mais aussi à leurs capacités et à leurs goûts personnels.
Disons quelques mots des pensionnats de garçons ;
nous parlerons après des pensionnats de filles.

Les collèges de garçons de familles nobles ou fortu-
nées sont dirigés par des maîtres graves et savants aidés
de divers assistants. Les vêtements et la nourriture
des enfants y sont très simples. On leur inculque des
principes d'honneur, de justice et de courage, de modestie, de clémence et de religion, sans oublier l'amour de
leur patrie. Ils ont toujours quelque chose à faire, sauf
pendant le temps réservé aux repas ou au sommeil, qui
est d'ailleurs très court, et deux heures de récréation
que l'on consacre aux exercices corporels. Ce sont des
hommes qui les habillent jusqu'à l'âge de quatre ans,
ensuite ils doivent s'habiller tout seuls, même lorsqu'ils sont de très haute naissance. Les femmes qui
sont employées dans ces maisons ont au moins cinquante ans de notre âge et sont confinées aux tâches
subalternes. On ne permet jamais aux enfants de
bavarder avec les domestiques, mais ils prennent leur
récréation ensemble, par petits groupes, et toujours
sous la surveillance d'un professeur ou d'un assistant :
on leur évite ainsi d'être prématurément en contact
avec les vices et les folies humaines, comme trop de nos
enfants. On n'accorde aux parents que deux visites
annuelles, et ces visites ne peuvent durer plus d'une
heure. Ils peuvent embrasser leurs enfants en arrivant
et en partant, mais ne doivent ni leur parler à l'oreille
ni leur remettre jouets, bonbons ou autres babioles.
Il y a toujours un professeur au parloir pour les en
empêcher.

Les familles sont tenues de payer les frais d'entretien et d'éducation de leurs enfants, et les huissiers
royaux perçoivent au besoin l'écolage.

Les collèges destinés aux fils de bourgeois, commerçants et artisans sont organisés à peu près de la
même façon ; mais les futurs marchands sont envoyés

en apprentissage dès leur septième année, tandis que les bourgeois plus riches poursuivent leur formation jusqu'à l'âge de quinze ans (ce qui fait vingt et un ans de notre âge). Pendant les dernières années, pourtant, on leur laisse progressivement plus de liberté.

Dans les pensions de filles, les jeunes personnes de qualité reçoivent presque la même éducation que les garçons. Seulement ce sont des domestiques de leur sexe (attachées à l'établissement et non à leur personne) qui les habillent, et toujours en présence d'un professeur, ou d'un assistant. Ceci jusqu'à ce qu'elles atteignent l'âge de cinq ans, où elles doivent s'habiller seules. Et si l'on surprend l'une des bonnes à raconter aux enfants des histoires stupides ou terrifiantes ou bien à faire une de ces sottises qui plaisent tant à nos chambrières, elle est fouettée publiquement par les rues de la ville, condamnée à un an de prison et bannie dans le coin le plus déshérité du royaume. Grâce à ces mesures, les jeunes filles là-bas fuient autant que les hommes la lâcheté et la niaiserie et ne veulent d'autres parures que la bienséance et la propreté. Je n'ai pas vu beaucoup de différence entre l'éducation des garçons et celle des filles [1], sinon que pour ces dernières les exercices corporels étaient moins rudes, et les programmes d'études un peu moins chargés ; mais on leur donne en revanche quelques notions d'économie domestique. Car les Lilliputiens estiment très important de former les jeunes filles de la bonne société à être des épouses sensées et de compagnie agréable, attendu qu'elles ne peuvent pas rester toujours jeunes.

Lorsque les jeunes filles atteignent leur douzième année (ce qui est là-bas l'âge du mariage), leurs parents ou tuteurs les reprennent chez eux, non sans exprimer leur vive reconnaissance aux professeurs, et il est bien rare que ce départ se fasse sans quelques larmes de la jeune personne et de ses compagnes de pension.

Les collèges de filles d'un rang plus modeste initient leurs élèves à des tâches différentes, selon l'avenir qui les attend : celles qui doivent entrer en apprentissage quittent l'école à sept ans, les autres y restent jusqu'à onze.

Les familles modestes qui ont des enfants dans les collèges d'État doivent, en dehors de la pension annuelle qui est aussi modique que possible, remettre chaque mois à l'intendant une petite partie de leurs gains, destinée à constituer une dot, ce qui implique pour l'État le droit de surveiller leurs dépenses. Car les Lilliputiens pensent que rien ne serait plus injuste que de laisser les gens procréer des enfants pour satisfaire leurs instincts, en s'en remettant à la société du soin de les faire vivre [1]. Quant aux gens de qualité, ils versent pour chaque enfant une somme qui doit lui permettre de soutenir son rang. Ces fonds sont gérés avec sagesse, et la plus grande honnêteté.

Les fermiers et les laboureurs gardent leurs enfants chez eux. Comme leur rôle se borne à cultiver la terre, l'État n'a aucun intérêt à en faire des gens instruits, mais leurs malades et leurs vieillards sont recueillis dans des hôpitaux [2], car la mendicité est un métier inconnu dans cet Empire.

Il ne sera peut-être pas sans intérêt pour la curiosité du lecteur d'avoir quelques détails sur mon installation et sur mon mode de vie dans ce pays où je séjournai neuf mois et treize jours. Poussé par la nécessité (et n'ayant jamais été maladroit de mes mains), je réussis à me faire une table et une chaise assez commodes, avec les arbres les plus grands du Parc royal. Deux cents couturières furent chargées de la confection de mon linge de corps, de la literie et du linge de table. Elles prirent la toile la plus rude et la plus forte qu'elles pussent trouver et durent pourtant la mettre en trois épaisseurs, car la plus grosse était encore plus fine que la batiste. La toile, à Lilliput, se vend

surtout sous forme de pièces de trois pieds de long sur
deux pouces de large. Je me couchai par terre pour
que les couturières pussent prendre mes mesures :
l'une d'elles, juchée sur mon cou, une autre sur mon
genou, tenaient tendue une corde qu'une troisième
mesura avec une aune longue d'un pouce. Ensuite,
elles prirent mon tour de pouce et n'en demandèrent
pas davantage. En appliquant la formule mathéma-
tique : deux tours de pouce valent un tour de poignet
et ainsi de suite jusqu'au tour de cou et de taille ;
en s'inspirant aussi de ma vieille chemise que j'avais
étalée par terre pour leur servir de patron, elles
m'habillèrent parfaitement. On m'envoya aussi trois
cents tailleurs pour couper mes habits, mais ils usèrent
d'un autre procédé pour prendre mes mesures : je me
mis à genoux et ils appliquèrent une échelle contre ma
nuque. Du haut de cette échelle, l'un des tailleurs tendit
un fil à plomb, qui donna exactement la longueur de
la veste — mais je mesurai moi-même les manches et
le tour de taille. Ils confectionnèrent le costume chez
moi, car aucune de leurs maisons n'aurait pu le contenir. Quand il fut terminé, il ressemblait à un habit
d'Arlequin, avec cette différence que tous les morceaux
étaient de la même couleur.

Pour préparer mes repas j'avais trois cents cuisiniers,
installés avec leurs familles dans de petits logements
dressés tout autour de ma maison ; chacun d'eux devait
me préparer deux plats. Je prenais dans ma main vingt
laquais que je posais sur la table ; cent autres attendaient en bas, avec des plats de viandes ou des barils
de vin ou d'autres liqueurs que l'on hissait sur la table,
au fur et à mesure de mes besoins, par un système très
ingénieux de cordes et de poulies comme il y en a sur
les puits en Angleterre. Chacun de ces plats me faisait
une bonne bouchée, et chaque baril une bonne rasade.
Leur mouton ne vaut pas le nôtre, mais leur bœuf est
excellent. On me servit une fois un aloyau si gros que

j'en fis trois bouchées, mais ce fut exceptionnel. Mes
serviteurs s'émerveillaient de me voir avaler tout,
même les os, comme chez nous on croque une cuisse
d'alouette. Des oies et des dindes, je ne faisais d'habitude qu'une bouchée et je dois reconnaître qu'elles
sont bien supérieures aux nôtres. Quant aux menues
volailles, j'en piquais jusqu'à vingt ou trente sur la
pointe de mon couteau.

Un jour Sa Majesté Impériale, s'étant informée de
ma manière de vivre, me demanda la faveur — ainsi
qu'elle daigna le dire — d'être invitée chez moi, avec
Sa Majesté la Reine et les jeunes Princes ou Princesses
du sang. Ils vinrent donc, et je les installai en face de
moi dans des fauteuils d'apparat placés sur ma table,
leurs gardes autour d'eux. Flimnap, le Grand Trésorier,
était également présent, son bâton blanc à la main. Je
remarquai bien qu'il me regardait d'un œil hostile,
mais je fis semblant de n'en rien voir, et mangeai plus
qu'à l'ordinaire, tant pour faire honneur à ma chère
patrie que pour remplir la Cour d'admiration. J'ai tout
lieu de penser que cette visite de Sa Majesté donna
au Trésorier l'occasion de me desservir auprès de son
maître. Ce Ministre avait toujours été secrètement mon
ennemi, bien qu'il fît montre à mon égard d'une amabilité qui surprenait chez cet homme habituellement
morose. Il rappela à Sa Majesté les difficultés de ses
finances, et comment il lui fallait faire des emprunts
à de gros intérêts ; que les bons du trésor étaient
tombés à neuf pour cent au-dessous du pair ; et qu'en
un mot j'avais déjà coûté à Sa Majesté un million et
demi de *sprugs* (c'est leur plus grosse pièce d'or,
de la taille d'une paillette ronde), de sorte qu'il serait
expédient, à la première occasion, de me congédier
poliment.

Je me trouve ici dans l'obligation de défendre l'honneur d'une dame fort distinguée, qui fut, à mon sujet,
l'innocente victime d'une calomnie : le Grand Trésorier

se mit en tête d'être jaloux de sa femme, par la faute de quelques mauvaises langues, qui lui rapportèrent qu'elle s'était prise de passion pour moi. Je reconnais qu'elle venait souvent en visite. Le bruit courut même qu'elle était venue me voir une fois en secret : c'est là, je le déclare solennellement, une infâme calomnie et qui n'a d'autre fondement que les marques innocentes de bonté et de confiance qu'elle se plaisait à me donner. Si elle venait me rendre visite c'était toujours au vu et au su de tous et jamais sans être accompagnée d'au moins trois personnes, qui étaient le plus souvent sa sœur, une de ses jeunes filles, et une amie intime. Et d'ailleurs bien d'autres dames de la Cour venaient me voir dans les mêmes conditions. Tous mes domestiques, de plus, pourront témoigner que jamais ils n'ont vu un carrosse à ma porte sans savoir qui s'y trouvait. Quand un laquais m'annonçait quelque visite, j'avais coutume d'aller à la porte présenter mes respects, puis je prenais délicatement dans mes mains le carrosse et les deux chevaux (car quand il y en avait six, le cocher avait soin de dételer les autres) et les posais sur ma table, que je munissais au préalable d'un garde-fou amovible de cinq pouces de haut, pour prévenir tout accident. Il m'est arrivé souvent d'avoir quatre carrosses en même temps avec leurs chevaux sur ma table, ce qui faisait pas mal de monde. J'étais assis sur ma chaise et penchais mon visage vers mes visiteurs. Tandis que je conversais avec les occupants d'un carrosse, les cochers menaient les autres doucement autour de la table. J'ai passé ainsi beaucoup d'après-midi charmants, mais je défie le Grand Trésorier, ou ses deux indicateurs : les nommés Clustril et Drunlo (s'ils n'aiment pas la publicité, tant pis pour eux), de prouver que personne soit jamais venu me voir incognito — sauf le Secrétaire Reldresal, et par ordre exprès de Sa Majesté, comme je l'ai conté plus haut. Je n'aurais pas donné tous ces détails s'ils n'intéressaient pas de si près la réputation d'une grande dame [1] — sans compter la mienne — car je portais alors le titre de *nardac*, que le Trésorier lui-même n'a pas. Chacun sait, en effet, qu'il n'est que *clumglum*, titre inférieur d'un degré à celui de *nardac*, comme *marquis* l'est à *duc* en Angleterre. Mais j'admets que sa charge lui ait donné le pas sur moi. Ces rapports mensongers, dont je n'eus connaissance que plus tard — il importe peu de savoir comment —, firent que Flimnap resta en froid avec sa femme pendant quelque temps, et avec moi-même encore bien plus longtemps. Et si en fin de compte, reconnaissant s'être trompé, il se réconcilia avec elle, je ne retrouvai jamais pour ma part son amitié, et je vis bientôt mon crédit décliner auprès de l'Empereur lui-même, dont il était le tout-puissant favori.

CHAPITRE VII

L'auteur, se sachant menacé d'un procès de haute trahison, s'échappe à Blefuscu. — L'accueil qu'il reçut en cette île.

Avant de narrer à mon lecteur comment je quittai Lilliput, il convient que je l'instruise d'un complot qui, depuis deux mois, se tramait contre moi.

Ma vie s'était jusque-là écoulée loin des Cours, d'où m'excluait mon humble condition. J'avais, il est vrai, lu et entendu bien des choses sur les caprices des grands princes et de leurs ministres — mais j'étais loin d'imaginer qu'ils puissent avoir des conséquences si terribles dans un pays si lointain, et gouverné, me semblait-il, selon d'autres principes que les États d'Europe.

Alors que je faisais mes préparatifs pour rendre visite à l'Empereur de Blefuscu, un homme de haut rang à la Cour (à qui j'avais rendu un très grand service quand il se trouvait complètement en disgrâce) vint me trouver en secret, la nuit, dans une chaise à porteurs fermée. Il demanda à se faire recevoir sans révéler son nom, et renvoya aussitôt les porteurs. Je mis dans ma poche la chaise, avec Sa Seigneurie dedans, et je fis dire par un serviteur dévoué que j'étais souffrant et que je dormais. Puis je fermai ma porte à clef, déposai la chaise sur ma table, comme d'habitude, et m'assis en face de mon visiteur. Après les compliments d'usage, je notai que son visage paraissait fort soucieux, et je lui en demandai la cause ; il me pria alors de l'écouter avec patience sur un sujet qui intéressait directement ma vie. Voici donc ce qu'il me dit, et dont je pris note après son départ :

« Il faut que vous sachiez, commença-t-il, que votre cas vient de faire l'objet de plusieurs réunions secrètes du Cabinet, mais il y a seulement deux jours que Sa Majesté a pris une décision définitive.

« Vous n'ignorez pas que Skyris Bolgolam (le *Galbet* ou Grand Amiral) est votre mortel ennemi presque depuis le jour de votre arrivée ; je ne sais ce qui l'a poussé à l'origine, mais sa haine n'a fait que grandir avec votre victoire sur Blefuscu, dont son prestige d'amiral a souffert. C'est lui qui, de concert avec le Grand Trésorier Flimnap (qui, comme chacun sait, vous en veut à cause de sa femme), avec le Général Limtoc, le Grand Chambellan Lalcon et le Grand Justicier Balmuff, a rédigé votre mise en accusation, vous inculpant de haute trahison et autres crimes punissables de mort. »

Ce préambule me fit bondir. Touché au vif dans le sentiment de mon innocence et la conscience de mes mérites, je voulus interrompre mon visiteur ; mais il me pria de le laisser poursuivre, et reprit en ces termes : « En reconnaissance des services que vous m'avez rendus, je me suis procuré une minute des débats du

Conseil, ainsi qu'une copie de l'acte d'accusation —
c'est dire que je risque ma tête pour vous rendre service.

ACTE D'ACCUSATION DRESSÉ CONTRE QUINBUS FLESTRIN
L'HOMME-MONTAGNE

ARTICLE I. Nonobstant le décret pris sous le règne de
Sa Majesté Impériale Calin Deffar Plume, comme quoi
le fait d'uriner dans l'enceinte du Palais royal serait
assimilé à un crime de haute trahison et puni comme
tel, le nommé Quinbus Flestrin, en contravention audit
décret, et sous couvert d'éteindre le feu qui avait pris
dans les appartements de notre très aimée Dame et
Maîtresse Sa Majesté l'Impératrice, a, par malice,
diablerie et traîtrise, noyé ledit feu par projection de
son urine, alors qu'il était et se trouvait dans l'enceinte
dudit Palais royal. A l'encontre des textes régissant
le cas etc., à l'encontre des obligations etc.

ARTICLE II. Ledit Quinbus Flestrin, ayant amené
dans notre port royal la flotte impériale de Blefuscu
et recevant de Sa Majesté Impériale l'ordre de s'emparer de tous les autres navires dudit Empire de Blefuscu ; de réduire cet Empire à l'état de province,
gouvernée par un Vice-Roi nommé par Sa Majesté ;
d'exterminer et de mettre à mort non seulement les
exilés gros-boutiens, mais aussi tout habitant dudit
Empire refusant d'abjurer sur-le-champ l'hérésie gros-
boutienne, ledit Quinbus Flestrin a, par félonie et
traîtrise envers Sa Sérénissime et Très Miséricordieuse
Majesté Impériale, réclamé d'être dispensé dudit
service, par une prétendue répugnance à contraindre
les consciences et attenter à la vie ou à la liberté d'un
peuple innocent.

ARTICLE III. Certains ambassadeurs étant venus de la Cour de Blefuscu à la Cour de Sa Majesté pour obtenir la paix, ledit Quinbus Flestrin a, par félonie et traîtrise, aidé, assisté, reçu et diverti lesdits ambassadeurs, nonobstant leur qualité de serviteurs d'un Prince récemment en guerre ouverte et hostilités déclarées contre Sa Majesté l'Empereur, et en pleine connaissance de cause [1].

ARTICLE IV. Ledit Quinbus Flestrin a, contrairement au devoir d'un fidèle sujet, fait des préparatifs pour se rendre à la Cour de Blefuscu, bien qu'il n'ait reçu de Sa Majesté Impériale qu'une permission orale, et a l'intention, au cours de ce voyage, d'utiliser par fausseté et traîtrise ladite permission orale pour aider, encourager et assister l'Empereur de Blefuscu, récemment en guerre et hostilités déclarées contre Sa Majesté Impériale.

« Il y a encore quelques articles, mais ce sont les plus importants dont je vous ai lu l'abrégé.

« Il faut reconnaître que, dans les débats sur votre mise en accusation, Sa Majesté a donné de nombreuses preuves de sa grande magnanimité, en rappelant souvent les services que vous lui aviez rendus, et en tâchant de diminuer la gravité de vos crimes. Le Grand Trésorier et le Grand Amiral voulaient qu'on vous infligeât une mort ignominieuse et très cruelle, par exemple en mettant le feu à votre demeure pendant la nuit, et en la faisant cerner par le Général à la tête de vingt mille hommes prêts à cribler de flèches empoisonnées votre visage et vos mains. On proposait aussi de verser à votre insu sur vos draps et votre linge un suc vénéneux qui vous eût tôt fait mourir en éprouvant des souffrances atroces et en lacérant vos chairs de vos propres ongles. Le Général se rangea à cet avis, de sorte que la majorité se trouva

longtemps contre vous. Mais Sa Majesté, résolue à
vous sauver la vie, finit par gagner le suffrage du
Grand Chambellan. Là-dessus, l'Empereur interrogea
un de vos bons amis de toujours : Reldresal, le Premier
Secrétaire d'État pour les Affaires privées. Celui-ci
donna son avis, et se montra, une fois de plus, digne
de l'estime que vous lui portez. Il reconnaissait toute
la gravité de vos crimes, mais n'en fit pas moins
appel à la clémence, vertu louable entre toutes, et
pour laquelle Sa Majesté est si justement célèbre. Il
ajouta que l'amitié qui vous unissait tous les deux
était si bien connue de tous qu'on pourrait peut-être
le croire prévenu en votre faveur, mais que néanmoins,
obéissant à l'ordre reçu, il donnerait son avis en toute
franchise. Si donc Sa Majesté, en considération des
services que vous aviez rendus, et suivant sa pente
naturelle, qui était la bonté et l'indulgence, daignait
vous faire grâce de la vie, et se contentait de vous
faire arracher les deux yeux, Elle se permettrait de
croire que, grâce à cet expédient, la justice se trouverait
en partie satisfaite, et le monde entier célébrerait la
magnanimité de l'Empereur, ainsi que le jugement
équitable et généreux de ceux qui ont l'honneur d'être
ses conseillers ; que d'autre part la perte de vos yeux
ne nuirait en rien à votre force, qui pourrait toujours
être utilisée au service de Sa Majesté ; que la cécité
n'exclut pas non plus la bravoure, bien au contraire,
puisqu'elle dérobe les dangers à nos yeux ; d'ailleurs
c'était précisément la crainte de devenir aveugle qui
vous avait le plus paralysé au cours de votre expédition
contre la flotte ennemie ; et qu'enfin vous n'aviez nul
besoin de voir par d'autres yeux que par les yeux des
Ministres, puisque même les plus grands Princes en
sont là.

« Cette proposition ne recueillit qu'une désapproba-
tion générale. L'Amiral Bolgolam ne put garder son
sang-froid, et transporté de fureur, se leva, et prit la

parole : il demandait comment le Secrétaire osait intervenir pour défendre la vie d'un traître, affirmant que les services que vous aviez rendus, si l'on tenait compte de la raison d'État, augmentaient la gravité de vos crimes ; que si vous étiez capable d'éteindre un incendie en arrosant d'urine les appartements de l'Impératrice (attentat qu'il ne pouvait rappeler sans frémir d'horreur), vous pourriez aussi bien, quelque autre jour, et de la même façon, noyer tout le Palais impérial ; que cette force même qui vous avait permis de capturer la flotte ennemie, vous permettrait, au premier sujet de mécontentement, de la ramener dans leur port ; qu'enfin, il avait tout lieu de croire que, dans votre cœur, vous étiez un Gros-Boutien ; et que, comme c'est dans le cœur que grandit la trahison avant de se révéler par des actes, il vous déclarait donc traître, et à ce titre requérait contre vous la peine de mort.

« Le Trésorier était de son avis. Il montra que votre entretien représentait pour les finances de Sa Majesté une charge très pénible, et qui serait à la longue écrasante ; que la solution de vous crever les yeux, préconisée par le Secrétaire, loin d'être satisfaisante, ne ferait sans doute qu'aggraver le cas, à preuve cette pratique des éleveurs qui crèvent les yeux de leurs volailles pour leur donner plus d'appétit, et les engraisser plus vite ; que Sa Très Auguste Majesté ainsi que tous les conseillers qui constituaient votre tribunal étaient dans leur conscience pleinement convaincus de votre culpabilité, ce qui était une raison suffisante pour vous condamner à mort, même sans tenir les preuves formelles qu'exigerait la loi, si on la voulait suivre à la lettre.

« Mais Sa Majesté Impériale, qui ne voulait absolument pas de votre exécution, eut la grande bonté d'exprimer l'opinion que, si la privation de vos yeux était considérée comme une peine trop légère, on pourrait lui en adjoindre une autre. Alors votre ami le Secrétaire redemanda humblement la parole, et, puisque le Trésorier de Sa Majesté s'était plaint de la très lourde charge que vous représentiez, il fit ressortir qu'il n'était pas difficile à Son Excellence, qui gère à lui tout seul les biens de l'Empereur, de remédier à cet état de choses, en diminuant peu à peu vos rations : ainsi, faute de nourriture, vous vous affaibliriez progressivement ; bientôt, vous perdriez tout à fait l'appétit ; et, en quelques mois, vous seriez mort. La décomposition de votre cadavre serait alors beaucoup moins dangereuse, puisque votre volume aurait diminué au moins de la moitié. D'ailleurs, aussitôt après votre mort, cinq ou six mille sujets de Sa Majesté pourraient très bien en deux ou trois jours nettoyer vos os de leur chair, et transporter celle-ci dans des charrettes pour aller l'enterrer au loin ; on éviterait ainsi tout risque d'épidémie, mais on conserverait le squelette comme un objet d'admiration pour les générations à venir.

« Ainsi, grâce à la grande amitié que vous porte le Secrétaire, toute l'affaire s'est conclue par un compromis. On décida de maintenir absolument secret le projet de vous faire mourir peu à peu d'inanition, mais la décision de vous crever les yeux demeure au procès-verbal. Il n'y eut pas d'autre opposition que celle de l'amiral Bolgolam, qui est une créature de l'Impératrice et qui n'a pas cessé de réclamer votre mort. C'est elle qui le pousse bien sûr, car elle ne vous pardonnera jamais l'infâme et illégal procédé que vous avez employé pour éteindre l'incendie de ses appartements.

« Dans trois jours, donc, votre ami le Secrétaire d'État sera mandé officiellement pour vous lire l'acte d'accusation, puis il vous notifiera la mesure d'indulgence et la grande faveur dont vous êtes l'objet, de la part de Sa Majesté et de son Conseil, et qui vous vaut de n'être condamné qu'à la perte de la vue ; Sa Majesté ne doute pas que vous vous soumettrez à cet arrêt avec humilité et reconnaissance, et vingt chirurgiens de Sa Majesté seront chargés de veiller à ce qu'il s'exécute bien. On vous priera donc de vous coucher à terre, et on tirera dans vos prunelles des flèches particulièrement bien aiguisées.

« Je laisse à votre prudence le soin de décider ce qui vous reste à faire. Quant à moi, il faut que je m'en retourne sur l'heure, et aussi discrètement que je suis venu, sinon j'éveillerais les soupçons. »

Il s'en alla donc et je restai tout seul, l'esprit rempli d'angoisse et de perplexité.

L'Empereur d'alors et ses Ministres avaient mis en usage un étrange procédé, dont on m'assura qu'il était bien opposé à toutes les traditions anciennes. Chaque fois que la Cour dictait quelque sentence cruelle, pour assouvir la rancune du Prince ou la haine d'un favori, l'Empereur faisait un discours en séance plénière du Conseil. Il y parlait de sa bonté d'âme et de sa douceur, comme de vertus que le monde entier se plaisait à reconnaître. Ce discours était aussitôt publié dans tout le Royaume, et rien ne terrifiait autant la population que ces panégyriques de la clémence royale, car on avait remarqué que de tels éloges étaient d'autant plus outrés que la sentence était plus inhumaine et la victime plus innocente [1]. Quant à moi, je dois avouer que n'étant préparé ni par ma naissance ni par mon éducation à être courtisan, j'étais si mauvais juge en la matière que je ne sus discerner la douceur ni la bienveillance de la sentence qui me frappait. J'avais l'impression (trompeuse peut-être) qu'elle n'était pas si douce que cela. L'idée m'effleura d'abord de laisser mon procès avoir lieu. Car si les faits reprochés aux différents articles étaient patents, j'espérais, en tout cas, pouvoir plaider les circonstances atténuantes. Mais comme j'avais, dans ma vie, suivi de près le déroulement de plusieurs procès politiques, et remarqué que les sentences y étaient toujours celles que les juges avaient d'avance en tête, je n'osai pas m'en tenir à

une décision si risquée en des circonstances si critiques
et en face d'ennemis si puissants. J'eus un moment la
tentation de faire un coup de force ; et certes, tant que
j'avais ma liberté de mouvement, toute l'armée du
Royaume n'eût pas suffi à me réduire et il m'aurait été
très facile de démolir à coups de pierres toute leur
capitale. Mais je rejetai ce projet avec horreur, me
rappelant le serment que j'avais fait à l'Empereur, les
faveurs que j'avais reçues de lui, et ce haut titre de
Nardac qu'il m'avait conféré. Et puis je n'avais pas
appris si vite la gratitude courtisane : je ne pouvais
me persuader qu'à cause des rigueurs présentes de Sa
Majesté, j'étais quitte de toute obligation envers Elle.

La décision que je pris en fin de compte me vaudra
sans doute quelques reproches, qui ne seront pas immé-
rités ; car, je le confesse, ce fut par un effet de mon
irréflexion et de mon manque d'expérience que je
choisis de sauver mes yeux, et par conséquent ma
liberté. De fait, si j'avais su alors à quoi il fallait s'attendre, avec les princes et les ministres, tels que je les
ai observés plus tard dans d'autres Cours, si j'avais
su quels traitements ils savent infliger à des criminels
moins haïssables que moi, je me serais aussitôt soumis,
et avec joie, à une peine si douce. Mais je me laissai
emporter par la fougue de la jeunesse, et comme j'avais
l'autorisation de Sa Majesté de rendre visite à l'Empereur de Blefuscu, je voulus mettre cette chance à profit
dans les trois jours qui précédaient mon exécution.
J'envoyai donc une lettre à mon ami le Secrétaire, lui
annonçant que je partais le matin même pour Blefuscu,
ainsi que j'en avais la permission. Sans attendre la
réponse, je me dirigeai vers le point de la côte où était
notre flotte. Je choisis un gros vaisseau de guerre, attachai un câble à sa proue, sortis de l'eau ses ancres, et,
après m'être dévêtu, le chargeai de mes habits, ainsi
que de mon couvre-lit que j'avais emporté sous mon
bras. Puis tantôt marchant dans l'eau, tantôt nageant,

je le remorquai jusqu'au port royal de Blefuscu, où la foule m'attendait depuis un grand moment. On me donna deux guides pour me conduire jusqu'à la capitale (qui porte le même nom que l'île) ; je les pris dans mes mains jusqu'à cent toises des portes de la ville, où je les priai d'aller annoncer mon arrivée à un des Secrétaires d'État, et de lui faire savoir que j'attendrais sur place les ordres de Sa Majesté. On me fit répondre, une heure plus tard, que Sa Majesté, accompagnée de la famille royale et des grands officiers de la Cour, avait quitté le Palais pour venir me recevoir. Je fis à leur rencontre une centaine de yards : l'Empereur et son escorte descendirent de cheval, l'Impératrice et ses suivantes de leur carrosse, sans montrer à ma vue ni frayeur ni appréhension. Je m'étendis à terre pour baiser la main de l'Empereur et celle de l'Impératrice. Je dis à Sa Majesté que j'étais venu selon ma promesse, et avec le consentement de mon Maître et Empereur, pour avoir l'honneur de voir un monarque si puissant et lui offrir tous les services que je pourrais lui rendre et que me permettrait mon allégeance à mon propre suzerain. Mais de ma disgrâce, je ne dis mot ; car je n'en avais pas eu jusque-là la notification officielle, et pouvais faire comme si je n'en savais rien. L'idée ne m'effleurait même pas d'ailleurs que l'Empereur irait en révéler le secret tant que je serais hors de sa portée ; ce en quoi je vis bientôt que je m'étais trompé.

Je n'ennuierai pas le lecteur par une description minutieuse de ma réception à la Cour, qui fut digne en tout point de la générosité d'un si grand monarque. Passons aussi sur l'embarras où je fus de n'avoir ni toit ni couche, et de devoir dormir sur le sol, enroulé dans mon couvre-lit.

CHAPITRE VIII

L'auteur, par un heureux hasard, trouve le moyen de quitter Blefuscu,
et, après quelques difficultés, retourne sain et sauf dans sa patrie.

Trois jours après mon arrivée, je me promenais par
curiosité le long de la côte nord-ouest de l'île, quand
j'aperçus dans la mer, à une demi-lieue environ, quelque chose qui ressemblait à un bateau retourné. Ayant
retiré mes bas et mes souliers, et m'étant avancé de deux
ou trois cents yards dans la mer avec de l'eau jusqu'à
mi-jambes, je vis l'objet se rapprocher de plus en plus,
poussé par la marée, et je distinguai alors très nettement que c'était une chaloupe de gros navire, probablement jetée à la mer par un coup de vent. Là-dessus
je retournai en hâte à la ville, et priai Sa Majesté de
bien vouloir mettre à ma disposition vingt des plus
grosses unités que comptait encore sa flotte et trois
mille marins sous la conduite du Vice-Amiral. Cette
escadre fit voile autour de l'île tandis que je regagnais
par le plus court chemin le point de la côte où j'avais
aperçu la chaloupe, et je constatai que la marée l'avait
encore rapprochée. Les câbles qu'emportaient les
marins avaient la force voulue : je les avais tressés
moi-même à l'avance. Quand les navires eurent rallié,
j'entrai dans l'eau. Je pus marcher jusqu'à cent yards
de l'épave, après quoi je dus me mettre à la nage. Les
marins me lancèrent alors une corde dont je passai
un bout par un trou situé à l'avant de la chaloupe et
attachai l'autre à un vaisseau de guerre. Mais tant que
je n'avais pas pied, je ne pouvais pas grand-chose et
perdais beaucoup de mes efforts. J'en étais réduit à
nager derrière la chaloupe en lui donnant de temps en
temps une poussée. Cependant la marée me ramenait
peu à peu vers les hauts-fonds de la côte ; je sentis

enfin le sol sous mes pieds, et me reposai deux ou trois minutes, avec de l'eau jusqu'au menton. Encore quelques poussées à la chaloupe, et l'eau ne m'atteignait plus que jusqu'aux aisselles.

Le plus dur était fait. Je pris alors sur le vaisseau qui les transportait neuf autres câbles que je fixai à la chaloupe. Je pus ainsi la faire remorquer par une dizaine des navires qui étaient à ma disposition. Le vent était alors favorable ; les marins tiraient, moi je poussais, et nous parvînmes ainsi à quarante yards du rivage. Il nous suffisait d'attendre que la marée baissât, pour que le bateau se retrouvât à sec. Avec l'aide de deux mille hommes, et à grand renfort de cordes et de palans, je le remis sur sa quille. Je constatai alors qu'il était en assez bon état.

Je ne vais pas raconter au lecteur tout le mal que j'eus, d'abord à me fabriquer des avirons, qui me coûtèrent dix jours de travail, puis à rentrer par mer dans le port de Blefuscu, où la vue d'un bateau si prodigieusement grand emplit d'émerveillement les foules accourues au spectacle de mon arrivée. Ma bonne fortune, qui m'avait envoyé ce bateau, dis-je plus tard à l'Empereur, voulait me ramener à quelque bord, d'où je puisse ensuite retourner dans ma patrie ; je le suppliai donc de bien vouloir me fournir l'équipement nécessaire, et de m'autoriser à prendre congé, ce qu'après quelques protestations fort courtoises, il se plut à m'accorder.

A ma grande surprise tout ce temps avait passé sans que l'Empereur de Lilliput eût soufflé mot de moi à la Cour de Blefuscu. Je ne sus que plus tard la cause de son silence : Sa Majesté Impériale, bien loin de soupçonner que j'avais eu vent de ses projets, me croyait simplement parti pour tenir ma promesse, comme il m'y avait autorisé (et comme la Cour [1] le savait fort bien). Il pensait donc que j'allais revenir au bout de quelques jours, une fois la formalité remplie. Mais il

finit par s'inquiéter de ma longue absence, et, sur l'avis
du Trésorier et de toute sa camarilla, il dépêcha à Blefuscu un haut personnage, avec la copie de l'acte d'accusation dressé contre moi. Ce messager avait mission
de faire valoir auprès du monarque la grande générosi-
sité de son maître, qui ne voulait pas m'infliger d'autre
peine que la perte de mes yeux, de me représenter
comme un contumax, et de le prévenir que si je ne
revenais pas dans les deux heures je serais déclaré
coupable de haute trahison et privé de mon titre de
Nardac. Il ajouta que, dans l'intérêt de la paix et de
l'amitié entre les deux Empires, son maître espérait
que son frère de Blefuscu donnerait l'ordre de me ramener à Lilliput, pieds et poings liés, pour y recevoir mon
châtiment.

L'Empereur de Blefuscu mit l'affaire en délibéré
pendant trois jours ; puis il envoya une lettre pleine de
civilités et de bonnes raisons : on ne pouvait, disait-il,
songer à me renvoyer ligoté, son frère n'ignorait pas
que c'était irréalisable. J'avais d'autre part de grands
titres à sa gratitude, bien que je l'eusse privé de sa
flotte, pour tous les bons offices que je lui avais rendus
au moment du traité de paix. D'ailleurs ils allaient
bientôt pouvoir respirer l'un et l'autre, car j'avais
découvert sur le rivage un vaisseau prodigieusement
grand et capable de me porter sur la mer. Il faisait
remettre ce navire en état, avec mon aide et selon mes
directives ; il espérait donc que, dans quelques semaines, les deux Empires seraient débarrassés de la charge
intolérable que j'étais pour eux.

Le messager s'en retourna à Lilliput avec cette
réponse et l'Empereur de Blefuscu me mit au courant
de toute l'affaire. En même temps et en très grand
secret, il m'offrit sa gracieuse protection, si je voulais
rester à son service. Bien qu'il me parût sincère à ce
moment-là, j'étais bien résolu à ne plus jamais me
remettre entre les mains d'un prince ou d'un ministre

tant que je n'y serais pas absolument forcé. Aussi, tout
en le remerciant beaucoup de cette marque de faveur,
je le priai humblement de m'excuser. Puisque le sort,
pour mon salut, ou pour ma perte, avait voulu que je
trouvasse une embarcation, j'étais résolu (lui dis-je)
à m'aventurer sur les flots, plutôt que d'être le sujet
d'un différend entre deux si puissants monarques.
L'Empereur ne m'en parut pas du tout fâché, et je sus
plus tard qu'il avait été fort aise de ma résolution,
ainsi que la plupart de ses Ministres.

Ces considérations me poussèrent à avancer quelque
peu la date de mon embarquement, et la Cour, impa-
tiente de me voir partir, me prêta toute l'aide dési-
rable. Cinq cents ouvriers travaillèrent sous ma direction à confectionner les deux voiles de mon bateau,
en treize épaisseurs de leur toile la plus forte. Je me
chargeai moi-même du très gros travail des cordages
et tressai ensemble dix, vingt ou trente de leurs câbles
les plus épais. J'utilisai comme ancre une très lourde
pierre que j'eus la chance de découvrir sur la côte,
après une longue recherche ; et j'eus besoin du suif
de trois cents bœufs pour graisser mon bateau et pour
divers usages. Le plus dur fut d'abattre les arbres,
choisis parmi les plus grands du pays, qui devaient
fournir les mâts et les rames. Mais dans ce travail je
fus efficacement secondé par les charpentiers de la
marine royale, qui mettaient partout la dernière main,
ne me laissant que le gros œuvre.

Quand tout fut prêt, au bout d'un mois, je fis dire à
Sa Majesté que je n'attendais plus que ses ordres pour
prendre congé d'Elle. L'Empereur sortit du Palais,
accompagné de la famille royale. Je m'étendis à terre
pour baiser la main qu'il daigna me tendre, comme
firent après lui l'Impératrice et les jeunes Princes du
sang. Sa Majesté me fit présent de cinquante bourses
contenant chacune deux cents *sprugs*, ainsi que de son
portrait en pied que je mis aussitôt dans mon gant,

pour être sûr de ne pas l'abîmer. Les cérémonies d'adieu
furent trop compliquées pour que j'en impose le récit
complet au lecteur.

J'embarquai sur ma chaloupe la viande de cent
bœufs et de trois cents moutons et autant de plats
préparés que purent en fournir quatre cents cuisiniers.
Je pris aussi avec moi six vaches et deux taureaux
vivants, et un nombre égal de brebis et de béliers, car
je voulais en introduire l'élevage dans mon pays. Pour
les nourrir à bord, j'avais une botte de foin et un sac
de grain. J'aurais volontiers emmené aussi une douzaine d'habitants du pays, mais l'Empereur s'y opposa
formellement : en plus d'une fouille scrupuleuse de
mes poches, Sa Majesté exigea de moi le serment
de ne prendre à bord aucun de ses sujets, même s'ils
y consentaient ou m'en faisaient la demande.

Après avoir tout préparé du mieux que je pus, je mis
à la voile le vingt-quatre septembre mil sept cent un,
à six heures du matin. J'avais parcouru environ quatre
lieues plein nord, le vent soufflant du sud-est, lorsque
vers six heures du soir j'aperçus une petite île à une
demi-lieue au nord-ouest. Je mis le cap dessus et jetai
l'ancre sous le vent à l'île, qui paraissait inhabitée.
J'y pris un léger repas, et m'allai reposer. Je dormis
bien et au moins pendant six heures, me sembla-t-il,
car le jour se leva deux heures après mon réveil. La
nuit était claire ; je déjeunai, puis levai l'ancre. Le
vent était toujours favorable, et je fis route dans la
même direction que la veille, m'orientant grâce à ma
boussole. Mon dessein était d'atteindre, si je le pouvais,
une de ces îles que j'avais quelque raison de croire
situées au nord-est de la terre Van Diemen. Je navi-
guai tout le jour sans rien voir, mais le lendemain, vers
trois heures de l'après-midi, étant, d'après mes calculs, à environ vingt-quatre lieues de Blefuscu, j'aperçus
une voile faisant route vers le sud-est. (J'allais moi-
même droit vers l'est.) Je hélai le navire, mais sans

obtenir de réponse ; cependant, je vis bientôt que je m'en rapprochais, car le vent mollissait. Je mis tout ce que j'avais de voiles et une demi-heure plus tard on m'aperçut. Le navire tira un coup de canon et hissa son pavillon. La joie que je ressentis à me dire tout à coup que j'allais revoir mon pays bien-aimé et les êtres chers que j'y avais laissés, était vraiment inexprimable. Le navire mollit les voiles, et je l'abordai entre cinq et six heures du soir, le vingt-six septembre. A la vue du pavillon britannique je sentis battre mon cœur. Je mis dans les poches de mon habit mes vaches et mes moutons et montai à bord avec toute ma petite cargaison de vivres. Le vaisseau était un marchand anglais, qui revenait du Japon par la route maritime nord-sud, sous les ordres du capitaine John Biddel, de Deptford [1], un homme des plus courtois et un excellent marin. Nous nous trouvions alors par trente degrés de latitude Sud, et il y avait à bord environ cinquante hommes, parmi lesquels je retrouvai un vieux camarade, nommé Peter Williams, qui me recommanda chaleureusement au capitaine. Celui-ci se montra donc très aimable et me pria de lui dire d'où je venais et où je comptais me rendre. Je fis donc un bref récit de mes aventures, mais il crut que je divaguais et que les dangers que j'avais courus m'avaient dérangé la tête. Sur quoi je tirai de ma poche mes moutons et mes vaches noires, qui l'emplirent d'étonnement mais le convainquirent aussi de ma véracité. Ensuite je lui montrai l'or que m'avait donné l'Empereur de Blefuscu, et le portrait en pied de Sa Majesté, ainsi que d'autres curiosités de ce pays. Je lui donnai deux bourses de deux cents *sprugs* et promis qu'à mon arrivée en Angleterre, je lui ferais présent d'une vache et d'une brebis pleines.

J'épargnerai au lecteur le récit détaillé de ce voyage, qui fut dans l'ensemble très heureux. Nous arrivâmes en vue des Downs [2] le treize avril mil sept cent deux. Le seul incident fâcheux fut la perte d'une brebis, que les rats du bord m'enlevèrent et dont je retrouvai la carcasse dans un trou, nettoyée jusqu'à l'os. Mais je débarquai sans encombre toutes mes autres pièces de bétail, et les mis à paître sur le boulingrin de Greenwich, où elles se mirent à brouter de fort bon appétit, contrairement à mes appréhensions, car le gazon est là d'une finesse extrême ; elles n'auraient probablement pas supporté la fatigue de leur très long voyage, si le capitaine ne m'avait donné de ses meilleurs biscuits, qui, réduits en poudre et délayés dans de l'eau, furent leur seule nourriture à bord.

Pendant le peu de temps que je passai en Angleterre, je gagnai des sommes considérables à montrer mes petits animaux aux gens de qualité et autres amateurs ; et, avant d'entreprendre mon deuxième grand voyage, je les vendis six cents livres. A mon dernier retour, j'ai trouvé que leur nombre s'était considérablement accru, surtout celui des moutons dont j'espère qu'ils seront d'un grand profit pour nos manufactures, à cause de la finesse de leur toison.

Je ne restai que deux mois avec ma femme et ma famille : mon insatiable goût des voyages ne me laissa pas un plus long repos. Je laissai à ma femme quinze cents livres sterling, et l'établis dans une bonne maison à Redriff. J'emportai avec moi le reste de ma fortune, tant en argent qu'en marchandises, dans l'espoir de m'enrichir un peu. Le plus âgé de mes oncles, John, m'avait laissé des terres près d'Epping, qui rapportaient trente livres de rente ; à Fetter Lane j'avais en bail à long terme l'auberge du Taureau Noir qui en donnait autant ; aussi je ne craignais pas de laisser ma famille en charge à la Paroisse [1]. Mon fils, qui s'appelle Johnny, comme son grand-oncle, allait au collège et se montrait fort docile ; ma fille Betty (qui fit depuis un bon mariage et qui est mère de famille) apprenait alors à coudre et à broder. Je fis mes adieux

à ma femme, à mon fils et à ma fille, et il y eut quelques pleurs versés des deux côtés ; puis je m'embarquai
sur l'*Aventure*, marchand de trois cents tonneaux, en
partance pour Sourât, sous le commandement du
capitaine John Nicholas, de Liverpool. C'est le récit
de ce voyage qui fournira la deuxième partie du présent
ouvrage.

FIN DE LA PREMIÈRE PARTIE

Voyage
à Brobdingnag

CHAPITRE I

Description d'une grande tempête. — La chaloupe va à terre pour faire de l'eau ; l'auteur s'y rend aussi afin d'explorer le pays. — Laissé sur le rivage, il est capturé par un indigène et transporté dans une ferme. — Comment il y est reçu et quelles aventures lui arrivent. — Description des habitants.

La nature et le destin m'avaient condamné à une vie agitée et sans repos. Deux mois après mon retour, je quittai de nouveau ma terre natale et m'embarquai aux Downs le vingt juin mil sept cent deux, sur l'*Aventure* en partance pour Sourât, sous le commandement d'un Cornouaillais, le capitaine John Nicholas. Le vent nous fut très favorable jusqu'au cap de Bonne-Espérance, où nous mouillâmes pour faire de l'eau. La découverte d'une voie d'eau nous obligea à y débarquer nos marchandises et à y passer l'hiver ; car notre capitaine ayant eu les fièvres, nous ne pûmes quitter le cap avant la fin mars. Nous remîmes alors à la voile, et nous fîmes bonne route jusqu'au-delà du détroit de Madagascar ; mais à peine étions-nous au nord de cette île, par cinquante degrés de latitude Sud, que les vents (on sait pourtant que dans ces mers il y a de bons alizés réguliers du nord-ouest, depuis décembre jusqu'au début de mai) se mirent à souffler avec une plus grande violence et bien plus de l'ouest que d'habi-

tude, pendant vingt jours sans discontinuer ; ce qui
nous fit dériver jusqu'à un point situé un peu à
l'est des îles Moluques, à trois degrés environ au nord
de l'Équateur comme l'établit notre capitaine, qui fit
le point le deux mai. Ce jour-là le vent tomba et il se
fit un calme absolu dont je me réjouis fort. Mais le
capitaine, qui avait une grande expérience de la navigation dans ces mers, nous enjoignit de nous préparer
tous à affronter une tempête. Celle-ci, effectivement,
se déclara le jour suivant, car il s'était levé ce vent
du sud que l'on nomme la mousson. Prévoyant que le
vent allait fraîchir, nous serrâmes la voile de beaupré
et nous nous préparâmes à descendre la voile de
misaine. Le temps était si mauvais que nous atta-
châmes tous les canons et serrâmes la voile d'artimon.
Le bateau courait grand largue. Aussi jugeâmes-nous
préférable de passer vent arrière, plutôt que de mettre
à la cape ou de naviguer à sec de toile. Nous prîmes des
ris à la voile de misaine, la bordâmes et bordâmes les
écoutes. La barre était toute au vent et le navire
gouvernait bien. Nous tournâmes la manœuvre du
petit foc, mais la voile se déchira et nous l'affalâmes,
amenant en même temps la grand-vergue, et, après
avoir dégréé totalement la voile, nous la remisâmes.
La tempête faisait rage et des vagues menaçantes se
brisaient sauvagement les unes contre les autres. En
halant dur sur le radan du timon, nous aidâmes le
timonier à la barre. Nous ne voulions pas amener le
grand mât de hune et nous le laissâmes tout gréé, car
le vaisseau se gouvernait bien et nous savions qu'il
était ainsi plus à l'aise et sans risque pour nous,
puisque nous avions de l'eau à courir. La tempête
finie, on établit la misaine et la grand-voile et on mit
le bateau debout au vent. On établit alors l'artimon,
le grand et le petit hunier, et on gouverna est-nord-
est, le vent soufflant du sud-est. Nous fixâmes les
amures à tribord, nous démarrâmes nos balancines

et nos bras de vergues du côté du vent, fixâmes les
bras de vergues sous le vent, déhalâmes les boulines
et les amarrâmes solidement, mîmes l'amure de
misaine devers le vent et tînmes le navire le plus
près du vent que nous pûmes [1].

Pendant cette tempête, qui fut suivie d'un vent
violent ouest-sud-ouest, nous fûmes poussés d'au moins
cinq cents lieues vers l'est d'après mes calculs. De sorte
que notre plus vieux loup de mer n'aurait pu dire en
quelle partie du monde nous nous trouvions. Les
provisions ne manquaient pas, le vaisseau était parfaitement étanche et l'équipage en bonne santé, mais
l'eau nous faisait cruellement défaut. Il nous parut
plus sage de poursuivre la même route plutôt que
d'obliquer vers le nord, ce qui eût risqué de nous mener
au nord-ouest de la Grande Tartarie [2], et dans les mers
glaciales.

Le seize juin mil sept cent trois, un mousse découvrit
une terre du haut du perroquet. Le dix-sept, nous nous
trouvions en vue d'une grande île ou d'un continent
(nous ne pouvions pas le savoir) dont la rive sud
formait un mince promontoire avançant vers la mer
et une baie trop peu profonde pour un vaisseau de
plus de cent tonneaux. Nous jetâmes l'ancre à une
lieue de cette baie, et notre capitaine envoya douze
hommes bien armés dans la chaloupe, avec des tonneaux, pour les remplir d'eau, s'il s'en pouvait trouver.
Je lui demandai la permission de les accompagner,
afin de voir ce pays, et d'y faire autant de découvertes
que je pourrais. En accostant nous ne vîmes ni source,
ni rivière, ni trace d'habitants. Nos hommes longèrent
le rivage à la recherche d'eau douce près de la mer,
et moi je partis seul de l'autre côté. Je marchai dans
ce pays qui me parut aride et rocailleux pendant un
mille environ, puis, me sentant fatigué et n'observant
rien qui pût contenter ma curiosité, je redescendis
doucement vers la baie ; je dominais toute la mer, et

voici que j'aperçus nos hommes déjà tous embarqués sur la chaloupe et ramant à corps perdu. J'étais sur le point de les héler (sans grande chance d'être entendu) quand je remarquai un être gigantesque qui les poursuivait dans la mer, aussi vite qu'il pouvait. L'eau ne lui venait guère qu'aux genoux, et ses enjambées étaient prodigieuses, mais nos gens avaient une demi-lieue d'avance et comme la mer était à cet endroit pleine de rochers pointus, le géant ne parvint pas à rattraper la chaloupe. Tout ceci, on me le raconta plus tard, car je n'osai point attendre l'issue de cette aventure, mais me sauvai à toutes jambes dans la direction que j'avais d'abord prise, puis grimpai sur une colline escarpée d'où la vue s'étendait sur une partie du pays. Je vis qu'il était entièrement cultivé, mais ce qui me frappa surtout ce fut la hauteur de l'herbe qui, dans ce qui semblait être des prairies fourragères, atteignait vingt pieds.

Je tombai sur une grande route (c'est ainsi que j'identifiai une voie de communication qui n'était en réalité qu'un sentier, utilisé par les gens du pays pour traverser un champ d'orge). J'y cheminai quelque temps sans rien voir des deux côtés car le temps de la moisson était proche et les épis s'élevaient à près de quarante pieds. Il me fallut une heure pour atteindre l'extrémité du champ, qui était enclos d'une haie vive d'au moins cent vingt pieds de haut, et d'arbres si grands, qu'il me parut impossible d'en supputer la hauteur. Pour passer de ce champ dans le suivant, on enjambait la haie par un échalier de quatre marches, surmonté d'une grosse dalle. Pour moi, il m'était impossible de gravir cet échalier, car les marches avaient bien six pieds de haut, et la pierre du faîte plus de vingt. J'en étais à chercher une brèche dans la haie, quand je vis s'avancer vers le passage, venant du champ d'en face, un indigène aussi immense que celui que j'avais vu dans la mer à la poursuite de notre chaloupe. Il me parut de la taille d'une flèche de clocher ordinaire et faisait des enjambées de dix yards, autant que j'aie pu juger.

Frappé d'une terreur et d'une surprise extrêmes, je courus me cacher dans le blé, d'où je le vis, du haut de l'échalier, se retourner vers le champ de droite, et je l'entendis appeler d'une voix bien plus retentissante que si elle fût sortie d'un porte-voix ; mais les sons qu'il émettait venaient de si haut dans l'air que j'aurais d'abord juré entendre le tonnerre. Là-dessus, s'avancèrent vers lui sept monstres semblables à lui-même, portant à la main des faucilles, dont chacune équivalait à six de nos faux. Ces gens étaient moins bien vêtus que le premier, dont ils semblaient être les serviteurs, ou les ouvriers, car sur certaines paroles qu'il leur dit, ils s'en allèrent moissonner le champ où je me trouvais.

J'essayais de garder toute la distance possible entre eux et moi, mais je me déplaçais avec la plus grande difficulté. Les tiges du blé étaient si serrées, souvent à moins d'un pied les unes des autres, que j'avais du mal à me glisser à travers elles. Je réussissais pourtant à avancer, mais finalement je butai sur des épis qui avaient été couchés par le vent et la pluie. Là il me fut impossible de faire un pas de plus, car les tiges étaient tellement entrelacées que je ne parvenais pas à me faufiler entre elles, et les barbes des épis tombés étaient si dures et si pointues, qu'elles traversaient mes vêtements et m'entraient dans la chair. En même temps, j'entendais les moissonneurs à moins de cinquante toises de moi.

Épuisé par ces efforts et totalement réduit au désespoir, je me couchai entre deux sillons, en souhaitant de tout mon cœur y terminer mes jours. Tout en plaignant ma veuve désolée et mes enfants sans père [1], je déplorais ma propre folie et mon obstination à entreprendre ce deuxième voyage en dépit des conseils de

tous mes parents et amis. Dans une terrible agitation
d'esprit, je ne pouvais m'empêcher de penser à Lilliput, dont les habitants m'avaient considéré comme le
plus grand prodige qui eût jamais apparu sur la terre
et où je pouvais remorquer d'une seule main toute une
escadre de la flotte impériale, accomplissant mille
exploits dont on perpétuerait le souvenir dans les
chroniques de cet Empire, et que la postérité aura
grand-peine à croire malgré le témoignage d'une nation
entière. Je songeais à l'humiliation que ce serait pour
moi d'apparaître, en ce pays-ci, aussi insignifiant que
le serait un Lilliputien isolé parmi nous. Mais je
compris bien que c'était là le moindre de mes malheurs ;
car si l'on a pu observer que la cruauté et la sauvagerie
des hommes sont proportionnées à leur taille, quel
sort m'attendait donc, sinon de n'être bientôt plus
qu'une bouchée sous la dent du premier de ces barbares
gigantesques qui s'emparerait de moi [1] ? Sans aucun
doute les philosophes ont raison de nous dire que rien
n'est grand ni petit que par comparaison. Peut-être
pourrait-il plaire un jour à la Fortune de découvrir
aux Lilliputiens un peuple aussi minuscule par rapport
à eux qu'ils l'étaient par rapport à moi ? Et qui sait
si la race de ces mortels gigantesques elle-même
n'apparaîtrait pas lilliputienne à son tour en quelque
lointain pays du monde que nous n'avons pas encore
découvert [2] ?

En dépit de mon épouvante et de ma confusion
d'esprit, je ne pouvais m'empêcher de poursuivre ces
réflexions, quand un des moissonneurs s'approcha à
moins de cinq toises du rebord de sillon où je me trouvais. Je me dis que, s'il faisait un pas de plus, j'allais
périr écrasé sous son pied, ou coupé en deux par sa
faucille. Je me mis donc, au moment où il allait
bouger, à hurler avec toute la force que me donnait
la terreur. Le géant s'arrêta net, et, après avoir cherché
à ses pieds quelques instants, il m'aperçut, couché

par terre. Il m'observa d'abord avec méfiance, comme
quelqu'un qui s'apprête à mettre la main sur une
petite bête dangereuse, et veut éviter de se faire
griffer ou mordre. C'est ainsi que je procédais moi-même
en Angleterre avec les belettes. Enfin il s'enhardit à
me saisir par le milieu du corps entre le pouce et
l'index et m'éleva à trois yards de ses yeux pour examiner soigneusement mon aspect. Je compris ce qu'il
voulait faire, et j'eus la chance de garder assez de
présence d'esprit pour ne pas me débattre, tandis qu'il
me tenait en l'air à plus de soixante pieds du sol en me
serrant horriblement les côtes pour ne pas me laisser
glisser entre ses doigts. Tout ce que j'osai faire fut
de lever les yeux au ciel et de joindre les mains d'un
air suppliant tout en prononçant quelques mots d'une
voix humble et triste qui convenait à ma situation.
Car je craignais à chaque instant qu'il ne me jetât
au sol comme nous le faisons pour écraser les vilaines
petites bêtes que nous voulons détruire. Mais grâce à
ma bonne étoile il parut touché par mon attitude et
ma voix, et il se mit à me regarder comme un objet
curieux, fort surpris de m'entendre articuler des mots
même incompréhensibles. Cependant, je ne pouvais
m'empêcher de gémir, et de verser des larmes, tout en
faisant pencher ma tête vers mes flancs pour lui faire
comprendre, du mieux que je pouvais, combien il me
faisait souffrir en me serrant si fort. Il parut s'en rendre
compte : il releva un pan de son habit, m'y déposa
doucement, et courut aussitôt m'apporter à son
maître. Celui-ci était le riche fermier que j'avais vu
d'abord dans le champ.

Après avoir écouté ce que son serviteur pouvait
lui dire de moi (c'est du moins ce que je supposais en
les voyant se parler), le fermier prit une brindille de
paille, grosse comme une canne, pour soulever les pans
de mon habit que, semble-t-il, il prenait pour une
sorte de revêtement fourni par la Nature. Il souffla

sur mes cheveux pour mieux voir mon visage et
appela ses gens pour leur demander (comme je l'appris
plus tard) s'ils n'avaient jamais trouvé auparavant
dans les champs d'autres petits animaux de mon
genre ; puis il me déposa doucement sur le sol à quatre
pattes. Je me levai aussitôt, et me mis à marcher
lentement de long en large, pour lui faire voir que je
n'essayais pas de m'enfuir. Tous s'assirent en rond
autour de moi, pour mieux observer mes mouvements.
J'ôtai mon chapeau et fis un profond salut au fermier.
Puis je tombai à genoux, élevant mes mains et mes
yeux vers le ciel, et je prononçai quelques mots de
ma voix la plus forte. Enfin je sortis de ma poche
une bourse pleine d'or et la lui offris humblement. Il
la reçut dans le creux de sa main et l'approcha de
ses yeux pour voir ce que c'était, puis il la tourna et
retourna avec la pointe d'une épingle (qu'il prit à son
revers de manche) mais ne put identifier l'objet. Là-
dessus je lui fis signe de poser sa main à terre, je pris
la bourse et vidai dans sa paume tout mon or. Il y
avait six pièces espagnoles de quatre sequins, sans
compter vingt ou trente autres pièces. Je le vis mouil-
ler de la langue son petit doigt pour prendre une des
plus grosses, puis une autre, mais il paraissait ignorer
totalement ce que c'était. Il me fit signe de les remettre
dans la bourse, et la bourse dans ma poche, ce que je
me décidai à faire après avoir offert le tout plusieurs
fois sans succès.

Maintenant le fermier était convaincu d'avoir
affaire à une créature douée de raison. Il m'adressa
plusieurs fois la parole, mais le bruit de sa voix me
cassait les oreilles, comme celui d'un moulin à eau, et
pourtant son langage était bien articulé. Je lui répondis en plusieurs langues, criant de toutes mes forces
tandis qu'il approchait son oreille souvent à moins
d'une toise de moi. Mais tout fut vain. Nous ne pouvions absolument pas nous comprendre. Il renvoya

alors ses gens à leur travail et, tirant de sa poche un
mouchoir, il le plia, puis l'étala sur sa main gauche
qu'il posa ouverte sur le sol, me faisant signe d'y
monter, ce que je pouvais faire sans difficulté, car
elle n'avait pas plus d'un pied d'épaisseur. J'estimai
que c'était mon rôle d'obéir et, de peur de tomber, je
m'étendis de tout mon long sur le mouchoir, qu'il
replia sur moi pour plus de sécurité — et c'est ainsi
qu'il m'emporta jusque chez lui. Il appela alors sa
femme et voulut me montrer à elle, mais elle se sauva
en poussant des cris comme une Anglaise devant un
crapaud ou une araignée. Au bout d'un moment,
pourtant, quand elle eut observé ma conduite, et la
manière dont j'obéissais aux signes que me faisait
son mari, elle commença à changer d'attitude. Elle
en vint même, par la suite, à m'aimer tendrement.

Il était environ midi, et un domestique vint servir
le dîner. Celui-ci consistait en un unique, mais copieux
plat de viande (digne de la table d'un bon campagnard),
servi dans un récipient de vingt-quatre pieds de diamètre. Le fermier, sa femme, trois enfants et une
vieille grand-mère formaient toute la compagnie.
Lorsqu'ils se furent tous assis, le fermier me posa
devant lui sur la table, qui était à trente pieds du sol.
J'avais grand-peur, et me tenais loin du bord de
crainte de tomber. La fermière coupa un petit morceau
de viande et émietta un peu de pain sur la planche à
découper, qu'elle plaça devant moi. Je la saluai très
bas, tirai de ma poche mon couteau et ma fourchette
et me mis à manger, ce qui les réjouit tous au plus
haut point. La maîtresse envoya sa servante chercher un petit verre à liqueur, qui contenait bien deux
gallons, et le remplit de boisson, je le soulevai des deux
mains non sans mal, et bus respectueusement à la
santé de Madame, prononçant les mots anglais du plus
fort que je pus ; et tous les convives s'esclaffèrent si
bruyamment que je crus devenir sourd. Cette boisson

ressemblait à du petit cidre et n'était pas désagréable.
Puis le maître me fit signe de venir auprès de son
écuelle. J'étais depuis le matin dans un état de
complet ahurissement, que le lecteur indulgent comprendra et excusera sans peine ; il arriva donc, qu'en
traversant la table, je trébuchai sur une miette de
pain et tombai de tout mon long, sans d'ailleurs me
faire grand mal. Je me relevai aussitôt, et remarquant
que ces braves gens paraissaient fort affectés par ma
chute, je pris mon chapeau (que je tenais sous le bras,
par civilité) et l'agitai au-dessus de ma tête, en
poussant trois hourras pour leur montrer que je
n'étais pas blessé. Mais tandis que je m'approchais de
mon maître (c'est ainsi que j'appellerai dorénavant
le fermier), le plus jeune de ses fils, un diablotin d'une
dizaine d'années, m'attrapa par les jambes, et me
souleva si haut dans les airs que je tremblai de tout
mon corps. Son père m'arracha de ses mains et lui
donna sur l'oreille gauche une gifle qui eût terrassé
tout un bataillon de cavaliers européens, lui enjoignant
de quitter aussitôt la table. Quant à moi, je craignais
que le garçon ne m'en gardât rancune, et me souvenant
de la cruauté qu'ont naturellement les enfants de
chez nous envers les moineaux, les lapins, les petits
chats ou les bébés chiens, je me mis à genoux et je
montrai l'enfant du doigt pour faire comprendre à
mon maître, du mieux que je pouvais, que j'implorais
son pardon. Le père céda, le gamin se rassit, et j'allai
vers lui pour lui baiser la main que son père prit dans
la sienne pour lui apprendre à me caresser avec
douceur.

Au milieu du repas, le chat favori de ma maîtresse
sauta sur ses genoux. J'entendis derrière moi un
vacarme comparable à celui de douze métiers à bas
fonctionnant en même temps. Tournant la tête je
compris que c'était le ronronnement de l'animal.
Celui-ci me parut trois fois plus gros qu'un bœuf,

à en juger par sa tête et par une de ses pattes que je pouvais voir tandis que sa maîtresse lui donnait à manger en le caressant.

La férocité de son regard me terrifia, bien que je fusse à l'autre bout de la table, à plus de cinquante pieds de lui ; d'ailleurs ma maîtresse le tenait fermement de peur qu'il ne sautât sur moi pour me prendre dans ses griffes. Mais, en fin de compte, il n'y avait aucun danger : le chat ne me prêta pas la moindre attention, quand mon maître me posa à trois yards de lui. Comme on me l'avait toujours dit, et comme je l'avais moi-même vérifié par l'expérience au cours de mes voyages, fuir ou manifester sa crainte devant une bête féroce est le plus sûr moyen de se faire attaquer ou poursuivre par elle ; c'est pourquoi je résolus, en cette conjoncture dangereuse, de ne trahir aucune inquiétude. Je passai et repassai avec intrépidité cinq ou six fois de suite sous le nez même du chat ; finalement, je m'approchai tout près, à moins d'un demi-yard de lui, et c'est lui qui recula, comme s'il était plus effrayé que moi-même.

J'eus moins peur avec les chiens : il y en avait bien trois ou quatre dans la salle, comme c'est courant à la campagne. Parmi eux se trouvait un dogue, qui était gros comme quatre éléphants, et un lévrier plus long mais moins volumineux que le dogue.

Vers la fin du repas, on vit entrer la nourrice, portant dans ses bras un enfant d'un an. Celui-ci me repéra tout de suite et poussa un hurlement que l'on aurait pu entendre à Chelsea s'il était venu du Pont de Londres et qui, dans la rhétorique des nourrissons, signifiait qu'il me voulait pour jouet. La mère eut la faiblesse de me tendre au bébé, qui me saisit aussitôt par le milieu du corps et me fourra la tête dans sa bouche ; mais je poussai à mon tour un tel rugissement que l'enfant prit peur et me jeta ; je me serais immanquablement rompu le col, si la mère n'avait

étendu son tablier au-dessous de moi. La nourrice,
pour calmer son poupon, agita un hochet, sorte de récipient creux empli d'énormes pierres et attaché à la
taille de l'enfant par un câble. Elle n'eut pas de succès
et se trouva réduite à appliquer l'ultime remède, c'est-à-
dire lui donner à téter. Je dois avouer que jamais rien
ne m'inspira un tel dégoût que la vue de ce sein monstrueux ; je ne trouve aucun élément de comparaison
pour donner au lecteur curieux une idée de ses dimensions, de sa forme et de sa couleur. Il faisait une protu-
bérance grosse de six pieds et devait avoir au moins
seize pieds de tour. Le volume du téton était la moitié
de ma tête ; sa surface et celle de l'aréole étaient cons-
tellées d'une quantité de boutons, de crevasses et
d'excroissances qui en faisaient la chose la plus répugnante du monde ; or j'étais bien placé pour tout voir du
haut de la table où je me trouvais, puisque la femme
s'était assise pour donner sa tétée plus à l'aise.

Ceci me fit méditer sur les jolies peaux de nos dames
anglaises, dont toute la beauté vient de ce qu'elles sont
à notre échelle, et que leurs défauts ne peuvent être
perçus qu'à travers des verres grossissants ; l'expérience prouve alors que le teint le plus lisse et le plus
blanc apparaît grossier, rugueux et d'une vilaine
couleur [1].

Je me rappelle que lorsque j'étais à Lilliput, le teint
de ces êtres minuscules me semblait le plus beau du
monde, et comme j'en parlais un jour avec un savant
de ce pays, qui était un de mes amis intimes, il me dit
que mon visage lui semblait beaucoup plus beau, et
plus lisse, lorsqu'il me regardait depuis le sol, que
lorsque je le prenais dans ma main pour l'en approcher ; il m'avoua même avoir été, la première fois,
horriblement impressionné par le spectacle. Il me dit
qu'il pouvait discerner dans ma peau de grands trous,
que les poils de ma barbe étaient dix fois plus forts que
les soies d'un sanglier, et mon teint fait d'une juxta-

position fort déplaisante de différentes couleurs ; pourtant le lecteur me permettra de dire à ma décharge que je suis aussi blond et rose que tout individu de mon sexe et de ma nation, et que mon hâle est très faible, malgré tous mes voyages. D'autre part, quand nous parlions des dames de la Cour impériale, il lui arrivait souvent de dire que l'une avait des taches de rousseur, l'autre la bouche trop grande, et la troisième le nez trop fort — toutes choses qui m'échappaient entièrement.

Je reconnais que ces remarques n'ont rien d'original, mais j'ai tenu à les faire pour ne pas donner à penser au lecteur que ces créatures gigantesques étaient réellement monstrueuses. Je dois dire au contraire, en toute justice, qu'elles constituaient une très belle race, et qu'en particulier les traits de mon maître (qui était un simple paysan) me paraissaient, quand je les contemplais à soixante pieds de distance, tout à fait harmonieux.

Après le dîner, mon maître s'en alla rejoindre ses gens, et, à en juger par ses gestes et par sa voix, il enjoignit à sa femme de prendre bien soin de moi. J'étais las, et j'avais grand sommeil ; ma maîtresse s'en aperçut et m'installa sur son propre lit, me couvrant d'un mouchoir blanc et propre, mais plus grand et plus rêche que la grand-voile d'un vaisseau de guerre.

Je dormis pendant deux heures, et me vis en rêve chez moi près de ma femme et de mes enfants, ce qui augmenta mon affliction quand je m'éveillai et me trouvai seul dans une pièce immense, longue de deux à trois cents pieds et haute de deux cents, couché sur un lit large de vingt yards. Ma maîtresse était partie vaquer aux soins de sa maison, et m'avait enfermé dans la chambre. Le lit était à huit pieds du sol. Certaines nécessités naturelles me pressaient de descendre, mais je n'osais pas appeler. D'ailleurs, j'eusse appelé en vain, avec une voix comme la mienne, vu l'immense

distance qui séparait la chambre où je me trouvais
de la cuisine où se tenait la famille. Sur ces entrefaites,
deux rats grimpèrent aux rideaux de l'alcôve et se
mirent à parcourir tout le lit en flairant. L'un d'eux
m'arriva presque sur le visage. Je sautai sur mes pieds
et tirai mon sabre pour me défendre. Ces horribles
bêtes eurent l'insolence de m'attaquer des deux côtés
à la fois, et l'une d'elles me mit les pattes sur les épaules, mais j'eus la bonne fortune de l'éventrer avant
qu'elle eût pu me faire du mal. Elle tomba à mes pieds
et l'autre, voyant le sort de son compagnon, rompit
le combat, non sans recevoir dans le dos une fameuse
entaille, qui la fit s'enfuir en ruisselant de sang. Après
cet exploit, je marchai lentement de long en large sur
le lit pour reprendre mon souffle et mes esprits. Ces
animaux étaient de la taille de gros bouledogues, mais
beaucoup plus agiles et plus féroces, de sorte que, si
j'avais retiré mon sabre pour dormir, j'étais, à coup
sûr, mis en pièces et dévoré. Je mesurai la queue du
rat mort, et lui trouvai deux pieds de longueur (moins
un pouce). Mais j'étais trop dégoûté pour tirer le corps
hors du lit, où il saignait toujours. Je vis qu'il donnait
encore quelques signes de vie, et l'achevai en lui tranchant proprement la gorge.

Peu après ma maîtresse entra dans la chambre et me
voyant tout ensanglanté, elle accourut pour me
prendre dans sa main. Je lui montrai le cadavre du rat,
en souriant et en faisant voir que je n'étais pas blessé,
sur quoi elle se réjouit fort et appela la servante pour
faire enlever le rat mort avec des pincettes, et le jeter
par la fenêtre. Puis elle me posa sur une table, où je lui
montrai mon sabre tout sanglant, avant de l'essuyer
sur le revers de mon habit et de le remettre au fourreau.

J'étais pressé de faire certaines chosettes que nul autre ne pouvait faire à ma place, et j'essayai donc de
faire comprendre à ma maîtresse qu'elle me posât
par terre, ce qu'elle fit. Ma modestie ne me permettant

pas de m'expliquer davantage, je lui montrai la porte
en saluant à plusieurs reprises. La bonne femme, non
sans quelque peine, finit par deviner mon désir. Elle
me reprit dans sa main et me fit descendre au jardin
où elle me déposa à terre. Je m'éloignai de quelque
deux cents yards, et en lui faisant signe de ne pas me
suivre et de ne pas me regarder, je me cachai entre
deux feuilles d'oseille pour m'acquitter de ces obligations naturelles.

J'espère que l'aimable lecteur voudra bien m'excuser si je m'arrête à ces détails et à bien d'autres semblables. Ceux-ci en effet — pour insignifiants qu'ils
puissent paraître aux esprits vils et terre à terre — n'en
aideront pas moins le philosophe à élargir le champ
de ses pensées et de son imagination, en les mettant
à la recherche de plus de bien-être social et de bonheur
privé pour l'homme.

Je n'avais d'ailleurs pas d'autre intention quand je
publiai ce récit de mes différents voyages, et je m'étais
attaché avant tout à dire la vérité, sans prétendre
autrement à la science ni à la beauté du style.

Mais toutes ces péripéties vécues avaient fait sur
mon esprit une impression si vive, et s'étaient gravées
si profondément dans ma mémoire, qu'au moment de
les transcrire sur le papier, je n'ai pas laissé se perdre
un seul détail matériel. Plus tard, en relisant ma première esquisse, j'ai rayé plusieurs passages de moindre
intérêt, pour éviter le reproche d'être ennuyeux
et de perdre de vue l'essentiel, auquel les auteurs de
« voyages » prêtent souvent le flanc.

CHAPITRE II

Portrait de la fille du fermier. — L'auteur est conduit au marché du
bourg, puis à la capitale. — Détails du voyage.

Ma maîtresse avait une fille de neuf ans, très intelli-
gente pour son âge, excellente couturière et faisant
elle-même les habits de ses poupées. Sa mère et elle
eurent l'idée de garnir un berceau de poupée pour
m'y faire passer la nuit. Elles le placèrent dans le petit
tiroir d'une commode et mirent le tiroir sur une fro-
magère à l'abri des rats. Ce fut là mon lit pendant tout
le temps que je passai dans cette famille ; il reçut quelques améliorations dans la suite, à mesure que je faisais assez de progrès dans leur langue pour faire connaître mes besoins. Cette enfant était si adroite de ses
doigts qu'après m'avoir vu une ou deux fois me désha-
biller, elle fut capable de me mettre et de m'ôter mes
vêtements — pourtant jamais je ne lui donnais cette
peine quand elle voulait bien me laisser faire seul. Elle
me fit sept chemises, et d'autres vêtements, du tissu
le plus fin qu'elle pût trouver, et qui, à dire vrai, était
encore plus grossier que de la toile à voile, et elle faisait elle-même ma lessive. Elle se fit aussi mon professeur et m'enseigna l'idiome du pays. Quand je lui
montrais du doigt un objet, elle m'en disait le nom en
sa langue, si bien qu'en quelques jours je pus demander tout ce que je désirais. Elle avait très bon cœur,
et elle était petite pour son âge, puisqu'elle ne dépassait
pas quarante pieds. Elle me donna le nom de *Grildrig*,
qu'adopta aussitôt toute sa famille, et par la suite
tout le Royaume. Ce mot a le même sens que le latin
nanunculus, l'italien *homunceletino* et l'anglais *mannikin*. Si je suis revenu vivant de ce pays c'est à elle que
je le dois. Nous ne nous sommes pas quittés une seule

fois pendant tout mon séjour là-bas. Je la nommais *Glumdalclitch*, c'est-à-dire petite nounou, et je me rendrais coupable d'une grande ingratitude si j'omettais de rappeler ici les soins dont elle m'entoura et l'affection qu'elle me portait. De tout cœur je voudrais pouvoir un jour lui prouver ma reconnaissance, comme elle le mérite, au lieu d'avoir été la cause involontaire de sa disgrâce, comme j'ai malheureusement tout lieu de le craindre.

Le bruit commença bientôt à se répandre dans le voisinage que mon maître avait trouvé dans les champs un animal étrange, à peu près de la taille d'un *splacknuck*, mais qui ressemblait en tout point à un homme, et en savait reproduire tous les gestes, qui semblait parler un petit langage de sa façon, et avait déjà appris plusieurs mots du leur ; qui marchait debout sur ses deux jambes, était doux et docile, venait quand on l'appelait et faisait tout ce qu'on lui disait de faire ; qui avait les membres les plus délicats du monde et le teint plus clair que celui d'une petite patricienne de trois ans. Un fermier voisin, ami intime de mon maître, lui rendit visite tout spécialement pour s'enquérir du bien-fondé de cette histoire. Aussitôt on m'apporta, on me mit sur la table, où je marchai à leur commandement ; je tirai mon sabre, le remis au fourreau, saluai l'hôte de mon maître, m'enquis de sa santé en sa langue, et lui souhaitai la bienvenue, de la façon que m'avait enseignée ma petite gouvernante. Cet homme, qui était âgé et avait la vue faible, mit ses lunettes pour mieux m'examiner, et je ne pus m'empêcher de rire aux éclats, car ses yeux m'apparurent énormes, comme une paire de pleines lunes brillant en même temps aux deux fenêtres d'une chambre. Nos gens devinèrent la cause de mon hilarité et la partagèrent de bon cœur, mais le vieil homme fut assez sot pour en prendre ombrage. Il avait une réputation d'avarice, que pour mon malheur il ne méritait que trop bien, car c'est lui

qui donna à mon maître le maudit conseil de m'exhiber le jour du marché à la ville voisine — celle-ci était
à une demi-heure de cheval de la maison, soit à vingt-
deux milles environ. Je devinai qu'il se tramait
quelque chose, quand je vis mon maître et son ami
chuchoter longuement ensemble, me montrant parfois du doigt, et mes craintes étaient si fortes qu'il me
sembla comprendre certaines de leurs paroles. Mais le
lendemain matin, ma petite amie Glumdalclitch m'expliqua toute l'histoire, qu'elle avait adroitement souti-
rée à sa mère. La pauvre enfant me prit sur son cœur
et se mit à pleurer de honte et de chagrin. Elle craignait
qu'il ne m'arrivât malheur, que je ne périsse écrasé
ou que je n'eusse un membre brisé entre les mains
maladroites de ces vilains rustres. Elle avait senti que
j'étais d'un naturel fort réservé et délicat en ce qui tou-
chait mon honneur ; ce serait donc pour moi une cui-
sante humiliation que d'être montré en spectacle pour
de l'argent, aux foules les plus vulgaires. Son papa
et sa maman lui avaient promis que Grildrig serait à
elle, mais elle comprenait bien maintenant qu'ils voulaient la tromper : déjà l'année d'avant, ils avaient fait
semblant de lui donner un agneau, puis dès qu'il fut
devenu gras, ils l'avaient vendu au boucher. Quant à
moi, je puis dire sincèrement que je fus moins affecté
que ma petite gouvernante. Je gardais fermement
l'espoir, qui ne me quitta jamais, de retrouver un jour
ma liberté ; quant au déshonneur qu'il y avait à être
montré ici et là, comme un monstre, je me disais que
j'étais totalement étranger à ce pays, et que jamais
cette mésaventure ne pourrait m'être reprochée à mon
retour dans ma patrie, car le roi d'Angleterre lui-même,
à ma place, eût subi pareille avanie.

Au premier jour de marché, mon maître, suivant le
conseil de son ami, m'emporta dans une boîte à la ville
voisine, emmenant aussi sa petite fille en croupe derrière lui. La boîte était fermée de toutes parts sauf une

petite porte par où je pouvais sortir, et quelques trous
faits à la vrille pour me donner de l'air. Glumdalclitch
avait eu soin d'y mettre le matelas de sa poupée, pour
m'étendre à l'aise, et pourtant ce voyage, qui ne dura
qu'une demi-heure, me laissa complètement rompu et
moulu, car le cheval faisait des foulées de quarante
pieds chacune et l'amplitude de son trot était telle que
j'étais ballotté autant qu'un navire pris dans un oura-
gan — mais à une cadence bien plus rapide. La distance était un peu plus longue que de Londres à St-
Albans [1]. Mon maître descendit à l'auberge où il avait
coutume de se rendre, et, après quelques conciliabules
avec l'aubergiste et divers préparatifs, il engagea le
grultrud ou crieur public pour annoncer par toute la
ville qu'on pourrait voir à l'Aigle Vert un étrange
animal, pas plus gros qu'un *splacknuck* (une petite
bête de ce pays, très jolie à voir, et longue de six pieds),
dont la forme rappelait tout à fait celle d'un homme,
qui savait dire quelques mots et faire cent tours fort
divertissants.

On me mit sur une table dans la grande salle de
l'auberge (qui devait bien avoir trois cents pieds carrés)
et ma petite maîtresse s'installa sur un tabouret bas,
tout près de la table, pour s'occuper de moi, et m'indiquer ce que j'avais à faire. Mon maître, pour éviter
une trop grande presse, ne laissa entrer que trente
personnes à la fois pour me voir. J'allais et je venais
sur la table comme l'ordonnait l'enfant ; elle me posait
le genre de questions qu'elle me savait capable de comprendre et j'y répondais en donnant le plus de voix
possible. Je me tournais plusieurs fois vers l'assemblée
pour saluer, souhaiter la bienvenue, et dire quelques
phrases que j'avais apprises. Je soulevais un dé empli
de boisson (que Glumdalclitch m'avait donné comme
timbale), et je buvais à leur santé. Je tirais mon sabre
et faisais des moulinets à la façon des maîtres d'armes
anglais, puis on me donnait un brin de paille avec

lequel je faisais l'exercice, comme avec une pique, car j'avais appris cet art dans ma jeunesse.

Ce jour-là on fit douze séances, et il me fallut recommencer autant de fois les mêmes simagrées, jusqu'à ce que je fusse à demi mort de fatigue et de dépit. Car ceux qui m'avaient vu disaient de moi tant de merveilles que la foule menaçait d'enfoncer la porte pour entrer. Mon maître, dans son propre intérêt, ne permettait à personne, sauf à ma petite maîtresse, de me toucher et, pour éviter tout danger, on avait disposé tout autour de la table une barrière faite de bancs, qui m'isolait des spectateurs. Cependant, un maudit garnement me lança à la tête une noisette qui me manqua de fort peu. Elle arrivait avec une telle violence que si elle m'avait atteint, elle m'eût sans aucun doute fracassé le crâne, car elle avait la taille d'une petite citrouille. Mais j'eus la satisfaction de voir le jeune drôle expulsé de la salle avec force horions.

Mon maître fit afficher qu'il me montrerait de nouveau au prochain marché, et entre-temps il me fit préparer un moyen de locomotion plus confortable ; non sans bonnes raisons, car j'étais si fatigué par le voyage et les huit heures de spectacle, que je pouvais à peine me tenir sur mes jambes ou dire un mot. Il me fallut au moins trois jours pour me remettre ; d'ailleurs, comme pour m'empêcher de reprendre des forces, on vit arriver chez mon maître tous les gentils-hommes du voisinage, attirés par ma renommée. Il n'en vint pas moins d'une trentaine, avec femmes et enfants (car ce pays est très peuplé), et mon maître demandait, chaque fois qu'il me montrait dans sa maison, l'équivalent d'une recette complète, même quand une seule famille en profitait. Si bien que pendant quelque temps, et même sans être porté à la ville, je n'avais jamais un jour de repos (sauf le mercredi, qui est leur jour de sabbat).

Ayant calculé que je pouvais lui être de grand profit

mon maître résolut de m'emporter dans les plus grandes villes du Royaume. Il fit donc tous les préparatifs
nécessaires à un long voyage, régla ses affaires domestiques et prit congé de sa femme. Sur quoi, le dix-sept
août mil sept cent trois, trois mois environ après mon
arrivée, nous nous mîmes en route vers la capitale,
située au centre de cet Empire, à quelque quinze cents
lieues de notre demeure. Mon maître avait mis Glumdalclitch en croupe derrière lui, et elle me portait sur
ses genoux, dans une boîte attachée à sa ceinture. La
petite fille l'avait doublée en dedans du drap le plus
fin qu'elle eût pu trouver, et l'avait bien matelassée ;
elle y avait installé son lit de poupée, mon linge et
d'autres objets indispensables, tâchant de me donner
le plus de confort possible. Nous avions pour toute
escorte un valet qui suivait à cheval avec les bagages.

Le dessein de mon maître était de m'exhiber dans
toutes les villes que nous traversions, et de faire les
crochets nécessaires chaque fois qu'il se trouverait, à
moins de cinquante lieues, un village ou un château où
l'on pouvait compter sur un public intéressant. Nous
faisions de petites étapes, pas plus de quatre-vingts ou
cent lieues par jour, car Glumdalclitch faisait exprès,
pour m'épargner de la fatigue, de se plaindre elle-même
du trot du cheval. Souvent, à ma demande, elle me
faisait sortir de ma boîte pour me faire prendre l'air et
voir le paysage, mais elle me tenait toujours attaché
au bout d'une laisse.

Nous traversâmes cinq ou six fleuves bien plus
larges et profonds que le Nil ou le Gange, et il n'était
si petit ruisseau qui ne valût la Tamise au Pont de
Londres. Notre voyage dura dix semaines et je fus
montré dans dix-huit grandes villes, sans compter les
villages et les châteaux.

Le vingt-six octobre nous arrivâmes à la capitale,
appelée dans leur langue *Lorbrulgrud*, c'est-à-dire
l'Orgueil de l'Univers. Mon maître prit un logement

dans la plus grande rue de la ville, non loin du Palais
royal, et fit poser, comme à l'accoutumée, des affiches
donnant une description exacte de ma personne et de
mes talents. Il loua une grande salle qui devait avoir
entre trois et quatre cents pieds de long, y installa
une table de soixante pieds de diamètre, sur laquelle je
devais donner mon numéro. Il la fit garnir à trois pieds
du bord d'une balustrade de trois pieds également de
haut, qui devait m'empêcher de tomber. On m'exhibait
dix fois par jour au grand étonnement et à la plus
grande joie du public. J'en étais arrivé à parler correctement leur langue et je comprenais parfaitement
tout ce qu'on me disait. En outre j'avais appris leur
alphabet et je savais déchiffrer une phrase ou deux tant
bien que mal : Glumdalclitch m'avait donné des
leçons à la maison, puis aux heures de loisir pendant
le voyage. Elle avait un petit livre de poche, à peine
plus grand que l'Atlas de Sanson [1] : c'était un précis
à l'usage des jeunes filles, exposant brièvement la
doctrine religieuse de leur nation. C'est dans ce
livre qu'elle m'enseigna mes lettres, tout en m'expli-
quant le sens des mots.

CHAPITRE III

L'auteur est mandé à la Cour. — La reine l'achète au fermier son
maître, et le présente au Roi. — Discussions avec les plus grands
savants du Royaume. — On lui installe un appartement à la Cour. —
Il devient le favori de la Reine. — Comment il défendit l'honneur
de son pays. — Ses querelles avec le nain de Sa Majesté.

Ces rudes épreuves auxquelles j'étais soumis quoti-
diennement firent qu'en quelques semaines, ma santé
s'altéra : plus mon maître gagnait d'argent, plus il se
montrait insatiable. Je perdis tout à fait l'appétit, et

devins d'une maigreur squelettique. Le fermier s'en
aperçut, conclut que j'allais bientôt mourir et résolut
de tirer de moi le meilleur parti possible. Tandis qu'il
faisait ces calculs et prenait ces décisions, un *slardral*,
c'est-à-dire un huissier d'armes, vint de la Cour pour
ordonner à mon maître de m'apporter sur l'heure afin
de divertir la Reine et ses dames d'honneur. Certaines
d'entre elles étaient déjà venues me voir, et avaient
fait les récits les plus étonnants sur ma beauté, mon
maintien et mon esprit. Sa Majesté et les gens de sa
suite se montrèrent enchantés à l'extrême de mes
manières : je tombai à genoux, demandant d'avoir
l'honneur de baiser son pied royal ; mais cette gracieuse
Princesse leva vers moi son petit doigt (car on m'avait
mis sur une table), je le pris entre mes deux bras et
en portai le bout à mes lèvres d'un geste plein de
profond respect. Elle me posa quelques questions
générales sur mon pays et mes voyages, auxquelles je
répondis aussi distinctement et brièvement que je pus.
Elle me demanda s'il me plairait de vivre à la Cour :
je m'inclinai presque jusqu'à toucher la table, et répondis humblement que j'étais l'esclave de mon maître,
mais que, si j'étais libre de disposer de moi, c'est avec
fierté que je consacrerais ma vie au service de Sa Majesté.
Elle demanda alors à mon maître s'il consentirait à
me vendre pour un bon prix. Lui, qui m'accordait à
peine un mois de vie, était tout disposé à se défaire
de moi et il demanda mille pièces d'or, qu'on lui fit
compter sur-le-champ ; chacune était bien grosse
comme huit cents moidores [1]. Si l'on tient compte à la
fois du rapport des masses entre les objets d'Europe
et ceux de Brobdingnag, et du taux élevé de l'or dans
ce pays, cette somme correspond en valeur à un peu
moins de mille guinées anglaises. Je dis alors à la Reine
que puisque je me trouvais maintenant le vassal et
la très humble créature de Sa Majesté, je devais
implorer une faveur : Voudrait-elle bien engager aussi

à son service Glumdalclitch, qui avait toujours pris
soin de moi avec tant d'attention et de tendresse
et qui s'y entendait si bien ? J'aimerais tant la garder
comme gouvernante et éducatrice ! Sa Majesté accéda
à ma demande et obtint aisément le consentement
du campagnard, trop heureux de voir sa fille admise
à la Cour ; la pauvre enfant elle-même ne put cacher
sa joie. Mon ancien maître se retira, me fit ses adieux
en disant qu'il m'avait laissé en de fort bonnes mains,
ce à quoi je ne répondis pas un mot, mais je lui fis
seulement un petit signe de tête.

La Reine remarqua ma froideur et, quand le fermier
fut parti, m'en demanda la cause. J'eus la hardiesse
de déclarer à Sa Majesté que je n'avais envers mon
ancien maître aucune reconnaissance, sauf de ne pas
avoir fracassé le crâne d'une pauvre créature sans
défense, trouvée dans son champ par hasard, mais que
je lui avais payé largement ce bienfait, grâce aux
gains que je lui avais fait faire quand il me montrait
en spectacle à travers la moitié du Royaume, et à la
somme qu'il venait de recevoir en me vendant ; la
vie qu'il m'avait fait mener depuis était assez dure
pour tuer un animal dix fois plus fort que moi : cette
forme d'esclavage perpétuel qui consistait à amuser
la populace à longueur de journée avait fortement
compromis ma santé, et c'est incontestablement parce
qu'il pensait que je n'avais plus longtemps à vivre que
mon maître m'avait cédé à si bon prix. Mais comme
je voyais s'éloigner définitivement de moi la crainte
de pareils sévices, maintenant que j'étais sous la
protection d'une souveraine si grande et si bonne,
l'ornement de la nature, l'adoration du monde, les
délices de ses sujets, le phénix de la création, j'espérais
que les appréhensions de mon ancien maître seraient
vaines car déjà je me sentais revivre par l'effet de sa
très auguste présence.

Telle fut l'essence de mon discours, prononcé avec

beaucoup d'hésitations et d'incorrections grammaticales. La fin en était formulée dans le style particulier à ce peuple, dont Glumdalclitch m'avait appris certains tours [1] avant de m'emmener à la Cour.

La Reine, qui excusa avec beaucoup de bonté les imperfections de mon langage, fut cependant fort surprise de trouver tant d'esprit et de bon sens chez un animal aussi minuscule. Elle me prit dans ses propres mains et m'apporta au Roi, qui se trouvait retiré dans son cabinet. Sa Majesté — Prince très grave et d'apparence austère — ne vit pas, tout d'abord, ma forme très distinctement, et demanda d'un ton glacé à la Reine de quand datait son goût pour les *splacknucks*, car c'est ce genre de bête qu'il avait cru entrevoir : je me tenais en effet à plat ventre dans la main de la Reine. Mais cette Princesse, qui avait infiniment d'humour et d'esprit [2], me posa délicatement debout sur l'écritoire de Sa Majesté, et m'enjoignit d'expliquer moi-même au Roi qui j'étais, ce que je fis en peu de mots. Glumdalclitch, qui était à la porte (car elle ne supportait pas de me perdre des yeux), fut appelée pour confirmer mon histoire, depuis mon arrivée chez son père. Le Roi était plus savant qu'aucun homme de son Royaume. Il avait étudié les sciences, en particulier les mathématiques. Pourtant, après avoir soigneusement examiné la forme de mon corps et constaté que je marchais debout, il imagina, ne m'ayant pas encore entendu parler, que je pouvais être un jouet mécanique monté par un artiste particulièrement habile (car cet art est poussé chez eux à un haut degré de perfection). Mais quand il entendit ma voix, qu'il reconnut qu'elle énonçait des phrases rationnelles, il ne put dissimuler son extrême surprise. Il ne parut pas du tout convaincu par le récit que je lui fis de mon arrivée dans son Royaume ; mais il crut que c'était une histoire forgée par Glumdalclitch et son père et qu'on m'aurait fait apprendre par cœur pour me vendre plus cher. Dans cette pensée il me posa quelques autres questions, mais il reçut encore des réponses raisonnables, sans autre défaut qu'un accent étranger, une connaissance insuffisante de la langue et quelques expressions campagnardes, apprises à la ferme, et très déplacées au milieu du style raffiné de la Cour.

Sa Majesté fit mander les trois grands savants qui, selon la coutume locale, étaient de semaine au Palais. Ces messieurs, après m'avoir examiné en détail avec un soin minutieux, furent d'opinions différentes à mon sujet. Tous s'accordèrent à déclarer que je ne pouvais avoir été produit selon les lois normales de la nature, puisque j'étais dépourvu des qualités nécessaires à la conservation de la vie, ne pouvant ni grimper aux arbres, ni fuir rapidement, ni creuser le sol pour m'y cacher. D'après l'examen de mes dents, qu'ils firent avec beaucoup de minutie, ils virent que j'étais carnivore ; pourtant, la plupart des quadrupèdes étant bien trop forts pour moi, et les autres, comme la souris, beaucoup trop lestes, ils ne pouvaient concevoir comment je trouvais à me nourrir, à moins de manger des escargots et autres insectes [1], chose tout à fait impossible : ils s'offraient à le démontrer par cent arguments fort savants.

L'un de ces experts [2] semblait penser que je pouvais être un embryon, c'est-à-dire le produit d'une fausse couche. Mais les autres rejetèrent cette théorie, alléguant que mes membres étaient parfaitement développés, et que j'avais vécu plusieurs années, comme le prouvait de façon manifeste l'existence de ma barbe, dont ils distinguaient fort bien les poils à la loupe.

Ils n'admettaient pas non plus que je pusse être un nain, car ma petitesse extrême excluait toute espèce de rapprochement : le nain favori de la Reine, en effet, le plus petit qu'on eût jamais vu dans ce Royaume, avait presque trente pieds de haut. Après de longs débats, ils conclurent à l'unanimité que je n'étais rien

qu'un *relplum scalcath* — mot à mot : *lusus naturae* —
définition qui concorde avec les doctrines actuellement
à la mode en Europe, car ceux qui les professent,
dédaignant de faire appel, pour éluder les difficultés,
à la théorie ancienne des causes occultes, qui ne
permettait guère aux disciples d'Aristote de dissimuler
leur ignorance [1], ont inventé cette admirable solution
passe-partout, pour le plus grand avancement du
savoir humain [2].

Après cette conclusion décisive, je demandai la
permission de dire un mot ou deux. M'adressant directement au Roi, j'affirmai à Sa Majesté que je venais
d'un pays qui comptait plusieurs millions d'habitants
des deux sexes, de la même taille que moi, et où les
animaux, les plantes, les maisons étaient proportionnés à nos dimensions, de sorte que j'étais capable de
m'y défendre et d'y trouver ma nourriture aussi bien
qu'aucun des sujets de Sa Majesté en ses États. Et
ceci me paraissait répondre pleinement aux arguments
de ces messieurs. Mais ils ne répliquèrent que par un
sourire de mépris, disant que le fermier m'avait fort
bien appris ma leçon.

Le Roi, qui était d'une intelligence plus pénétrante
que ses savants, les congédia et fit appeler le fermier.
Celui-ci, par chance, n'avait pas encore quitté la ville.
Sa Majesté l'interrogea en particulier, puis le confronta
avec sa fille et avec moi. Le Roi commença à penser
que je pouvais bien lui avoir dit la vérité. Il pria la
Reine de veiller à ce qu'on prît un soin particulier de
moi et lui conseilla de conserver Glumdalclitch pour
mon service, car il avait remarqué que nous avions
beaucoup d'affection l'un pour l'autre; on lui fit
préparer un appartement convenable dans le Palais,
elle eut une gouvernante chargée de son éducation,
une femme de chambre pour l'habiller, et deux
autres servantes. Mais à elle seule incombait le soin de
ma personne.

La Reine donna ordre à son ébéniste attitré de confectionner une boîte qui pût me servir de chambre à coucher, et dont Glumdalclitch et moi-même aurions approuvé les plans. C'était un artisan très habile qui termina en trois semaines, d'après mes indications, une chambre de bois de seize pieds de côté, haute de douze pieds, comprenant des fenêtres à guillotine, une porte, et deux cabinets, tout comme une chambre à coucher londonienne. La planche qui formait le plafond pouvait se soulever, et c'est par là qu'on m'installa un lit préparé par le tapissier de la Reine. C'était Glumdalclitch qui le faisait chaque jour de ses propres mains, après l'avoir emporté pour qu'il s'aère. Le soir elle le remettait à sa place, et rabattait le couvercle au-dessus de ma tête. Un célèbre fabricant de bibelots entreprit de me faire deux chaises, dont le cadre était d'une matière assez proche de l'ivoire, deux tables et une commode pour ranger mes affaires. La chambre était capitonnée sur toutes ses faces, y compris le plafond et le plancher, afin d'éviter tout accident au cas où on laisserait tomber ma boîte, et pour amortir les cahots pendant les voyages en voiture. Je voulus avoir une serrure à ma porte, pour en défendre l'entrée aux rats et aux souris : après plusieurs tentatives, le ferronnier en fabriqua une, la plus petite qu'on eût jamais vue dans le pays et, de fait, j'en ai vu une plus grosse à la poterne d'un château en Angleterre. Je tins à en avoir toujours la clé dans ma poche, craignant que Glumdalclitch ne la perdît. La Reine fit venir la soie la plus fine qu'on pût trouver pour me faire des vêtements : ceux-ci étaient à peine plus épais qu'une couverture de chez nous, mais ils me parurent fort lourds à porter, jusqu'à ce que j'en prisse l'habitude. Ils étaient taillés à la mode du pays, qui rappelle à la fois celle des Perses et celle des Chinois, tenue pleine de dignité et de noblesse.

La Reine goûtait si fort mon entretien qu'elle ne

pouvait dîner sans moi. J'avais ma table installée sur
celle où mangeait Sa Majesté, juste à gauche de son
couvert et je disposais d'une chaise. Glumdalclitch
se tenait sur un tabouret posé sur le sol à côté de moi
et veillait à mon service. J'avais toute une vaisselle
d'argent qui, auprès de celle de la Reine, semblait un
service de poupée, comme j'en ai vu à Londres chez un
marchand de jouets. Ma petite gouvernante la rangeait
dans un coffret d'argent qu'elle gardait toujours dans
sa poche, prête à me la donner quand j'en avais besoin
et elle la lavait toujours elle-même. La Reine dînait
seule avec les Princesses royales, dont l'une était âgée
de seize ans, et la plus jeune avait alors treize ans et un
mois. Sa Majesté posait sur un de mes plats un morceau
de viande que je découpais moi-même, et elle se divertis-
sait fort à me voir manger ces minuscules morceaux.
Car la Reine, qui n'avait cependant que très peu
d'appétit, avalait en une bouchée autant que douze
fermiers anglais en un repas, ce qui fut longtemps
pour moi un spectacle répugnant. Elle broyait entre
ses dents, avec les os et tout, une aile d'alouette neuf
fois plus grosse au moins que celle d'une dinde de bonne
taille, elle engloutissait à chaque bouchée de pain la
valeur de deux miches de quatre livres. Quand elle
buvait dans sa timbale d'or, chaque gorgée valait une
barrique et ses couteaux étaient deux fois plus longs
qu'une faux redressée sur son manche. Les cuillères,
fourchettes et autres ustensiles étaient à proportion,
et je me souviens que quand Glumdalclitch m'emmena,
par curiosité, à l'une des tables du Palais, où dix à douze
de ces énormes couteaux et fourchettes étaient en même
temps au travail, je me dis que de toute ma vie je
n'avais vu spectacle plus terrifiant.

L'usage veut que tous les mercredis (qui est, comme
je l'ai dit, leur jour de sabbat) le Roi, la Reine, ainsi
que les Princesses et les Princes leurs enfants, dînent
ensemble dans l'appartement du Roi. J'étais à cette

époque le grand favori de Sa Majesté. En ces occasions
ma table était dressée à sa gauche, juste à côté de la
salière. Le souverain prenait plaisir à converser avec
moi, à me questionner sur les mœurs, la religion, les
lois, les gouvernements et la culture de l'Europe, dont
je m'efforçais de rendre compte de mon mieux. Il
avait l'esprit si pénétrant, le jugement si sûr, qu'il
faisait des remarques et des observations extrêmement
pertinentes sur tout ce que je lui disais. Mais je dois
signaler qu'un jour où je m'étais étendu trop com-
plaisamment sur mon pays bien-aimé, sur notre économie et nos guerres terrestres et maritimes, sur nos
schismes religieux et nos discordes politiques, il arriva
que le Roi, entraîné par les préjugés de son éducation,
me prit dans une main et, me caressant doucement de
l'autre, me demanda si j'étais whig ou bien tory. Puis
se tournant vers son Premier Ministre, qui se tenait
derrière lui avec son bâton blanc, insigne de sa charge
(presque aussi haut que le grand mât du *Royal Sove-
reign*), il lui fit observer quelle pauvre chose est la
grandeur humaine, puisqu'elle peut être singée par
d'aussi minuscules insectes. Et pourtant, ajouta-t-il,
je suis sûr que ces créatures infimes ont des titres
et des distinctions honorifiques, qu'ils se font des niches
et des terriers qu'ils appellent maisons ou cités, qu'ils
aiment à exhiber des toilettes et des équipages, qu'ils
tombent amoureux, se battent, se disputent, qu'ils
trichent et trahissent... Et il continua sur ce thème,
tandis que je rougissais et pâlissais d'indignation, à
entendre traiter avec tant de mépris notre noble
patrie, reine des armes et des arts, fléau de la France,
arbitre de l'Europe, siège de toutes les vertus, de la
piété, de l'honneur et de la loyauté, orgueil et envie de
l'Univers.

Mais, outre que ma situation ne me permettait pas
de relever les insultes, j'en vins, en y réfléchissant
mieux, à me demander si réellement j'avais été insulté.

Car, habitué depuis plusieurs mois à voir et à entendre
ces gens, à ne rencontrer aucun objet qui ne fût à leur
taille, j'avais oublié peu à peu l'horreur que leur
énormité m'avait tout d'abord inspirée. Au point même
que, si j'avais vu alors un groupe de dames et de
seigneurs anglais jouer leurs personnages dans le
meilleur style de la cour, saluer, babiller et se pavaner
dans leur brillante parure de fête, j'aurais, à dire vrai,
été fort tenté de me moquer d'eux autant que le Roi
et ses grands pouvaient se moquer de moi. D'ailleurs, je
ne pouvais m'empêcher de sourire de moi-même, quand
la Reine me prenait dans sa main devant son miroir
où je nous voyais tous les deux en pied et où la comparaison était si risible que je commençais vraiment à me
croire ramené à des dimensions qui n'étaient pas les
miennes.

Mes pires ennuis et mes plus grands tourments me
venaient du nain de la Reine. Celui-ci était l'être le
plus minuscule qui eût jamais vécu dans le pays (je
crois que réellement il n'atteignait pas trente pieds de
haut) et la vue d'une créature si inférieure à lui-même
le rendit tellement insolent qu'il prenait des airs
supérieurs et arrogants chaque fois qu'il me croisait
dans l'antichambre de la Reine, où, debout sur une
table, je parlais avec les seigneurs ou les dames de la
Cour. Il manquait bien rarement de me servir quelque
quolibet sur ma petite taille ; je ne pouvais me venger
qu'en l'appelant mon frère, en le défiant de lutter avec
moi, ou en lui lançant une de ces boutades qu'échang-
ent habituellement les pages de la Cour. Un soir, au
dîner, ce méchant nabot se piqua si fort d'une pointe
que je lui portai, que grimpant sur le dossier de la
chaise de Sa Majesté, il m'enleva de ma place où
j'étais assis tranquillement sans me douter de rien, et
me plongea dans un grand saladier d'argent plein de
crème ; après quoi, il se sauva à toutes jambes. J'étais
bien loin d'avoir pied, et si je n'avais été bon nageur

*étroitement d'esprit face à un
être inférieur.*

cette aventure aurait pu tourner mal, car Glumdalclitch se trouvait à ce moment-là à l'autre bout de la
pièce, et la Reine était si effrayée qu'elle n'eut pas la
présence d'esprit de me porter secours. Ma petite
gouvernante accourut à mon aide, et me repêcha, non
sans que j'eusse avalé plusieurs pintes de crème. On me
mit au lit mais je m'en tirai sans autre mal que la
perte de mes vêtements, qui furent irrémédiablement
gâtés. Le nain fut fouetté, et on le condamna en outre
à boire toute la jatte de crème dans laquelle il m'avait
fait tomber. Il ne regagna d'ailleurs jamais la faveur
de la Reine, qui en fit cadeau à une dame de haut
rang, si bien que je cessai de le voir, pour ma plus grande
joie ; car je ne sais à quelle extrémité la rancune
aurait pu pousser ce méchant drôle.

Déjà auparavant, il m'avait joué un tour pendable,
qui avait bien fait rire la Reine, tout en la mécontentant
beaucoup ; elle était prête à congédier son nain sur-
le-champ, mais j'avais eu la générosité de demander
sa grâce : Sa Majesté avait pris un os à moelle,
l'avait vidé dans son assiette, puis l'avait replacé
debout dans le plat, où elle s'était servie. Le nain,
qui avait guetté le moment où Glumdalclitch allait
vers la desserte, grimpa sur le tabouret d'où elle me
servait et, me saisissant à deux mains tout en maintenant mes jambes serrées, il m'enfonça jusqu'à la taille
dans l'os, où je restai coincé, dans une posture fort
ridicule. Je crois qu'il se passa bien une minute entière
avant qu'on s'aperçût de mon sort, car j'eusse trouvé
indigne de moi de pousser des cris. Heureusement,
comme les Princes mangent rarement chaud, je ne fus
pas brûlé, mais mes bas et pantalon sortirent de là en
piteux état. Le nain n'eut d'autre punition que le
fouet, car je plaidai en sa faveur.

La Reine raillait souvent ma poltronnerie et s'amusait à me demander si tous les gens de mon pays étaient
aussi peureux que moi. Voici pourquoi : en été, le

Royaume est infesté par les mouches, et ces insectes odieux, aussi gros que les fameuses alouettes de Dunstable, ne me laissaient pas une minute de répit pendant les repas, bourdonnant sans cesse autour de mes oreilles et parfois se posant sur mes aliments, où elles déposaient leurs chiures ou leurs œufs. Ces traces infectes, bien visibles pour moi, échappaient à la vue beaucoup moins aiguë des indigènes. Il arrivait aussi qu'une de ces mouches se posât sur mon nez ou sur mon front, m'y faisant des piqûres douloureuses et m'empoisonnant de son odeur. Je sentais sur ma peau cette matière visqueuse qui leur permet, disent les naturalistes, de marcher les pattes au plafond. J'avais fort à faire pour me défendre contre ces horribles bêtes et je tressaillais involontairement lorsqu'elles arrivaient sur moi. Le nain s'amusait souvent, comme nos écoliers, à en attraper plusieurs à la fois dans sa main, et à me les faire partir sous le nez, pour que la Reine rît de ma frayeur. Mon seul recours était alors de les fendre en deux, en plein vol, d'un coup de mon couteau, et l'on admirait beaucoup mon habileté à cette chasse.

Je me souviens qu'un jour Glumdalclitch avait mis ma boîte sur la fenêtre, comme chaque fois qu'il faisait beau, pour me donner de l'air (car je ne voulais jamais laisser accrocher ma boîte à un clou dehors, comme une cage) ; j'avais ouvert ma fenêtre et j'étais installé devant mon petit déjeuner : une tranche de gâteau à la confiture. Il arriva qu'une vingtaine de guêpes, attirées par l'odeur, entrèrent en bourdonnant dans la pièce, où elles firent autant de bruit que tout un orchestre de cornemuses. Les unes fondirent sur mon gâteau, et en emportèrent chacune une bribe, tandis que les autres tournaient autour de mon visage, me laissant assourdi à moitié par leur musique et terrifié à la vue de leurs aiguillons. Cependant j'eus le courage de me lever, de tirer mon sabre et de les attaquer au vol. J'en tuai quatre, les autres s'envolèrent et je

fermai prestement la croisée. Ces insectes étaient de la
taille d'une perdrix. Je leur retirai leurs dards, longs
d'un pouce et acérés comme des aiguilles. Je les conser-
vai soigneusement tous les quatre, et après les avoir
montrés à mon retour, avec quelques objets curieux,
en divers lieux, j'en donnai trois à Gresham College [1] et
gardai pour moi le quatrième.

CHAPITRE IV

Description du pays. — L'auteur propose de corriger les atlas
contemporains. — Le Palais du Roi. — Quelques aspects de la capitale. — Moyens de locomotion employés par l'auteur. — Description du plus grand des temples.

Je me propose maintenant de décrire brièvement
pour mon lecteur ce pays, ou du moins ce que j'en ai
vu, car je ne me suis jamais éloigné de plus de sept
cents lieues de la capitale, Lorbrulgrud. Je faisais en
effet partie de la maison de la Reine, qui ne dépassait
jamais cette distance lorsqu'elle accompagnait le Roi
dans ses déplacements, mais attendait que Sa Majesté
revînt de ses tournées d'inspection aux frontières.

Les États de ce Prince ont deux mille lieues de longueur, et de mille à mille cinq cents lieues de largeur ; et
de ce fait il me faut bien conclure que nos géographes
d'Europe se trompent lourdement lorsqu'ils affirment
qu'on ne rencontre que la mer entre le Japon et la Californie. J'avais toujours eu l'idée qu'il devait y avoir là
quelque terre importante, pour servir de contrepoids au
grand continent de Tartarie ; les voilà donc obligés de
corriger leurs cartes et leurs atlas, en ajoutant au
nord-ouest de l'Amérique cette vaste étendue de terre
— et je suis prêt à leur apporter mon concours pour
effectuer cette correction.

Le Royaume forme une presqu'île, terminée au nord par une chaîne de montagnes haute de cinquante mille mètres, et rendues infranchissables par les volcans qui les couronnent. Les plus grands savants ignorent absolument quelle sorte de mortels habitent au-delà de ces montagnes. Ils ne savent même pas s'il y a des habitants. Les trois autres côtés sont bordés par l'Océan. Il n'y a pas un seul port maritime dans tout le Royaume ; les embouchures des rivières sont barrées de récifs très aigus, et la mer est presque toujours démontée, si bien que jamais un navire ne s'y aventure et que ce peuple est coupé de toute relation avec le reste du monde. Mais les grands fleuves regorgent de bateaux, et d'excellents poissons y abondent. Les Brobdingnagiens pêchent très rarement en mer, car les poissons ne sont pas plus gros chez eux qu'en Europe et ne valent pas d'être pêchés ; ce qui prouverait que la Nature n'a créé des plantes et des animaux de dimensions si prodigieuses que sur ce seul continent, pour des raisons que je laisserai découvrir à nos philosophes. Il arrive de temps à autre qu'on attrape une baleine, assommée sur les récifs, et les gens du peuple en mangent volontiers ; j'en ai vu pêcher de si grosses qu'un homme pouvait à peine en charger une sur ses épaules, et on a quelquefois la fantaisie d'en faire venir dans des bourriches jusqu'à Lorbrulgrud. On en servit une, à titre de curiosité, à la table du Roi, mais il ne parut pas l'apprécier beaucoup : je pense en fait que la grosseur de l'animal le dégoûtait. J'en ai pourtant vu au Groenland un spécimen sensiblement plus gros.

Le pays est fort peuplé, puisqu'il compte cinquante et une cités importantes, près de cent villes fortes et un grand nombre de villages. Pour satisfaire le lecteur curieux, qu'il me suffise de décrire Lorbrulgrud. Cette ville est construite sur un fleuve qui la partage en deux parties presque égales ; elle compte plus de quatre-vingt mille maisons, avec une population d'environ six cent mille âmes. Ses dimensions sont de trois *glom-glungs* (environ dix-huit lieues) sur deux et demi. J'ai pu moi-même relever ces chiffres sur le plan royal, dessiné sur les ordres de Sa Majesté, et que l'on avait déployé par terre à mon intention. Ce plan mesurait cent pieds de long. Je me déchaussai, et je parcourus plusieurs fois, en comptant mes pas, le tracé du diamètre et du périmètre de la ville, ce qui, en tenant compte de l'échelle, me donna des mesures assez précises.

Le Palais du Roi n'est pas un édifice régulier, mais plutôt un ensemble de bâtiments ayant trois bonnes lieues de tour : les grandes salles ont généralement deux cent quarante pieds de haut et sont longues et larges en proportion. Un carrosse fut mis à notre disposition et souvent Glumdalclitch et moi, chaperonnés par sa gouvernante, nous sortions visiter la ville, ou courir les magasins. J'étais toujours de la partie, dans ma boîte ; mais souvent je priais la jeune fille de me prendre dans sa main, pour mieux voir les maisons et les gens, tandis que nous passions par les rues de la ville. Je calculai que notre carrosse égalait Westminster Hall, en surface, tout en étant moins haut ; il est possible d'ailleurs que mes mesures soient inexactes. Un jour où la gouvernante avait fait arrêter devant un groupe de boutiques, les mendiants, saisissant l'occasion, s'amassèrent en foule aux portières, offrant à mon regard le plus affreux spectacle qui eût jamais frappé l'œil d'un Européen. Il y avait une femme dont le sein, atteint d'un cancer, était enflé dans des proportions monstrueuses, et creusé de trous dans lesquels j'aurais pu me loger tout entier. Un malheureux avait sur le cou une loupe plus grosse que cinq balles de laine, un autre marchait sur des béquilles de vingt pieds de haut. Mais le spectacle le plus hideux était encore celui de toute la vermine qui se promenait sur leurs haillons. Je distinguais les pattes des poux, à l'œil nu, bien plus clairement qu'on ne les voit chez nous au microscope, et le groin avec lequel ils fouillaient, comme des cochons. Je n'en avais jamais vu auparavant, et il m'eût intéressé d'en disséquer un, si j'avais eu les instruments adéquats (mais j'avais malheureusement laissé les miens sur le navire). Ils étaient pourtant si horribles à voir que j'en avais la nausée.

En plus de la grande boîte qui me servait de logis, la Reine m'avait fait faire une caissette de voyage, de dimensions moindres : douze pieds de côté et dix pieds de hauteur ; la première, en effet, était un peu grande pour les genoux de Glumdalclitch, et encombrante en voiture. On en confia l'exécution au même artisan, et je lui dessinai moi-même le plan. Ce cabinet de voyage avait exactement la forme d'un cube, et trois de ses murs étaient percés d'une fenêtre grillagée à l'extérieur, pour éviter tout accident pendant les longs voyages. Sur le côté où il n'y avait pas de fenêtres étaient fixés deux solides anneaux dans lesquels on pouvait passer une courroie, de sorte que si je voulais voyager sur un cheval, le cavalier se mettait la courroie autour de la taille. Parfois, Glumdalclitch était souffrante ; on me confiait alors à des domestiques, toujours bien choisis, quand j'accompagnais le Roi ou la Reine dans leurs voyages, quand je désirais me promener dans les jardins et rendre visite à une grande dame, ou à un Ministre d'État. Car j'avais rapidement gagné l'estime des Grands, moins, j'en suis sûr, pour mes mérites personnels, qu'à cause de la faveur que m'accordaient Leurs Majestés. En voyage, quand j'étais las d'être en voiture, on me confiait à un serviteur à cheval, qui enroulait la courroie autour de son corps, et installait devant lui, sur un coussin, mon petit cabinet, par les fenêtres duquel je voyais très bien le paysage. Il s'y trouvait un lit de camp ; un hamac fixé au plafond ; deux chaises et une table vissées au plancher, car les cahots de la voiture ou du cheval n'au-

raient pas manqué de les culbuter. Une longue habitude de la mer me permettait de supporter très bien
ces secousses, pourtant très rudes parfois. Lorsque
j'avais envie de visiter la ville, j'utilisais toujours ce
petit cabinet de voyage, que Glumdalclitch tenait sur
ses genoux. Elle-même était dans une sorte de chaise
à porteurs ouverte, d'un type courant dans le pays,
portée par quatre hommes, et escortée de deux laquais
ayant la livrée de la Reine. Le peuple, qui entendait
beaucoup parler de moi, était toujours très désireux
de me voir : on faisait foule autour de la chaise et la
jeune fille souvent avait la complaisance de faire
arrêter les porteurs pour me prendre dans sa main,
afin qu'on me vît plus commodément.

Je tenais beaucoup à visiter le temple le plus important de ce pays, et en particulier sa tour qu'on dit être
la plus haute du Royaume. Ma petite gouvernante m'y
conduisit donc un jour, mais je dois dire en toute sincérité que je revins déçu, car le monument n'a pas plus
de trois mille pieds, depuis le sol jusqu'au point le
plus élevé, ce qui n'a vraiment rien d'extraordinaire
si l'on tient compte de la différence de taille qu'il y a
entre les habitants du pays et les Européens. Toutes
proportions gardées, et si mes souvenirs sont exacts,
leur clocher ne vaut pas celui de Salisbury [1]. Mais,
pour ne pas être injuste envers une nation dont je me
proclamerai toute ma vie l'obligé, je dois reconnaître
que la célèbre tour gagne en beauté et en puissance ce
qu'elle perd en hauteur. Car ses murs ont près de cent
pieds d'épaisseur, et sont faits de pierres de taille
dont chacune a une surface de quarante pieds carrés.
De plus, elle est garnie de tous côtés de niches et de
statues en marbre, représentant des dieux et des empereurs plus grands que nature. Je mesurai le petit doigt
d'une des statues, qui avait été brisé et gisait dans un
tas de décombres. Je lui trouvai exactement quatre
pieds et un pouce ; Glumdalclitch l'enveloppa soigneu-

sement dans son mouchoir et l'emporta, pour le garder
précieusement avec d'autres babioles dont elle raffo-
lait, comme tous les enfants de son âge.

La cuisine royale est un édifice vraiment superbe,
couronné par une voûte de six cents pieds de haut. Il
s'en faut d'à peine dix pas que le diamètre du grand
four n'égale celui du dôme de la cathédrale St-Paul :
je l'ai mesuré exprès à mon retour en Angleterre.
Mais je n'entreprendrai pas de décrire les grilles du
foyer, les gigantesques marmites et casseroles, les
pièces de viande tournant sur les broches, et bien des
choses encore ; peut-être qu'on ne me croirait pas —
ou, du moins, les esprits critiques penseraient que
j'exagère un peu comme font tous les auteurs de
Voyages. Mais j'estime au contraire que la crainte
d'encourir ce reproche m'a plutôt fait tomber dans
l'excès opposé, et que, si cet ouvrage venait à être
traduit dans la langue de *Brobdingnag* (tel est le nom
généralement donné à ce Royaume) et envoyé là-bas,
le Roi et son peuple pourraient, non sans raison, estimer que mes descriptions sont inexactes et mes évalua-
tions inférieures à la réalité.

Sa Majesté entretient rarement plus de six cents chevaux dans ses écuries ; ceux-ci ont entre cinquante-
quatre et soixante pieds de haut. Mais pour ses sorties
solennelles, il se fait suivre d'une garde de cinq cents
cavaliers, dont le défilé me parut être le plus magnifique spectacle que l'on pût contempler, jusqu'au
jour où je vis une partie de l'armée rangée en ordre
de bataille. Mais j'aurai l'occasion de reparler de cet
événement.

CHAPITRE V

Diverses mésaventures arrivées à l'auteur. — Exécution d'un
criminel. — L'auteur montre ses talents de navigateur.

Ma vie se serait déroulée fort agréablement en ce
pays, si ma petite taille ne m'avait exposé à divers
accidents ridicules ou ennuyeux, dont je me permet-
trai de conter quelques-uns. Glumdalclitch m'emportait souvent dans ma petite caissette jusqu'aux jardins du Palais, et là elle me faisait sortir quelquefois,
pour me prendre dans sa main, ou me donner l'occasion d'une promenade sur le sol. Je me souviens qu'un
jour le nain de la Reine (qui n'avait pas encore été
disgracié) nous avait suivis dans ces jardins et, comme
ma nourrice m'avait déposé à terre, non loin de lui, et
près d'un groupe de « pommiers nains », je ne pus résister à la tentation de faire de l'esprit, comparant assez
sottement l'homme à l'arbre, car dans leur langage
les termes s'y prêtaient, comme dans le nôtre. Là-
dessus, ce mauvais drôle guetta un moment propice,
et juste quand je passais sous une branche, il la secoua
au-dessus de ma tête, faisant grêler une douzaine de
pommes grosses au moins comme des tonneaux de
Bristol. L'une d'elles m'atteignit dans le dos à l'instant
même où je me baissais, et me fit choir le nez par terre.
Mais je m'en tirai sans plus de mal, et le nain obtint
son pardon à ma demande, car c'est moi qui l'avais
provoqué.

Une autre fois, Glumdalclitch m'avait laissé me
récréer à l'aise sur une pelouse de gazon tendre, tandis
qu'elle se promenait un peu plus loin avec sa gouvernante, quand il se mit à tomber brusquement une
averse de grêle, d'une telle violence qu'elle me renversa
sur le sol. Étendu de tout mon long, je fus livré des

pieds à la tête au cruel martèlement des grêlons qui
me frappaient comme autant de balles de tennis [1];
je parvins cependant à me traîner à quatre pattes, et
à me blottir à plat ventre sous une bordure de thym
qui m'abrita tant bien que mal. Je n'en fus pas moins
tellement couvert de bleus que je dus garder la chambre pendant dix jours. Et la chose n'a rien d'étonnant,
car la nature dans ce pays réalisant toutes ses œuvres
suivant les mêmes proportions, les grêlons de Brobdingnag sont mille huit cents fois plus gros que ceux d'Europe. Je suis en droit de l'affirmer, car j'ai eu la curiosité de les peser et de les mesurer [2].

Je connus dans le même jardin une aventure plus
dangereuse, le jour où ma petite gouvernante, croyant
me laisser en lieu sûr, et cédant aux prières instantes
que je lui faisais, dans mon désir de rester seul avec mes
pensées, s'en était allée dans une autre partie du jardin avec sa gouvernante et deux ou trois dames de
ses amies. Elle avait, ce jour-là, laissé à la maison ma
boîte, qui lui semblait lourde à porter. Or, comme elle
se trouvait bien trop loin pour entendre ma voix, il
arriva que le chien d'un des maîtres jardiniers, un
petit épagneul blanc, pénétra dans le Parc royal et se
mit à gambader du côté où je me trouvais. Guidé par
son flair, il s'en vint droit vers moi, me saisit dans sa
gueule, puis, courant vers son maître en remuant la
queue, il me déposa fort délicatement à ses pieds. Par
une grande chance, il avait été si bien dressé qu'il me
porta entre ses dents sans me faire aucun mal, pas
même un accroc à mes vêtements. Mais le pauvre jardinier, qui me connaissait bien et avait beaucoup
d'affection pour moi, était dans tous ses états : il me
prit doucement dans ses deux mains, me demanda
comment je me sentais, mais j'avais le souffle si court,
et j'avais subi un tel choc que je ne pus répondre mot.
Au bout de quelques instants je repris mes esprits, et il
me rendit sain et sauf à Glumdalclitch qui, revenue

entre-temps à l'endroit où elle m'avait laissé et m'ayant appelé avec angoisse sans recevoir de réponse, était horriblement inquiète de ne m'apercevoir nulle part. Elle reprocha vivement au jardinier le méfait de son chien, mais l'affaire fut étouffée et la Cour n'en sut rien, car la jeune fille craignait la colère de la Reine et, pour ma part, je ne voyais pas ce que ma réputation eût gagné à ce que cet incident s'ébruitât. Après cette aventure, Glumdalclitch se jura de ne plus jamais me laisser seul dehors. Depuis longtemps je redoutais cette résolution, aussi lui avais-je caché diverses petites mésaventures survenues quand on me laissait seul. Une fois c'était un milan qui planait au-dessus du jardin, et avait fondu sur moi ; si je n'avais alors résolument tiré mon sabre d'abordage, et couru sous un espalier touffu, il m'aurait certainement emporté dans ses serres. Une autre fois, marchant sur une taupinière toute fraîche, je m'enfonçai jusqu'au cou, dans le trou par où l'animal avait rejeté la terre, et il me fallut inventer une histoire quelconque, pour expliquer l'état de mes vêtements. Un jour aussi, je pensai me rompre le tibia contre une coquille d'escargot que j'avais heurtée par mégarde, alors que je me promenais seul, en rêvant à ma pauvre Angleterre.

Je ne saurais dire si je me trouvais flatté ou vexé, au cours de mes promenades solitaires, de voir que je n'inspirais pas la moindre frayeur aux oiseaux les plus petits : au contraire, ils sautillaient à moins d'un yard de moi, cherchant des vers ou d'autres choses à manger, avec la même tranquille indifférence que si nulle créature ne se fût trouvée là. Je me souviens qu'une grive eut l'audace de m'enlever de la main une tranche de gâteau que Glumdalclitch venait de me donner pour mon déjeuner. Si j'essayais d'attraper un de ces oiseaux, il faisait face hardiment, et cherchait à me donner des coups de bec sur les doigts que je n'osais laisser à sa portée ; puis il se remettait à chercher vers ou limaces, en toute tranquillité. Mais un jour, je m'armai d'un gros bâton, et le lançai de toutes mes forces sur une linotte, si adroitement que je l'assommai. Lui prenant le cou à deux mains, je la traînai en courant vers ma petite gouvernante, tout fier de mon exploit. Or l'oiseau, qui n'était qu'étourdi, revint à lui et se mit à me donner sur la tête et sur le corps des coups d'aile si vigoureux que je fus vingt fois sur le point de le lâcher ; j'avais pourtant pris bien soin de le tenir à bout de bras et de me garer de ses ongles. Enfin un domestique accourut à mon secours, et tordit le cou à l'oiseau qu'on me servit ensuite tout rôti, sur l'ordre de la Reine. Autant qu'il m'en souvienne, cette linotte était sensiblement plus grosse qu'un cygne en Angleterre.

Les filles d'honneur invitaient souvent Glumdalclitch dans leurs appartements, et lui demandaient de m'apporter pour qu'elles aient le plaisir de me voir et de me toucher. Souvent, elles me mettaient nu comme un ver et me glissaient tout entier entre leurs seins, ce qui me dégoûtait fort, car, à dire vrai, il s'exhalait de leur peau une odeur très âcre. Je ne dis point cela pour médire de ces excellentes dames, à qui je porte tout le respect que je leur dois. Mais je pense que c'est la finesse de mon odorat qui était développé en proportion de ma petitesse : ces illustres personnes ne me semblaient pas être plus désagréables à leurs amants, ou à leurs compagnes que ne le sont en Angleterre les personnes de leur rang. De toute façon, je supportais encore bien mieux leur odeur naturelle que les parfums dont elles usaient, et qui me faisaient aussitôt défaillir. Je ne puis oublier qu'un de mes amis intimes à Lilliput avait pris la liberté de se plaindre — par une chaude journée où j'avais fait beaucoup d'exercice — de la forte odeur que je dégageais, encore que je sois moins sujet qu'un autre individu (de mon sexe) à de tels inconvénients. Mais je suppose que son odorat était aussi délié par rapport à moi que l'était le mien par rapport aux habitants de Brobdingnag. Sur ce point je ne saurais manquer de rendre justice à la Reine, ma maîtresse, et à Glumdalclitch, ma petite gouvernante : elles étaient de leurs personnes aussi fraîches et saines que des dames d'Angleterre.

Ce qui me mettait très mal à l'aise avec ces filles d'honneur, au cours de mes visites chez elles, c'est qu'elles ne se gênaient absolument pas devant moi, qu'elles me traitaient comme si je n'existais pas. Elles se dévêtaient entièrement, ou passaient une chemise en ma présence, alors que j'étais sur leur table de toilette, juste en face de leur corps nu — spectacle qui, bien sûr, loin de m'induire en tentation, ne provoquait en moi d'autre réaction que l'horreur et le dégoût. Leur peau m'apparaissait si grossière et inégale, si bizarrement tachetée quand je la voyais de près, avec parfois un grain de beauté aussi large qu'une assiette, et couronné de poils plus gros que des ficelles, pour ne rien dire du reste de leur anatomie... Elles n'avaient point de scrupule non plus à se soulager devant moi des liquides qu'elles avaient bus : c'est-à-dire d'au moins la valeur de deux barriques, dans des récipients qui jaugeaient trois tonneaux. La plus jolie des filles d'honneur, une plaisante luronne de seize ans, s'amusait parfois à me mettre à cheval sur la pointe de son sein, ou à d'autres petits jeux, que le lecteur voudra bien me pardonner de passer sous silence, mais qui me déplaisaient affreusement. Je suppliai Glumdalclitch de trouver quelque prétexte pour cesser toute relation avec cette demoiselle.

Je vis un jour arriver un jeune homme, le neveu de la gouvernante de Glumdalclitch, qui les invita chaleureusement toutes les deux à venir assister à une exécution. Le condamné avait assassiné un des meilleurs amis de ce monsieur. Glumdalclitch n'était guère enthousiaste pour se joindre à eux, car elle avait le

cœur fort tendre ; quant à moi, si odieux que me fussent
de tels spectacles, je fus entraîné par ma curiosité
à aller voir une scène que je pressentais extraordinaire.
Le criminel était attaché à un siège, sur l'échafaud
dressé à cette occasion, et on lui coupa la tête d'un
seul coup, avec une épée longue de quarante pieds. Le
jet de sang qui jaillit alors des veines et des artères
dépassa en volume et en hauteur, tout le temps qu'il
dura, le grand jet d'eau de Versailles, et la tête ébranla
si fort l'échafaud en tombant que j'en tressaillis de
frayeur, quoique je fusse à un demi-mille de là.

La Reine, qui m'avait souvent entendu raconter
mes voyages en mer, et qui cherchait toujours à me
distraire lorsqu'elle me voyait mélancolique, me
demanda un jour si je savais naviguer à la voile ou à
la rame, et s'il ne serait pas bon pour ma santé de faire
un peu d'aviron. Je répondis que ces deux exercices
m'étaient familiers, car, si mon véritable emploi était
celui de chirurgien de vaisseau, je m'étais souvent vu
obligé par les circonstances à travailler comme simple
matelot. Mais je ne voyais pas comment je pourrais
m'exercer dans leur pays, où le plus petit bachot avait
le tonnage de nos plus grands vaisseaux de guerre ;
où d'ailleurs un bateau à ma taille ne tiendrait pas
longtemps sur les rivières. Mais Sa Majesté m'assura
que si je voulais dessiner un modèle de bateau, son
ébéniste me le construirait, et qu'elle-même me fournirait un endroit où le faire naviguer. Cet homme était
un artisan fort habile, et sur mes instructions il
termina en dix jours un voilier de plaisance, qui
aurait porté huit Européens, avec tout son gréement.
Quand il fut terminé, la Reine en fut si enchantée
qu'elle le prit dans sa jupe et courut le montrer au Roi.
Celui-ci ordonna de le mettre dans une grande cuve
d'eau, pour me permettre de l'essayer ; mais, faute de
place, je ne pus manœuvrer mes deux rames courtes.
Or la Reine avait eu déjà une autre idée : elle fit faire

par son menuisier une auge de bois, longue de trois
cents pieds, large de cinquante et de huit pieds de
profondeur. Pour la rendre étanche on la fit bien
goudronner, et on l'installa par terre, contre le mur de
la salle extérieure du palais. Elle était munie au fond
d'un robinet qui permettait de vider l'eau, quand
elle commençait à croupir, et deux domestiques la
remplissaient aisément en une demi-heure. C'est là que
je venais souvent faire de l'aviron, pour mon plaisir,
et pour celui de la Reine et de ses dames qui se montraient ravies de mon adresse et de mon agilité. Quelquefois, je hissais la voile, et n'avais plus qu'à gouverner tandis que les dames me fournissaient la brise,
avec leurs éventails. Quand elles étaient lasses, c'étaient
les pages qui gonflaient mes voiles de leur souffle,
tandis que je montrais mes talents en manœuvrant à
bâbord et à tribord, à mon gré. Quand j'avais fini,
Glumdalclitch ne manquait pas d'emporter mon bateau
dans son cabinet ; elle le suspendait à un clou pour le
faire sécher.

Au cours de ces exercices, il m'arriva un jour un
accident qui eût pu me coûter la vie : un des pages
ayant mis mon voilier dans l'auge, la gouvernante
de Glumdalclitch, à qui l'on ne demandait rien, me
prit pour me poser dans mon bateau. Mais il arriva
que je glissai entre ses doigts, et j'aurais immanquablement fait une chute de quarante pieds, si par le
plus miraculeux des hasards je n'avais pas été arrêté
au passage par une grosse épingle piquée dans le
corsage de la brave dame. La tête de l'épingle passa
entre ma chemise et la ceinture qui retenait mes chaus-
ses, si bien que je restai suspendu par le milieu du corps,
jusqu'à ce que Glumdalclitch fût accourue pour me
tirer de là.

Une autre fois, un des serviteurs chargé de renou-
veler l'eau de mon auge tous les trois jours fut assez
négligent pour y verser avec son seau une énorme

grenouille (qu'il n'avait pas vue). La grenouille resta
en plongée jusqu'à ce qu'on eût mis mon bateau à
flot. Mais voyant alors un endroit où se reposer, elle
y grimpa, et fit prendre tant de gîte à mon embarcation qu'il me fallut peser de tout mon poids de l'autre
côté pour l'empêcher de chavirer. Sitôt embarquée,
la grenouille sauta d'un bond au milieu du bateau,
puis passa et repassa au-dessus de ma tête, m'enduisant
la figure et les vêtements de son horrible bave. Sa
grosseur en faisait l'animal le plus hideux qu'on
puisse imaginer. Cependant, je demandai à Glumdalclitch de me laisser me tirer d'affaire tout seul, et
j'assenai à la bête de tels coups d'aviron qu'elle finit
par sauter du bateau.

Mais le plus grand péril que je courus dans ce
Royaume me vint d'un singe, qui appartenait à un
garçon de cuisine. Glumdalclitch m'avait enfermé
dans son cabinet, car elle devait sortir faire une course
ou une visite. Comme il faisait très chaud, la fenêtre
du cabinet était restée ouverte, ainsi que les fenêtres
et les portes de ma grande boîte, qui était celle
où je me tenais le plus souvent, y ayant plus de place
et de confort. Je me trouvais donc assis à mon bureau,
m'y livrant dans le calme à mes pensées, quand j'entendis quelque chose bondir par la fenêtre du cabinet
et sautiller à travers toute la pièce. Quoique fort alarmé,
j'eus le courage de regarder dehors, mais sans bouger
de ma place, et je vis alors l'animal capricieux folâtrer
et gambader de tous côtés. Il arriva enfin tout près
de ma boîte, qu'il parut examiner avec plaisir et
curiosité, mettant l'œil contre les trous de la porte et
des fenêtres. Je me reculai dans le coin le plus éloigné
de la chambre, mais le singe, qui se montrait à toutes
les ouvertures, me causa une telle frayeur que je n'eus
pas la présence d'esprit de me cacher sous le lit, ce
qu'il m'aurait été facile de faire. Il resta un bon
moment, furetant, grimaçant, et jacassant ; puis

il m'aperçut et passa une patte par la porte, comme
un chat qui joue avec une souris ; j'eus beau tourner
en rond pour l'éviter, il finit par m'attraper par les
pans de mon habit (qui, étant faits de la soie de ce
pays, étaient épais et très solides), et par me tirer
dehors. Il me prit dans sa patte droite en un geste de
nourrice qui allaite un nouveau-né, ainsi que j'ai vu
souvent en Europe des singes tenir des bébés-chats.
Comme je tentais de me débattre, il me serra si fort
que je jugeai plus prudent de me tenir coi. J'ai quelque raison de croire qu'il me prit pour un petit de sa
race [1], car il n'arrêtait pas de me caresser très tendrement le visage avec son autre patte. Il s'arrêta net
en entendant du bruit à la porte de la salle : on eût
dit que quelqu'un s'apprêtait à l'ouvrir. Il bondit
donc sans plus attendre sur la fenêtre par laquelle il
était entré, et de là il gagna les larmiers et les gouttières, courant sur trois pattes et me tenant toujours
dans la quatrième, jusqu'à se trouver sur un toit voisin
du nôtre [2]. J'entendis le cri de Glumdalclitch tandis
qu'il m'emportait. La pauvre enfant était presque folle
d'émotion, et tout le quartier du Palais fut bientôt en
effervescence. Les domestiques couraient chercher
des échelles, des centaines de gens résidant à la Cour
virent le singe assis sur le faîte du bâtiment, me tenant
sur son avant-bras comme un bébé, et de l'autre me
donnant la becquée, me fourrant dans la bouche des
aliments qu'il tirait de l'une de ses bajoues, et me
donnant de petites tapes quand je ne voulais pas
manger. Rares furent dans la foule en bas ceux qui
purent s'empêcher de rire, et je ne pense pas qu'on
puisse les en blâmer. Car sans aucun doute la scène
était comique pour tout autre que moi. Quelques-
uns se mirent à lancer des pierres, dans l'espoir de
faire descendre le singe, mais on le leur interdit formellement, sans quoi ils m'eussent très probablement
fracassé le crâne.

Les échelles étaient maintenant en place, et plusieurs hommes y montèrent. Le singe s'en aperçut et, comme il se voyait presque cerné et incapable avec trois pattes de se sauver assez vite, il me lâcha sur une tuile faîtière et décampa. Je restai assis là quelque temps à cinq cents yards du sol, craignant à chaque instant de perdre l'équilibre, emporté par le vent ou pris de vertige, et de rouler depuis le faîte jusqu'au bord du toit. Mais un brave garçon — un des laquais de ma gouvernante — grimpa jusqu'à moi, me mit dans la poche de sa culotte et me redescendit sain et sauf.

J'étais presque étouffé par les matières infectes que le singe m'avait fourrées dans le gosier, mais ma chère petite Glumdalclitch les retira de ma bouche avec une petite aiguille, et je pus vomir, ce qui me fit grand bien. Cependant j'étais si faible, si meurtri par l'étreinte de cette horrible bête que je dus garder le lit quinze jours. Le Roi, la Reine et toute la Cour firent prendre chaque jour des nouvelles de ma santé, et Sa Majesté la Reine me fit plusieurs visites pendant ma maladie. On fit abattre le singe, et publier une ordonnance qui interdisait, à l'avenir, d'élever dans l'enceinte du Palais tout animal de cette espèce.

Quand je rendis visite au Roi, pour la première fois après ma guérison, afin de le remercier de ses bontés, il lui plut de me taquiner un bon moment à cause de cette aventure ; il me demanda quels avaient été mes sentiments et mes réflexions, pendant que j'étais dans les bras du singe ; si j'avais apprécié la nourriture qu'il m'avait servie, et la façon dont il me donnait la becquée, si enfin l'air du toit m'avait aiguisé l'appétit. Il désirait savoir ce que j'aurais fait dans des circonstances analogues dans mon pays. J'expliquai donc à Sa Majesté qu'en Europe nous n'avions pas de singes, à part quelques-uns qu'on apportait d'autres contrées, à titre de curiosité, et qu'ils étaient si petits que je

me faisais fort de me défendre contre une douzaine de
ces animaux, s'ils venaient à m'attaquer. Quant au
monstre auquel je venais d'avoir affaire (et qui en
vérité était de la taille d'un éléphant), si la surprise
ne m'avait enlevé mes moyens, si j'avais songé à utiliser mon sabre d'abordage (et en prononçant ces mots,
je pris un air farouche et mis la main à la garde) au
moment où il introduisait la patte dans ma chambre,
je lui eusse porté un tel coup qu'il l'eût retirée plus
vite qu'il ne l'avait avancée. Je prononçai ces paroles
sur le ton ferme d'un homme qui n'admet pas que
son courage soit mis en question. Cependant mon
discours n'eut pas d'autre effet que de provoquer
une tempête de rires. Malgré le respect dû au monarque,
personne autour de lui ne put se retenir de s'esclaffer.
Je me pris alors à penser combien il est vain pour un
homme de chercher à se faire admirer par ceux qui le
dépassent de cent coudées [1]. Et pourtant, depuis mon
retour, j'ai vu souvent en Angleterre mes semblables
se comporter comme je l'avais fait moi-même à cette
occasion. Ainsi, par exemple, un misérable faquin, ne
pouvant aucunement prétendre ni à la naissance, ni
à la distinction, ni à l'esprit, ni même au simple bon
sens, aura le front de se pavaner, et de se croire l'égal
des plus grands personnages du Royaume.

Chaque jour je fournissais à la Cour quelque anecdote réjouissante. Glumdalclitch — qui pourtant
m'adorait — avait la malice d'informer aussitôt la
Reine chaque fois que je faisais une sottise qu'elle
pensait propre à divertir Sa Majesté. Un jour où sa
gouvernante l'avait emmenée prendre l'air, car elle
était un peu souffrante, à une heure de marche de la
ville (c'est-à-dire à trente milles environ), elles descendirent toutes deux de voiture près d'un petit sentier
dans un champ ; Glumdalclitch posa par terre ma
boîte de voyage, et je sortis pour me promener. Il y
avait une bouse de vache sur le sentier et je tins à

faire parade de mon agilité en la franchissant d'un bond. Je pris mon élan, mais, par malheur, je sautai trop court et me retrouvai au beau milieu, avec de la bouse jusqu'aux genoux. Je m'en tirai à grand-peine, et l'un des laquais me nettoya comme il put avec son mouchoir. Car j'étais affreusement maculé et Glumdalclitch m'enferma dans ma boîte jusqu'au retour à la maison. La Reine fut bientôt informée de cet incident et les laquais le racontèrent par toute la Cour, si bien que pendant plusieurs jours, on rit beaucoup à mes dépens.

CHAPITRE VI

L'auteur fabrique certains objets qu'il offre au Roi et à la Reine. —
Il montre ses talents de musicien. — Le Roi l'interroge sur l'état
de l'Europe, que lui expose l'auteur. — Observations du Roi
à ce sujet.

J'avais coutume de me rendre une ou deux fois par semaine au lever du Roi et souvent je l'avais trouvé aux mains de son barbier, ce qui me parut, les premiers temps, un spectacle vraiment terrifiant : car le rasoir était presque deux fois plus long qu'une faux de taille normale. Sa Majesté selon l'usage du pays ne se faisait raser que deux fois par semaine. Je demandai un jour au barbier un peu de sa mousse, d'où je retirai quarante ou cinquante des plus gros poils de barbe, puis je pris un morceau de bois fin que je découpai en forme de peigne, y faisant ensuite, à l'aide de la plus fine aiguille de Glumdalclitch, une série de trous placés à intervalles réguliers. Je réussis à y passer les poils, que j'avais grattés et taillés en pointe avec mon couteau, de façon à avoir un peigne très convenable et dont j'avais grand besoin car le mien avait tellement de

dents cassées qu'il ne me servait presque plus à rien,
et je ne connaissais pas dans tout le pays d'artisan
assez précis et minutieux pour m'en faire un autre.

Ceci me rappelle un passe-temps auquel je consacrai
bien des heures de loisir. J'avais demandé à une femme
de chambre de la Reine de recueillir pour moi les
démêlures de Sa Majesté, et quand j'eus une certaine
quantité de cheveux, je consultai mon ami l'ébéniste,
qu'on avait mis à ma disposition pour me faire de
petits ouvrages. Je lui demandai de me faire l'arma-
ture de deux fauteuils, pas plus grands que ceux qui
étaient dans ma boîte, puis de percer avec une alêne
fine une série de petits trous sur le siège et au dos.
Par ces trous je fis passer les cheveux les plus épais,
que je tressai tout comme on fait en Angleterre pour
les chaises cannées. Lorsqu'ils furent terminés, j'offris
ces deux fauteuils à la Reine qui les mit dans son
cabinet, et ne manquait pas de les montrer comme
des curiosités à ses visiteurs, qui s'en émerveillaient.
La Reine aurait voulu m'y faire asseoir, mais je
refusais absolument de lui obéir, protestant que
j'aimerais mieux souffrir mille morts que de poser une
des parties honteuses de mon individu sur ces précieux
cheveux, qui avaient un jour orné la tête de Sa Majesté.
Comme j'ai toujours eu du goût pour le travail manuel,
je fabriquai encore avec ces cheveux une jolie petite
bourse, de cinq pieds de long, et portant le nom de la
Reine brodé en lettres d'or, que j'offris à Glumdalclitch, avec la permission de Sa Majesté. A dire vrai
l'objet était plus joli qu'utile, car il était trop fragile
pour résister au poids des grosses pièces, de sorte que
ma petite amie ne mettait dans sa bourse que quelques-unes de ces babioles que les fillettes adorent
posséder.

Le Roi, qui goûtait fort la musique, se faisait
souvent donner des concerts, auxquels on me transportait quelquefois dans ma boîte, mais le bruit était

si assourdissant que je pouvais à peine distinguer les airs. Je suis certain que tous les tambours et toutes les trompettes de l'armée royale battant et sonnant ensemble à vos oreilles, ne sauraient faire autant de tapage. Ma méthode en ce cas était de faire mettre ma boîte aussi loin que possible de l'orchestre, puis de fermer portes et fenêtres, et de tirer les rideaux ; moyennant quoi, je ne trouvais pas leur musique désagréable.

J'avais appris dans ma jeunesse à jouer de l'épinette. Glumdalclitch en avait une dans sa chambre, et un maître de musique venait deux fois par semaine lui donner des leçons. Si je dis épinette, c'est que l'instrument en question y ressemblait fort, et s'utilisait de la même façon. Il me prit fantaisie pour plaire au Roi et à la Reine de leur jouer un air anglais. Mais il apparut que c'était là chose fort difficile, car le clavier avait près de soixante pieds de long, et chaque touche un pied de large, si bien qu'en écartant les deux bras, je n'avais pas plus de cinq touches à ma portée. D'ailleurs pour tirer de chacune d'elles un son, il me fallait donner un formidable coup de poing, ce qui représentait beaucoup d'efforts pour un bien piètre résultat. Je mis au point alors le système suivant : je me procurai deux bâtons de la taille d'un bon gourdin, et renflés à une extrémité. Je couvris le gros bout d'une peau de souris, pour ne pas abîmer la surface des touches, et ne pas dénaturer les sons. On plaça devant l'épinette un banc, à quelque quatre pieds du clavier, et on me déposa sur ce banc. Je me déplaçais à sa surface, en marchant de côté et en frappant à tour de bras avec mon bâton sur les touches que je devais abaisser. Je parvins ainsi à jouer une gigue anglaise pour la plus grande satisfaction de Leurs Majestés. Mais ce fut là l'exercice le plus épuisant que j'aie fait de ma vie. Pourtant, je n'avais pas pu atteindre plus de seize notes, ni par conséquent

jouer ensemble l'air et l'accompagnement, comme le
font les musiciens, ce qui ôtait à mon jeu beaucoup
d'agrément.

Le Roi était, comme je l'ai dit, un prince d'une haute
intelligence, et souvent il ordonnait qu'on apportât
ma boîte à son cabinet de travail, et qu'on l'installât
sur sa table. Il me faisait alors sortir avec une de mes
chaises et m'asseoir à moins de trois yards de lui sur
la petite étagère qui dominait le meuble, de sorte que
j'étais presque au niveau de son visage. C'est ainsi que
j'eus avec lui plusieurs entretiens. Je pris un jour la
liberté de dire à Sa Majesté que le mépris qu'il pro-
fessait envers l'Europe et le reste du monde me semblait
indigne des éminentes qualités que possédait son
esprit ; que la raison ne croissait pas à proportion du
volume des corps, mais qu'au contraire on observait
souvent dans nos pays que les hommes de plus haute
taille étaient les moins doués quant à l'intelligence ;
que, de tous les animaux, on estimait que c'étaient
l'abeille et la fourmi qui l'emportaient en industrie,
adresse et sagacité sur bien des espèces de taille
supérieure ; et que, si insignifiant que je lui apparusse,
j'espérais vivre assez pour rendre à Sa Majesté quelque
éminent service. Le Roi m'écouta avec attention, et
sembla se former de moi une opinion plus favorable
que jamais auparavant. Il me pria de lui décrire le
plus exactement possible les institutions politiques
de l'Angleterre, car, si attachés que soient d'habitude
les Princes aux coutumes de leur propre pays (cette
idée sur les autres monarques, c'étaient mes récits qui
la lui avaient donnée [1]), il serait heureux d'entendre
parler de quelque chose qui valût d'être imité.

Imagine donc, aimable lecteur, combien de fois je fis
le vœu de posséder l'éloquence de Démosthène ou de
Cicéron, qui m'eût permis de chanter les louanges de
mon bien-aimé pays natal, en un style digne de ses
mérites et de sa félicité.

Je commençai mon exposé en révélant à Sa Majesté que nos États se composaient de deux îles, formant deux puissants royaumes unis sous un même souverain, sans compter nos colonies d'Amérique. Je m'étendis longtemps sur la fertilité de notre sol et la clémence de notre climat. Puis, je parlai en détail de l'organisation du Parlement anglais, et d'abord de l'illustre Chambre des Pairs, qui le constitue en partie. Ses membres sont du sang le plus noble [1] et possèdent les domaines les plus anciens et les plus vastes. Je décrivis leur éducation, disant avec quel soin toujours extraordinaire on leur apprend les arts et les armes pour les rendre capables de tenir le rôle, qui leur échoit de naissance, de conseillers du Roi et du Royaume ; de prendre part à l'œuvre législative ; d'être les membres de la plus haute cour de Justice, celle qui juge sans appel ; et enfin d'être toujours des champions prêts à défendre leur Prince et leur pays, grâce à leur valeur, leur dignité et leur fidélité [2]. Ils sont l'ornement et le bouclier du Royaume, les dignes héritiers de leurs glorieux ancêtres, à qui, seule, leur vertu avait valu leur élévation, et dont on n'a jamais pu dire que leur postérité eût dégénéré. Aux côtés de ces hommes on trouve dans cette Assemblée un groupe de pieux personnages, appelés les évêques, dont le rôle particulier est de s'occuper de la religion et de ceux qui l'enseignent au peuple. Ils sont recrutés par le Prince et ses conseillers, après une enquête minutieuse dans toute la nation, parmi les membres de la classe sacerdotale qui se sont le plus justement distingués par la sainteté de leur vie et la profondeur de leur érudition. Ils sont sans conteste les pères spirituels aussi bien du clergé que du peuple [3].

La deuxième Assemblée qui compose le Parlement est appelée Chambre des Communes. Ses membres sont des notables librement choisis et désignés, par le peuple lui-même, en raison de leurs qualités d'esprit et leur patriotisme, pour représenter la Sagesse de la nation tout entière [1]. Ces deux corps réunis forment la plus auguste Assemblée d'Europe, celle qui détient en même temps que le Prince le pouvoir législatif.

Je descendis ensuite aux cours de justice, présidées par les juges, ces sages et vénérables interprètes de la loi, dont le rôle est de trancher les disputes nées entre les hommes sur leurs biens et sur leurs droits, mais aussi de punir le Vice et de protéger l'Innocence [2]. Je signalai la prudente gestion de notre trésor [3], la vaillance et l'efficacité de nos forces maritimes et terrestres. Je donnai le chiffre de notre population en précisant combien de millions d'hommes appartenaient à chacune des sectes religieuses et à chacun des partis politiques qui fleurissaient chez nous.

J'eus même le soin de ne pas omettre nos sports et nos distractions, non plus que tout ce qui pouvait, pensais-je, rehausser le lustre de mon pays. Et je conclus le tout par un bref exposé historique des affaires anglaises et des événements dont la nation avait été le théâtre pendant la dernière centaine d'années.

Cet entretien ne dura pas moins de cinq séances de plusieurs heures chacune. Et le Roi me prêta toujours la plus grande attention, prenant fréquemment note de ce que je disais et faisant une liste de questions à me poser plus tard.

Quand j'eus fini avec mon long exposé, Sa Majesté qui, au cours d'une sixième séance, avait ses notes sous les yeux, exprima ses doutes, posa des questions et fit des réserves sur chacun des points traités. Elle me demanda quelles étaient les méthodes couramment employées pour l'éducation physique et intellectuelle de nos jeunes patriciens, et quel était leur genre d'occupation pendant les premières années de leur vie, qui sont celles de la formation ; de quelle façon on renouvelait [4] la première assemblée quand une famille noble venait à s'éteindre ; quelles qualités étaient exi-

gées de ceux que l'on créait lords ; si un caprice du
Prince, un pot-de-vin à une dame bien en cour ou à
un premier ministre, si même le désir de renforcer un
parti opposé à l'intérêt public n'intervenaient jamais
comme motif d'une de ces créations. Quelle compétence
particulière ces grands seigneurs avaient dans le droit
de leur pays, et comment ils avaient pu l'étudier assez
à fond pour trancher en dernier ressort les procès de
leurs compatriotes en matière de propriétés ; s'ils
étaient toujours suffisamment à l'abri de la cupidité,
du parti pris ou du besoin pour que la corruption ou
toute autre chose blâmable ne se rencontre jamais
parmi eux ? Quant aux dignes prélats dont j'avais
parlé, devaient-ils toujours leur élévation à leur science
théologique et à la sainteté de leur vie ? N'avaient-ils
pas quand ils étaient simples prêtres cédé à l'esprit
du siècle ? Ne s'étaient-ils pas faits bassement les chape-
lains de quelque grand seigneur dont ils continuaient
servilement à suivre les opinions, une fois admis dans
la Haute Assemblée ?

Puis le Roi me pria de lui dire par quels procédés on
élisait ceux que j'avais appelés députés aux Communes ;
si le premier venu, au portefeuille bien garni, ne peut
pas influencer l'électeur moyen et obtenir son vote aux
dépens des possesseurs de ses propres terres, ou du
plus important seigneur de son voisinage. Comment
s'expliquait-on que des gens eussent un tel désir d'être
élus à une Assemblée dont les membres, de mon propre
aveu, ont beaucoup de tracas et de frais, risquent même
de ruiner leurs maisons sans toucher ni salaire ni pension ? En vérité, il y avait là un trait de civisme si
extraordinaire que Sa Majesté avait du mal à croire
qu'il fût toujours sans arrière-pensée. Le Roi me priait
donc de lui dire si ces hommes pleins de zèle n'avaient
jamais la tentation de se dédommager de leurs dépenses et de leurs soucis, en sacrifiant le bien public aux
desseins d'un Prince faible ou débauché, avec l'accord

d'un ministère corrompu. Il multipliait les questions et passa ainsi au crible tout ce que je lui avais dit sur ce point, demandant d'innombrables précisions et faisant des objections que je ne trouve ni prudent ni opportun de rapporter.

A propos de ce que je lui avais dit des cours de justice, Sa Majesté me pria de l'éclairer sur plusieurs points, et j'étais bien placé pour lui répondre, ayant été presque complètement ruiné, quelque temps auparavant, par un long procès devant la Chancellerie [1], que j'avais gagné avec les dépens. Le Roi me demanda combien de temps on mettait généralement pour déterminer qui avait tort et qui avait raison, et combien il en coûtait ; si les avocats et les orateurs avaient la liberté de plaider des causes manifestement injustes, vexatoires ou entachées de violence ; si les opinions politiques ou religieuses donnaient l'impression d'avoir quelque poids dans la balance de la Justice ; si les orateurs qui plaidaient étaient des personnes dont l'esprit avait été formé à l'équité, ou seulement rempli de textes coutumiers, provinciaux, nationaux ou locaux ; si eux-mêmes, ou les juges devant qui ils paraissaient, avaient quelque part à la rédaction des lois qu'ils prenaient la liberté d'interpréter ou de gloser à leur guise ; s'il ne leur était jamais arrivé, à différentes occasions, de plaider pour et contre la même cause, en citant des précédents pour appuyer des opinions opposées ; s'ils formaient une corporation riche ou pauvre ; s'ils recevaient quelque récompense en argent pour plaider ou faire connaître leur avis. Il prit bien soin de s'informer si l'on en avait vu faire partie de la Chambre Basse.

Il passa ensuite à la gestion de nos finances, et me dit que j'avais dû faire une erreur de mémoire, car je lui avais donné pour nos taxes le chiffre de cinq à six millions par an ; et quand j'avais parlé des dépenses [2], il avait remarqué qu'elles s'élevaient à plus du double.

Or il avait sur ce point-là pris ses notes avec un soin tout particulier, car il espérait (ce sont ses propres paroles) que notre façon d'agir lui fournirait des renseignements précieux. Il ne pouvait donc pas s'être trompé dans ses comptes. Mais alors, si ce que j'avais dit était vrai, il aimerait savoir comment un État pouvait vivre au-dessus de ses moyens, comme un simple particulier. — Qui sont vos créanciers ? me demanda-t-il. Et où trouvez-vous de l'argent pour les rembourser ? Il s'étonnait aussi de m'entendre parler de guerres coûteuses et interminables. Nous étions certainement des gens querelleurs ou alors nous vivions entourés de très méchants voisins ; et nos généraux devaient sans conteste être devenus plus riches que nos Rois [1]. Il me demanda ce que nous pouvions bien aller faire hors de nos îles, sinon pour des raisons de négoce ou de diplomatie, ou pour protéger nos côtes avec notre flotte. Mais ce qui lui sembla le plus étonnant, c'était de m'entendre parler d'une armée de métier permanente, en pleine paix et au milieu d'un peuple libre. Il dit que puisque nous étions gouvernés par des représentants élus de notre plein gré, il ne voyait vraiment pas de qui nous avions peur ou contre qui nous devions nous battre ; et me demanda si, à mon avis, la maison d'un citoyen n'est pas mieux défendue par lui-même, ses fils et ses domestiques que par une demi-douzaine de gredins ramassés au hasard dans les rues et si misérablement payés qu'ils gagneraient cent fois plus à égorger toute la maisonnée [2].

Il se moqua de la bizarre arithmétique (tel fut le terme qu'il employa) selon laquelle j'avais voulu établir le chiffre de notre population, en comptant les différentes sectes politiques et religieuses du pays. Il ne comprenait pas, disait-il, pourquoi on obligerait à se convertir un homme dont les idées nuisaient au bien public, ni d'autre part pourquoi on ne le forcerait pas à se taire. Car si la première exigence est, pour tous les régimes, un acte de tyrannie, l'absence de la deuxième n'est qu'un signe de faiblesse. On peut, en effet, autoriser un homme à garder des poisons dans sa chambre, mais non pas à les vendre partout comme remontants.

Il me fit remarquer qu'entre les différentes distractions recherchées par la noblesse, j'avais mentionné le jeu. Il aimerait savoir à quel âge on commençait à pratiquer ce divertissement et à quel âge on y renonçait ; combien de temps on y passait, et s'il arrivait à passionner assez ses adeptes pour avoir des incidences sur leur fortune. Ne serait-il pas possible que des gens vils et corrompus ne parvinssent à gagner beaucoup d'argent grâce à leur habileté en cet art, et à tenir sous leur dépendance les descendants de nos meilleures familles, tout en les habituant à de mauvaises fréquentations ? Qu'ils les fissent négliger complètement leur formation intellectuelle, et même s'adonner à l'infâme pratique de la tricherie, pour compenser les pertes subies ?

Il fut complètement ébahi de l'historique que je lui avais fait de nos affaires au cours du dernier siècle. Il n'y voyait, m'affirma-t-il, qu'une accumulation de conspirations, rébellions, meurtres, massacres, révolutions, bannissements, le tout n'étant que l'effet désastreux de notre cupidité, notre esprit de faction, notre hypocrisie, notre perfidie, notre cruauté, notre rage, notre folie, notre haine, notre luxure, notre malveillance et notre ambition. Sa Majesté, au cours d'une nouvelle audience, prit la peine de récapituler l'ensemble de ce que je lui avais dit, mettant en regard les questions qu'Elle avait posées et les réponses que j'avais faites. Puis, me prenant dans ses mains et me caressant gentiment, Elle s'exprima en ces termes, que je n'oublierai jamais : « Mon petit ami Grildrig, vous m'avez fait de votre pays un panégyrique tout à fait admirable. Vous avez nettement prouvé que l'ignorance,

l'incapacité et le vice sont les qualités que vous requérez d'un législateur, et que personne n'explique, n'interprète et n'applique les lois, aussi bien que ceux dont
l'intérêt et le talent consistent à les dénaturer. J'ai
retrouvé dans vos institutions quelques traits qui
étaient passables à l'origine, mais dont les uns sont à
moitié effacés, les autres brouillés et dénaturés par
les abus. Il ne ressort pas, de votre exposé, qu'une
seule vertu soit jamais exigée pour l'obtention d'une
de vos charges publiques, et encore moins que les
prêtres soient promus pour leur piété et leur savoir,
les soldats pour leur fidélité et leur vaillance, les juges
pour leur intégrité, les sénateurs pour leur patriotisme
et les conseillers pour leur sagesse. Quant à vous, continua le Roi, comme vous avez passé la moitié de votre
vie à voyager, je veux bien espérer que vous avez
jusqu'à présent su vous garder des nombreux vices de
vos compatriotes. Mais d'après les données que m'ont
fournies à la fois votre propre récit et les réponses que
je vous ai extorquées à grand-peine, je ne puis tirer
qu'une conclusion : c'est que les gens de votre race
forment, dans leur ensemble, la plus odieuse petite
vermine à qui la Nature ait jamais permis de ramper à
la surface de la terre. »

CHAPITRE VII

Amour de l'auteur pour son pays. — Il fait au Roi une offre très
avantageuse, qui est repoussée. — Grande ignorance du Roi en
matière de politique. — Caractère rudimentaire et incomplet du
savoir en ce pays. — Les lois, les questions militaires, les partis
politiques dans l'État.

Seul le très grand amour que je porte à la vérité m'a
retenu de cacher cette partie de mes aventures. Il

était inutile d'afficher mon ressentiment, qui était toujours tourné en ridicule, et je dus supporter en silence que mon noble et bien-aimé pays fût traité de façon aussi injurieuse. Je regrette aussi sincèrement que chacun de mes lecteurs d'avoir provoqué cet incident, mais le souverain s'était montré si intéressé par le sujet, si désireux d'en connaître tous les détails, que je n'aurais fait preuve ni de gratitude ni de courtoisie en ne lui donnant pas satisfaction dans la mesure du possible. Qu'on me permette pourtant de signaler à ma décharge que j'ai avec beaucoup d'habileté éludé un grand nombre de ses questions, et que j'ai pu sur chaque point donner des renseignements nettement plus favorables que la stricte vérité ne l'aurait exigé. Car j'ai toujours fait preuve de cette louable partialité en faveur de ma patrie, que Denys d'Halicarnasse [1] a tellement raison de recommander aux historiens. Je ne cessai de dissimuler les faiblesses et les travers de la nation dont j'étais le fils et de présenter ses vertus et ses beautés sous le jour le plus avantageux. Je n'eus vraiment pas d'autres préoccupations au cours des longs entretiens que j'avais avec le puissant monarque, bien qu'en fin de compte j'aie échoué dans mes efforts.

Mais il faut se montrer très indulgent pour un Roi qui vit entièrement séparé du reste du monde, et doit par conséquent ne pas avoir l'expérience des manières et des coutumes les plus répandues dans les autres nations. Ce manque de connaissances entraîne forcément beaucoup de préjugés et une certaine étroitesse d'esprit, dont nous-mêmes et les pays les plus civilisés d'Europe sommes complètement exempts. Et certes, on ne saurait envisager que les idées d'un Prince vivant si loin de notre continent fussent, en matière de vertus et de vices, proposées comme normes à toute l'humanité.

Pour confirmer ce que je viens de dire et pour souligner les effets déplorables d'une éducation confinée, je

veux ici insérer un passage que l'on aura du mal à
croire. Dans l'espoir d'attirer encore davantage sur
moi les faveurs de Sa Majesté, je lui révélai une invention, vieille de trois ou quatre siècles : une poudre dont
la plus petite étincelle suffit à en enflammer sur-le-
champ un tas gros comme une montagne, et à le faire
voler en l'air, avec une déflagration plus forte que le
tonnerre. Une quantité donnée de cette poudre, ajoutai-je, tassée dans un tube creux de bronze ou de fer
et variant selon la grosseur de celui-ci, est capable de
projeter une boule de fer ou de plomb avec une telle
violence et une telle vitesse que rien ne peut résister
à sa force. Les plus gros projectiles tirés de cette
façon peuvent non seulement renverser en un clin
d'œil des rangs entiers dans une armée, mais raser
complètement les remparts les plus épais, et envoyer
par le fond les plus gros navires chargés d'un millier
d'hommes. Si l'on réunit deux de ces boulets par une
chaîne, on peut s'en servir pour faucher les mâts et les
agrès, pour couper en deux des centaines de corps et
dévaster tout ce qu'on a devant soi. Nous plaçons
souvent cette poudre dans de grosses boules creuses en
fer que nous envoyons grâce à un engin spécial à l'intérieur de la ville que nous assiégeons ; on les voit
alors projeter en l'air des pavés, pulvériser les maisons,
exploser elles-mêmes et projeter des éclats de tous les
côtés, fracassant le crâne de tous ceux qui se trouvent
par là. Je conclus en disant que je connaissais très
bien les matières employées dans la fabrication de
cette poudre. Toutes étaient communes et fort bon
marché. Je connaissais aussi la proportion du mélange,
et je pouvais même par mes conseils aider les artisans
du Roi à réaliser les tubes dont j'avais parlé, mais en
les faisant à l'échelle de toutes choses au Royaume de
Sa Majesté, c'est-à-dire que les plus gros ne devraient
pas dépasser deux cents pieds de long. Vingt ou trente
de ces tubes, chargés de la quantité voulue de poudre

et de boulets, renverseraient en quelques heures les
murs de la ville la plus forte de ses domaines, ou détrui-
raient en entier la capitale s'il lui venait à l'idée de
résister à son pouvoir absolu. Voilà ce que, humblement, j'offrais à Sa Majesté, en gage bien modeste de
gratitude pour toutes les marques de faveur et de protection qu'Elle m'avait prodiguées.

Le Roi fut saisi d'horreur devant le tableau que je
lui brossais de ces terribles engins et de la proposition
que j'avais faite. Il était stupéfait de voir qu'un insecte
si impuissant que moi, et réduit à ramper (telles furent
ses propres paroles), pût nourrir des idées si inhumaines
et s'être tellement habitué à elles qu'il ne manifestait
pas la moindre émotion devant les scènes de massacre
et de désolation que je donnais comme conséquences
normales à l'emploi de ces machines exterminatrices.
« Quant à celles-ci, ajouta-t-il, c'est sûrement un mauvais génie, ennemi du genre humain, qui les a inventées.
Moi-même, je vous assure que, malgré l'extrême intérêt que je porte au progrès des techniques et des sciences naturelles, j'aimerais mieux perdre la moitié de
mon royaume que de partager un pareil secret. » Il
m'ordonna donc, si je tenais à ma vie, de ne jamais lui
en reparler.

Étrange effet des principes étroits et des vues bor-
nées! Voici un Prince comblé de toutes les qualités qui
forcent la vénération, l'amour et l'estime, doué d'une
brillante intelligence, d'une grande sagesse et d'une
profonde culture, admirablement fait pour la politique
et presque adoré de ses sujets, qui à cause de scrupules,
peut-être honorables, mais inutiles et absolument
étrangers à nos idées européennes, laisse passer, alors
qu'on la lui met dans les mains, l'occasion de se rendre
le maître absolu de la vie, de la liberté et des biens de
ses sujets. Notons que je n'ai pas l'intention, en révélant
ce trait, de déprécier la valeur de cet excellent Roi,
bien que je sois certain que sa réputation ne puisse

qu'y perdre beaucoup dans l'opinion d'un lecteur
anglais. Mais je crois que ce défaut des Brobdingnagiens n'a pas d'autre cause que leur ignorance. N'ont-
ils pas jusqu'à présent négligé de donner à la politique
le caractère d'une science, ce qu'ont fait au contraire
en Europe tous les esprits pénétrants? Je me rappelle
fort bien que le jour où je signalai au Roi, pendant
l'un de mes entretiens avec lui, qu'il existait chez
nous plusieurs milliers de livres consacrés à l'art de
gouverner, je lui fis concevoir (contrairement à mon
attente) une très piètre idée de notre entendement.
Il affichait au contraire un mélange de haine et de
mépris pour un souverain ou un ministre qui aurait
le goût du mystère, des subtilités et des intrigues. Il
n'arrivait pas à concevoir ce qu'était un secret d'État,
en dehors de ce qui avait trait à un ennemi ou à une
nation rivale. Pour lui toute la science du gouvernement se ramenait à quelques principes très simples, au
sens commun et à la raison, à la justice et à la bonté,
au jugement rapide des causes civiles et criminelles et à
quelques autres choses très banales qui ne valent pas
d'être prises en considération. Et il me dit avoir comme
opinion que celui qui ferait pousser deux épis de blé
ou deux brins d'herbe sur un coin de sol qui n'en
nourrissait qu'un seul, celui-là aurait mérité bien mieux
de l'humanité et aurait rendu un service plus grand à son
pays que toute l'engeance des politiciens mise ensemble[1].

Le savoir des Brobdingnagiens est très rudimentaire
et se ramène à quatre sciences : morale, histoire, poésie,
mathématiques. Mais s'ils sont excellents mathématiciens, il n'utilisent leurs connaissances qu'à des appli-
cations pratiques et utiles à la vie, telles que les progrès de l'agriculture et de l'artisanat, ce qui fait
que chez nous on les aurait en bien piètre estime.
Quant aux idées, aux entités, aux abstractions et aux
transcendantaux, je n'ai jamais pu leur en faire entrer
le concept dans la tête[2].

Aucune loi du pays ne peut comporter plus de mots qu'il n'y a de lettres dans l'alphabet. Or celles-ci ne sont que vingt-deux. Mais, de fait, peu de textes législatifs atteignent même cette longueur. Ils sont rédigés en termes très courants et très simples, auxquels personne dans ce peuple n'a l'esprit assez subtil pour donner plus d'une interprétation. D'ailleurs tout commentaire sur un texte de loi est puni de la peine de mort. Quant à la jurisprudence en matière civile et criminelle, elle compte si peu de précédents que nul n'a à se vanter de talents exceptionnels s'il la possède à fond.

Ils connaissent l'art de l'imprimerie, comme les Chinois, depuis un temps immémorial. Mais leurs bibliothèques ne sont pas très riches : celle du Roi, par exemple, qu'on donne pour la mieux montée de toutes, ne doit pas avoir plus d'un millier de volumes. Elle occupe une galerie de mille deux cents pieds de long, et j'étais autorisé à emprunter tous les livres que je voulais. Le menuisier de la Reine avait construit dans une des parties de l'appartement de Glumdalclitch une sorte d'appareil en bois de vingt-quatre pieds de haut, ayant la forme d'une échelle double. Chacun des degrés avait cinquante pieds de long. Il s'agissait d'un escalier portatif de plusieurs marches, dont on plaçait l'extrémité inférieure à dix pieds du mur de la chambre. Le livre que je voulais lire était posé debout contre la cloison d'en face. Je montais d'abord sur la marche du sommet, et la face tournée vers le livre je commençais à lire le haut de la page, me déplaçant de droite à gauche d'environ huit ou dix pas, selon la longueur des lignes, jusqu'à atteindre le niveau situé un peu au-dessous de mes yeux ; je descendais alors d'un degré, et ainsi de suite jusqu'à ce que j'arrive jusqu'en bas. Puis je remontais et commençais la page suivante de la même façon, après quoi je tournais la feuille du livre, ce que je faisais sans mal en m'y

prenant à deux mains, car elle n'était ni plus épaisse
ni plus dure que notre carton et les plus gros in-folio
ne dépassaient jamais dix-huit ou vingt pieds de long.

Leur style est clair, viril, aisé, sans aucune fioriture,
car il n'est rien qu'ils évitent plus soigneusement
que la redondance et la recherche des expressions
variées. J'ai lu jusqu'au bout un grand nombre de leurs
livres, spécialement ceux qui traitent d'histoire et de
morale. Parmi ces derniers je pris beaucoup de plaisir à un vieux traité, qui était toujours dans la chambre
à coucher de Glumdalclitch, et appartenait à sa gouvernante, une fort digne personne, entre deux âges,
qui était férue d'ouvrages moralisateurs ou dévots. Le
livre parle de la faiblesse humaine, et il est fort peu
goûté, sauf par les femmes et les gens du peuple. J'étais
pourtant curieux de savoir comment un naturel du
pays allait traiter le sujet. Or, l'auteur nous servait
tous les poncifs en usage chez les moralistes d'Europe,
nous montrant quel animal chétif, méprisable et
désarmé, l'homme était de nature ; combien il était
incapable de se défendre des inclémences du temps
ou de la férocité des bêtes ; à quel point toutes les
autres créatures le dépassaient, l'une en force, l'autre
en vitesse, la troisième en prudence, la quatrième en
habileté. Il ajoutait que la nature avait dégénéré au
cours de ces derniers temps de décadence universelle,
et que les êtres qu'elle produisait n'étaient que de
pauvres avortons en comparaison de jadis. Il est
normal d'admettre, disait-il, non seulement que
l'espèce humaine ait compté à l'origine des sujets bien
plus grands, mais même qu'il ait existé des géants
dans les temps très lointains. Le fait est assuré par
l'histoire et la tradition, et il est en outre confirmé
par la découverte occasionnelle d'os et de boîtes
crâniennes énormes mis au jour en différents points du
Royaume, et ne pouvant absolument pas, étant donné
leurs dimensions, venir de la race dégénérée des temps

actuels. Les lois de la Nature, selon cet auteur, exigeaient, par définition et de manière absolue, que nous eussions, au commencement, été créés d'une taille plus haute et plus forte, nous permettant de ne pas perdre la vie au premier accident venu, tel qu'une tuile tombant d'un toit, une pierre que lance un gamin ou une noyade dans un ruisselet. En vertu de ce raisonnement, l'ouvrage donnait un certain nombre de conseils moraux, utiles à suivre dans la vie, mais ne méritant pas d'être relevés ici. Pour ma part, je ne puis que noter combien est universel l'art de faire la morale (c'est-à-dire, au fond, d'apprendre à grogner et à geindre) à partir des griefs que nous avons contre la Nature. Et je crois qu'une enquête sérieuse nous montrerait que ces griefs sont aussi mal fondés chez nous qu'à Brobdingnag.

Parlons de leur armée : les troupes royales, disent-ils avec orgueil, comptent cent soixante-seize mille fantassins et trente-deux mille cavaliers. Mais faut-il leur donner le nom d'armée, puisqu'elles se composent, dans les villes, des corps de métiers et, dans les campagnes, de cultivateurs? Tous sont commandés exclusivement par des membres de la grande et de la petite noblesse, qui ne reçoivent ni solde ni indemnités. Ils sont en tout cas parfaitement entraînés et leur discipline est excellente, ce qui ne me paraît pas tellement méritoire. Car comment pourrait-il en être autrement, quand chaque fermier est sous les ordres de son propre seigneur et chaque bourgeois dépend des notables de sa propre ville, élus par vote secret comme à Venise [1] ?

J'ai souvent vu la milice de Lorbrulgrud se rendre à l'exercice, sur un grand terrain de vingt milles carrés, sis aux environs de la capitale. Ses effectifs ne dépassaient pas vingt-quatre mille fantassins et six mille cavaliers, mais il m'était impossible de les évaluer étant donné la longueur de la colonne. Un cavalier et sa monture, quand le cheval était grand, avaient

dans les quatre-vingts pieds de haut. J'ai vu tout
le corps de cavalerie mettre, au commandement, sabre
au clair et exécuter des moulinets. L'imagination ne
peut concevoir quelque chose de si grandiose, de si
étonnant, de si impressionnant. On aurait dit dix
mille éclairs jaillissant au même moment de tous les
coins du ciel.

J'aurais aimé savoir comment ce Prince, dont les
domaines n'offrent aucune voie d'accès depuis les
autres pays, avait conçu l'idée de se faire une armée
et de former son peuple à la discipline militaire. Mais
j'en eus vite l'explication, soit en conversant avec les
gens, soit en lisant leurs livres d'histoire : au cours des
temps cette nation avait connu les mêmes désordres
que le reste de l'humanité ; elle vit souvent les nobles
lutter pour le pouvoir, le peuple pour la liberté, le Roi
pour l'autorité absolue. Car si les lois du Royaume
créent entre les trois forces un heureux équilibre, celui-
ci a été plusieurs fois rompu par l'une ou l'autre
d'entre elles. Et il en est résulté un bon nombre de
guerres civiles, dont la dernière avait trouvé une heureuse solution de compromis, grâce à l'aïeul du prince
actuel, et la milice, née alors du consentement général,
a toujours gardé depuis un très strict esprit de discipline.

CHAPITRE VIII

Voyage officiel du Roi et de la Reine aux frontières du Royaume. —
L'auteur y prend part. — Relation très détaillée de la façon dont il
quitta le pays. — Son retour en Angleterre.

Je n'avais jamais perdu la conviction profonde que
j'arriverais un jour à recouvrer la liberté, bien qu'il
me fût absolument impossible de conjecturer par quels

moyens ou de former le moindre projet qui eût quelque chance d'aboutir. Le navire dans lequel j'étais venu était le premier qu'on eût jamais vu s'aventurer dans ces parages et le Roi avait donné des ordres stricts pour que tout autre bâtiment qui viendrait à se présenter fût saisi et transporté en tombereau à Lorbrulgrud. Il était bien décidé à me donner une femme de ma taille, qui me permettrait de perpétuer mon espèce. Mais je crois que j'aurais préféré la mort à la honte d'avoir des descendants destinés à être élevés en cage comme des canaris apprivoisés, et peut-être même vendus comme curiosités à des personnes de qualité dans tout le Royaume. Certes, j'étais traité avec beaucoup de bonté. J'étais le favori d'un grand Roi, d'une grande Reine, et l'enfant gâté de toute la Cour, mais dans des conditions qui ne convenaient guère à la dignité humaine. Je ne parvenais pas à oublier les responsabilités familiales que j'avais laissées derrière moi. J'avais besoin de vivre au milieu de gens à qui j'aurais pu parler d'homme à homme, et de marcher dans des rues et des champs où je ne risquerais pas de mourir écrasé comme une grenouille ou un bébé-chien. Or ma délivrance vint plus tôt que je ne l'espérais et d'une façon qui n'a rien de banal : je vais en narrer le déroulement et les circonstances.

J'étais déjà dans le pays depuis deux ans et, vers le début de ma troisième année de séjour, je pris part avec Glumdalclitch à un voyage officiel que le Roi et la Reine faisaient sur la côte Sud du Royaume. J'étais transporté, comme d'habitude, dans ma boîte de voyage, qui, je le rappelle, était une pièce confortable de douze pieds de côté. J'y avais fait installer un hamac, fixé par des cordes de soie aux quatre coins du plafond, pour être moins durement secoué lorsque l'un de nos valets me transportait, comme je le voulais parfois, sur le pommeau de sa selle. J'avais même pris

l'habitude de dormir dans mon hamac pendant que
nous faisions route. J'avais également dit au menuisier
d'aménager une ouverture dans le couvercle de la
boîte, mais non pas exactement au-dessus de mon
hamac, pour me donner de l'air quand je dormais par
temps trop chaud. Je pouvais à volonté ouvrir ou
fermer ce trou grâce à une planche coulissante.

Quand notre voyage fut terminé, le Roi décida de
passer quelques jours dans un palais qu'il possédait
près de *Flanflasnic*, ville située à moins de dix-huit
milles anglais de la mer. Glumdalclitch et moi, nous
étions très fatigués. J'avais moi-même un rhume sans
gravité, mais la pauvrette était assez mal en point
pour devoir garder la chambre. Je rêvais depuis longtemps de revoir l'océan qui restait pour moi la seule
voie possible vers la liberté si je devais la retrouver un
jour. Je me fis donc plus malade que je n'étais et
demandai la permission d'aller respirer un peu d'air
marin, sous la garde d'un page que j'aimais bien et
à qui on m'avait plusieurs fois confié. Je n'oublierai
jamais avec quelle répugnance Glumdalclitch y consentit, ni avec quelle sévérité elle enjoignit au page de
prendre bien soin de moi, éclatant brusquement en
sanglots, comme si elle avait le pressentiment de ce
qui allait se passer. Le jeune garçon m'emporta dans
ma boîte et se dirigea vers une falaise dominant la
mer, à une demi-heure du palais. Je lui dis de me déposer sur le sol, et ouvrant une de mes fenêtres je dirigeai
vers le large maint regard triste et mélancolique. Je
me sentais très las, et je dis au page que j'avais l'intention de dormir dans mon hamac, un somme ne
pouvant que me faire du bien. Je m'y hissai donc, et
le jeune garçon ferma soigneusement les fenêtres,
pour empêcher le froid d'entrer. Je ne fus pas long
à m'endormir, et tout ce que je pus conjecturer est
que, profitant de mon sommeil et persuadé qu'aucun
danger ne menaçait, le page était allé chercher des

œufs d'oiseaux dans les falaises. Je l'avais vu en
effet, de ma fenêtre, fouiller le terrain du regard, et
ramasser une ou deux fois quelque chose dans les
trous du rocher. Quoi qu'il en soit, je fus réveillé en
sursaut par un choc violent, comme si on exerçait une
traction sur l'anneau de ma boîte (ce même anneau qui
avait été fixé à son couvercle pour la rendre aisée à
transporter). Je sentis que la boîte s'élevait très haut
dans les airs, puis se déplaçait à une vitesse fantas-
tique. La première secousse avait failli me jeter à
bas de mon hamac ; je fus ensuite beaucoup moins
ballotté. J'appelai plusieurs fois au secours de toute
la force de mes poumons, mais en vain... Je regardai
par ma fenêtre mais ne vis rien que les nuages et le
ciel. J'entendais au-dessus de ma tête le bruit d'un
battement d'ailes, et je commençai alors à comprendre dans quelle triste situation je me trouvais :
un aigle avait saisi, par l'anneau, ma boîte dans son
bec, et s'apprêtait à la laisser tomber contre un rocher,
comme une carapace enfermant le corps d'une tortue,
pour m'en extraire et me dévorer. Car l'instinct et
l'odorat de cet oiseau lui permettent de déceler une
proie à grande distance, même quand elle est encore
mieux cachée que je ne l'étais sous mes planches de
deux pouces d'épaisseur.

   Je remarquai au bout d'un moment que le bruit du
battement d'ailes se faisait beaucoup plus fort et
ma boîte fut brusquement ballottée comme une enseigne de boutique par grand vent. Je perçus les chocs
d'une série de coups qui s'abattaient sur l'aigle (car
je suis sûr que c'était bien un aigle qui avait saisi dans
son bec l'anneau de la boîte), puis soudain je me sentis
descendre à la verticale. Ma chute dura une bonne
minute et elle était si incroyablement rapide que j'en
perdis presque complètement le souffle. Elle se termina par un bruit d'eau remuée, qui retentit plus fort
à mes oreilles que celui de la chute du Niagara. Après

quoi, je me trouvai dans une obscurité complète durant une autre minute, puis ma boîte se mit à remonter, assez pour que la lumière parût dans le haut des fenêtres. Je vis que j'étais tombé à la mer. Ma boîte chargée du poids de mon corps, de mon mobilier et des grosses plaques de fer posées pour renforcer les quatre coins du couvercle et du fond, s'enfonçait d'en-viron cinq pieds dans l'eau. Je pensais alors et je pense toujours que l'aigle qui s'était envolé avec ma boîte, avait été attaqué par deux ou trois de ses congé-nères et avait été forcé de me laisser choir pour se défendre contre ses adversaires qui voulaient tous une part du butin. Les plaques de fer fixées au fond de la boîte — qui étaient des plus fortes — lui conféraient son équilibre pendant la chute, et l'empêchèrent de se briser en touchant les flots. Chacun de ses joints, en tout cas, était parfaitement ajusté, et la porte n'avait pas de gonds, mais coulissait comme une vanne : tout cela faisait que mon cabinet était très étanche et c'est à peine s'il y entra quelques gouttes d'eau. Je parvins non sans mal à sortir de mon hamac, m'étant d'abord risqué à me donner de l'air, en manœuvrant la planche à glissière du trou d'aération (situé, comme je l'ai dit, au plafond), car j'étais presque complète-ment asphyxié. Combien de fois alors ne fis-je pas le vœu de me trouver avec ma chère Glumdalclitch, dont l'espace d'une heure m'avait si totalement séparé. Et je confesserai qu'au milieu de mon infortune, je ne pouvais faire autrement que de plaindre ma pauvre petite gouvernante du chagrin que lui causerait ma perte, du déplaisir qu'elle donnerait à la Reine et de la ruine de son avenir. Je me trouvais pourtant dans des difficultés et dans une détresse que bien peu de voyageurs ont sans doute connues, m'attendant à chaque instant à voir ma boîte se disloquer ou du moins chavirer sous l'effet d'un coup de vent, ou d'une lame plus forte que les autres. La rupture de l'un de mes panneaux de verre eût signifié ma mort immédiate, et ils n'avaient résisté jusque-là que grâce au fort treillis métallique que l'on avait placé à l'extérieur, en prévision des chocs pendant les voyages. Je voyais de l'eau pénétrer par quelques interstices, mais ces infiltrations n'étaient pas alarmantes et je faisais d'ailleurs tout mon possible pour les arrêter complètement. Je n'avais jamais pu soulever le couvercle de ma boîte, ce que je n'aurais pas manqué de faire si j'en avais eu la force, afin de me tenir assis dessus et éviter au moins de rester enfermé, pourrait-on dire, à fond de cale. Mais même si j'échappais pendant un jour ou deux à ces dangers, à quoi devrais-je m'attendre sinon à périr misérablement de froid et de faim? Je passai quatre heures dans cette triste situation, voyant ma fin venir à chaque minute et me prenant même à la souhaiter.

J'ai déjà dit au lecteur que sur la face de ma boîte qui ne comportait pas de fenêtres, il y avait deux gros anneaux dans lesquels le valet qui m'emportait sur le pommeau de sa selle passait une courroie qu'il s'attachait ensuite à la ceinture. Or, comme j'en étais à me désespérer, voilà que j'entendis, ou que je crus entendre, sur la cloison où étaient fixés les anneaux, une espèce de grattement, et tout de suite après j'eus l'impression que ma boîte était prise en remorque et s'avançait sur l'eau. Je voyais en effet des vagues soulevées par son mouvement recouvrir une grande partie des fenêtres, me laissant presque entièrement dans le noir. Je me repris à espérer un peu, sans trop savoir pourtant d'où le salut pouvait venir. Je me hasardai à dévisser une de mes chaises (car elles étaient fixées au plancher de façon permanente), puis, étant parvenu à la revisser juste sous le trou d'aération que je venais de dégager en faisant coulisser la planche, je montai sur la chaise et, approchant au maximum ma bouche de l'ouverture, j'appelai au secours dans toutes les langues que je savais. Puis j'attachai mon mouchoir à une canne que j'avais toujours avec moi et, le brandissant par le trou, je me mis à faire des signaux à l'extérieur, pour faire comprendre aux marins, au cas où une barque ou un vaisseau se fût trouvé par là, qu'un malheureux était enfermé dans cette caisse.

Tous mes efforts restaient sans résultat, mais je sentais nettement que ma boîte avançait et, au bout d'une heure, peut-être moins, la cloison sans fenêtre, celle des deux anneaux, vint heurter quelque chose de dur, dont je craignis d'abord que ce ne fût un récif. Ensuite, je me remis à être ballotté de plus belle, puis j'entendis sur mon couvercle le glissement d'un câble et le grincement qu'il faisait en passant dans l'anneau. Je me sentis alors soulevé par à-coups de trois bons pieds. Sur quoi, je brandis mon mouchoir et ma canne, appelant au secours jusqu'à me rendre aphone. J'entendis alors un grand cri qu'on répéta trois fois et qui me causa une joie que, seuls, peuvent imaginer ceux qui ont vécu des moments semblables. J'entendis ensuite un bruit de pas au-dessus de ma tête et une voix forte qui criait en anglais par le trou : « S'il y a quelqu'un là-dedans, qu'il le dise. » Je répondis que j'étais un Anglais, jeté par un sort funeste dans les pires malheurs qu'une créature eût jamais soufferts, et j'implorais sur le ton le plus pathétique d'être délivré du cachot où j'étais. La voix répliqua que je n'avais rien à craindre : ma boîte se trouvait amarrée à un vaisseau, et le charpentier du bord allait bientôt venir pour ouvrir à la scie, dans le couvercle, un trou assez large pour me permettre de passer. Je répondis que c'était inutile : il suffisait qu'un homme de l'équipage passât son doigt dans l'anneau et repêchât la boîte ; il la porterait ensuite à la cabine du capitaine. En entendant une sottise pareille, certains me crurent fou, d'autres se mirent à rire. De fait, il ne m'était

pas encore entré dans l'esprit que je me trouvais chez
des gens de ma taille et de ma force. Le charpentier
arriva et en quelques minutes il pratiqua à la scie une
ouverture d'un pied de côté environ. On me fit alors
passer une petite échelle, par laquelle je grimpai, puis
on me conduisit à bord, dans un état de grand épuisement.

Les marins étaient tous au comble de l'étonnement
et me posaient des milliers de questions auxquelles
je n'avais guère envie de répondre. Mais j'étais pour
ma part tout aussi ahuri à la vue de tant de pygmées,
étant incapable de les prendre pour autre chose, après
avoir eu si longtemps sous les yeux les êtres énormes
que je venais de quitter. Le capitaine, M. Thomas
Wilcocks, un digne et excellent homme, originaire du
Shropshire, me voyant sur le point de tomber en faiblesse, me mena à sa cabine et me donna un cordial
pour me soutenir. Puis il me fit étendre sur son lit,
me conseillant de dormir un peu, car j'en avais grand
besoin. Mais avant de m'endormir je lui donnai à
entendre qu'il y avait dans ma caisse un mobilier trop
précieux pour être sacrifié : un beau hamac, un bon lit
de camp, deux chaises, une table et un secrétaire. Ma
boîte elle-même était entièrement tapissée, ou plutôt
capitonnée, de soie et de coton, et s'il voulait permettre à un homme d'équipage de la lui apporter dans
sa cabine, je l'ouvrirais moi-même et lui montrerais
tous ces objets. Le capitaine, m'entendant débiter
toutes ces absurdités, conclut que je délirais. Il me
promit pourtant (et je pense qu'il cherchait à me calmer) de faire ce que je demandais. Montant donc sur le
pont, il envoya des hommes dans ma boîte, d'où ils
retirèrent (comme je le vis plus tard) tout ce que je
possédais et déclouèrent le revêtement. Mais comme je
n'avais pas averti les marins que les chaises, le bureau
et le cadre du lit étaient vissés au plancher, ils les abî-
mèrent beaucoup en les arrachant de force. Ils enle-

vèrent aussi un certain nombre de planches que l'on pouvait utiliser sur le bateau, et quand ils eurent récupéré tout ce qui semblait en valoir la peine, ils rejetèrent la carcasse à l'eau, et elle coula à pic, en raison des nombreuses brèches qu'elle avait à son fond et sur les côtés. En fin de compte, je suis heureux de ne pas avoir assisté à ce massacre, car je suis sûr qu'il m'aurait fait de la peine, en me rappelant certaines scènes de mon passé que je préfère oublier.

Je dormis plusieurs heures, d'un sommeil agité, peuplé de cauchemars où je revoyais les lieux que j'avais quittés, et les dangers auxquels j'avais échappé. Je ne m'en trouvai pas moins très reposé à mon réveil. Il était à peu près huit heures du soir et le capitaine fit servir sans tarder le souper, estimant que j'étais resté à jeun bien assez longtemps. Il me traita avec une grande amabilité, ne notant rien d'étrange dans mes attitudes, ni rien d'incohérent dans mes paroles. Et quand nous fûmes seuls, il me pria de lui faire le récit de mes voyages et de lui dire à la suite de quel accident je m'étais retrouvé enfermé dans ce monstrueux coffre en bois. Lui-même me dit l'avoir aperçu de loin vers midi alors qu'il observait la mer à la lorgnette. Il avait pensé avoir affaire à un navire et décida de l'accoster, car cela ne le déroutait guère, et il avait l'espoir de trouver du biscuit à acheter, le sien commençant à manquer. Mais, en s'approchant, il avait compris son erreur et avait envoyé la chaloupe pour identifier l'objet. Ses hommes étaient revenus effrayés, jurant qu'ils avaient vu une maison flottante. Il s'était moqué de leur sottise et avait pris lui-même la chaloupe, après avoir ordonné aux hommes d'emporter un gros câble. Comme la mer était belle, il avait tourné plusieurs fois à la rame autour de moi et avait examiné mes fenêtres, ainsi que le treillage qui les garnissait. Il avait noté que sur une des faces, celle qui était aveugle et faite uniquement de planches, il y avait

deux anneaux. Il avait donc fait ramer ses hommes
de ce côté, puis, ayant passé le câble dans un des
anneaux, il avait donné l'ordre de remorquer le coffre,
comme il disait, jusqu'au navire ; et, une fois accosté,
il avait tenté une autre manœuvre : passer un
deuxième câble par l'anneau fixé au couvercle, et
hisser le coffre à l'aide de poulies. Mais tout l'équipage
réuni n'était pas arrivé à le soulever de plus de deux
ou trois pieds. C'est alors, conclut le capitaine, qu'on
avait vu ma canne et mon mouchoir qui s'élevaient au-
dessus du trou, et qu'on avait pensé qu'un malheureux
devait être enfermé à l'intérieur. Je demandai si lui-
même, ou l'un de ses hommes, avait aperçu dans les
airs des oiseaux d'une taille prodigieuse, vers le moment
où l'on m'avait découvert. Il répondit qu'il en avait
justement parlé à ses matelots pendant que je faisais
la sieste, et que l'un d'eux lui dit avoir observé trois
aigles volant vers le nord, mais qu'il n'avait pas noté
qu'ils fussent d'une taille exceptionnelle. Je me dis
que cela s'expliquait par la grande altitude à laquelle
ils volaient, mais le capitaine ne put deviner pourquoi
je lui avais posé cette question. Je lui demandai alors
à quelle distance il pensait que nous étions de la terre.
Il me dit qu'autant qu'il pouvait le savoir, nous en
étions au moins à cent lieues : « Vous vous trompez au
moins de moitié, répliquai-je, car au moment où je
suis tombé à la mer, je n'avais pas quitté le pays d'où
je viens depuis beaucoup plus de deux heures. » L'idée
lui revint immédiatement que j'avais le cerveau fêlé,
et il me le laissa clairement entendre. Il me conseilla
même d'aller m'étendre dans la cabine qu'on m'avait
fait préparer. Mais je lui affirmai que je me sentais
très bien, grâce à ses attentions et à son aimable compagnie, et que j'étais dans mon bon sens autant que
jamais dans ma vie. Il prit alors un air grave et me
demanda en toute franchise si ce n'était pas le remords
de quelque horrible crime qui m'agitait l'esprit. Car

je pouvais avoir été puni sur l'ordre d'un prince, qui m'aurait fait enfermer dans ce coffre, de même que les grands criminels, dans d'autres pays, sont obligés de s'embarquer sans vivres dans un bateau qui prend l'eau. Il me donnait en tout cas sa parole, malgré l'ennui que lui causait la présence à son bord d'un scélérat, de me débarquer sain et sauf dans le premier port qu'il toucherait. Ce qui avait surtout éveillé ses soupçons, ajoutait-il, c'étaient les propos absurdes que j'avais tenus, d'abord aux matelots, puis à lui-même, sur ma boîte ou mon coffre, de même que certaines manières et attitudes bizarres au cours de mon repas.

Je le suppliai d'avoir la patience de m'écouter et je lui racontai fidèlement toute mon histoire, depuis mon dernier départ d'Angleterre jusqu'au moment où il m'avait découvert. Et comme la vérité s'impose toujours à un esprit rationnel, il arriva que cet excellent homme, qui n'était pas sans culture et qui avait beaucoup de bon sens, fut immédiatement convaincu de ma bonne foi et de ma sincérité. Mais pour donner plus de poids à ce que je disais, je le priai de faire apporter mon secrétaire dont j'avais la clef dans ma poche (il m'avait déjà rendu compte de ce que ses hommes avaient fait de ma boîte). J'ouvris le meuble en sa présence, et je lui montrai ma petite collection d'objets rares, réunie dans ce pays d'où j'avais pu m'échapper de façon si extraordinaire. Il y avait là un peigne que j'avais fait avec les poils de la barbe de Sa Majesté, un autre dont les dents étaient du même matériau, mais dont le dos était taillé dans une rognure d'ongle de la Reine. Il y avait aussi une collection d'aiguilles et d'épingles dont la longueur variait d'un pied à un demi-yard, quatre dards de guêpes gros comme des clous de charpente, des cheveux de la Reine, un anneau d'or qu'elle m'avait donné un jour de façon exquise : l'ôtant de son petit doigt, et me le passant au cou, comme un collier. Je priai le capitaine d'accepter cet

anneau en gage de gratitude pour ses bontés, mais il
refusa absolument. Je lui montrai un œil-de-perdrix
que j'avais moi-même extrait du pied d'une dame
d'honneur : il avait la taille d'une pomme de Kent, et
il était devenu si dur qu'à mon retour en Angleterre,
je le fis creuser en forme de coupe et baguer d'argent.
Enfin j'invitai le capitaine à regarder la culotte que
j'avais sur moi, et qui était taillée dans une peau de
souris.

Je ne pus rien lui faire accepter, si ce n'est la dent
d'un laquais que je l'avais vu examiner avec intérêt
et dont je devinai qu'elle l'avait séduit. Il la prit en
me faisant mille remerciements, que cette babiole ne
méritait guère. Elle avait appartenu à un des valets
de Glumdalclitch, qui souffrait d'une rage de dents.
Elle était la plus saine de sa mâchoire, mais un chirurgien maladroit la lui avait arrachée par erreur. Je
l'avais nettoyée et rangée dans mon secrétaire. Elle avait
environ un pied de long et quatre pouces de diamètre.

Le capitaine se déclara enchanté de ce récit sans
prétention que je lui avais fait : « J'espère bien, me
dit-il, que quand vous serez de retour en Angleterre,
vous le mettrez par écrit, et vous le publierez : ce
serait là rendre un grand service au Monde. » Je répondis que nous étions déjà submergés de livres de
« Voyages » et que le seul moyen de s'imposer était
d'écrire des choses extraordinaires, ce qui amenait
forcément certains auteurs à faire passer leur souci de
véracité après celui de leur prestige et de leur intérêt,
ou après leur envie de berner les lecteurs. Or, mon
histoire ne contenait guère que des événements ordinaires, et ne comportait pas de descriptions baroques
de plantes, arbres, oiseaux et autres animaux étranges,
ni ces exposés sur les coutumes et la religion des peuples
barbares dont presque tous les ouvrages de ce genre
abondent. Pourtant je remerciai le capitaine de son
aimable pensée et lui promis de réfléchir à la question.

Il me dit qu'il y avait une chose qui lui semblait bizarre : c'était de m'entendre parler si fort. Peut-être le Roi et la Reine de ce pays étaient-ils durs d'oreille ? Je répondis que, depuis plus de deux ans, j'avais pris l'habitude de forcer ma voix, et que j'admirais beaucoup la sienne et celles de ses hommes, qui me semblaient n'être qu'un murmure, encore que je les entendisse parfaitement. Mais là-bas, pour parler à quelqu'un, je devais crier comme un homme qui se trouve dans la rue et dont l'interlocuteur est au sommet d'un clocher, sauf quand je me trouvais dans la main d'un Brobdingnagien ou sur une table. Je lui parlai moi aussi d'une chose qui m'avait frappé : quand j'étais monté à bord et que l'équipage faisait cercle autour de moi, je crus avoir affaire à la plus méprisable petite vermine que j'aie vue de ma vie. Et il est bien vrai que pendant mon séjour chez ce monarque mon œil s'était tellement habitué aux proportions énormes des objets, que je ne pouvais supporter de me voir dans une glace, où, par comparaison, je m'apparaissais à moi-même comme un être insignifiant. Le capitaine me dit qu'en effet il avait noté, quand nous étions à table, que je regardais tout avec une sorte d'ébahissement et que j'avais souvent donné l'impression de ne pouvoir me retenir de rire, ce qu'il n'avait guère pu s'expliquer que par un dérangement de mon cerveau. Je répondis que c'était la vérité. J'étais à un doigt de pouffer de rire, quand je voyais ses plats grands comme une pièce de trois sous en argent, un jambon qui faisait à peine une bouchée, une tasse plus petite qu'une coquille de noix. J'allongeais la liste, décrivant toutes ses affaires et toutes ses provisions de cette façon-là. Car bien que la Reine eût fait exécuter pour moi, en petit, tous les objets nécessaires à mon ménage pendant que j'étais à son service, je concevais le monde à l'image de tout ce qui m'entourait, fermant les yeux sur ma petitesse, comme les gens sur leurs propres défauts. Le capitaine prit très bien mes plaisanteries et me répliqua gaiement que, d'après la vieille expérience anglaise, je devais avoir les yeux plus grands que le ventre, car il ne m'avait pas trouvé tellement bon estomac, même après une journée de jeûne. Et, continuant sur ce ton plaisant, il affirma qu'il aurait bien donné cent livres pour voir ma boîte suspendue au bec de l'aigle, puis tombant à la mer d'une telle hauteur, ce qui ne pouvait donner qu'un spectacle étonnant et digne d'être décrit dans un livre, pour passer à la postérité. La comparaison avec Phaéton s'imposait si évidemment qu'il se crut obligé de la faire, mais je n'appréciai pas ce genre d'esprit.

Le capitaine, qui faisait route vers l'Angleterre, venant du Tonkin, avait dérivé vers le nord-est par quarante-quatre degrés de latitude, et cent quarante-trois degrés de longitude. Mais comme la mousson s'était levée deux jours après mon arrivée à bord, nous fîmes longtemps route vers le Sud, puis longeant la côte de la Nouvelle-Hollande, nous tînmes l'ouest-sud-ouest et enfin le sud-sud-ouest jusqu'à doubler le cap de Bonne-Espérance. Notre voyage se passa très bien, et je ne veux pas ennuyer le lecteur en en donnant le journal de bord. Le capitaine fit escale dans un ou deux ports, et envoya la chaloupe chercher des vivres et de l'eau douce. Mais je ne quittai pas une fois le bord avant notre arrivée aux Downs, qui eut lieu le trois juin mil sept cent six, environ neuf mois après mon évasion. Je proposai au capitaine de lui laisser mes meubles en gage, en attendant de le payer. Mais il refusa d'accepter même un sou. Nous nous quittâmes bons amis et je lui fis promettre de venir me voir à Redriff. Pour cinq shillings, que m'avança le capitaine, je pus louer un cheval de bât, avec un homme pour le conduire.

A force de voir, tout au long du chemin, maisons, bêtes et gens d'une taille si minuscule, je me figurais être à Lilliput. J'avais peur d'écraser les piétons sur la route et je leur criais souvent de dégager le passage, ce qui manqua de me faire rosser une fois ou deux pour mon impertinence.

Quand j'arrivai chez moi, après avoir dû demander mon chemin, un valet vint m'ouvrir la porte. Je me baissai pour entrer (comme une oie qui franchit un portail) par peur de me cogner la tête. Ma femme accourut pour m'embrasser, mais je m'accroupis jusqu'à avoir la tête plus basse que ses genoux, pensant qu'autrement elle ne pourrait pas atteindre ma bouche. Ma fille s'était agenouillée pour recevoir ma bénédiction, mais elle dut se remettre debout, sans cela je ne l'aurais pas vue, tellement j'étais habitué à tenir la tête en l'air et à lever les yeux à plus de soixante pieds du sol. Mon premier mouvement fut d'ailleurs de la prendre par la taille, pour la soulever d'une seule main. Je regardais de bas en haut les domestiques et un ou deux amis venus chez moi, comme s'ils étaient des pygmées et moi un géant. Je dis à ma femme qu'elle s'était montrée trop économe : elle avait tant rogné sur ses rations et celles de sa fille que je les trouvais toutes deux réduites à rien. Bref, je me comportais de façon si étrange, que tous réagirent comme le capitaine la première fois qu'il m'avait vu : ils conclurent que j'avais perdu la raison. Je mentionne ces faits pour faire comprendre quelle force peuvent avoir l'habitude et les préjugés.

Je ne tardai pas à retrouver une vie normale entre ma famille et mes amis. Mais ma femme jurait qu'elle ne me laisserait pas reprendre la mer. Pourtant un sort contraire avait décidé qu'elle n'aurait pas le pouvoir de m'en empêcher, comme le lecteur l'apprendra par la suite. Qu'il me permette de mettre le point final à cette deuxième partie de mes infortunés voyages.

FIN DE LA DEUXIÈME PARTIE

TROISIÈME PARTIE

*Voyage
à Laputa, Balnibarbi,
Glubbdubdrib, Luggnagg
et au Japon* [1]

CHAPITRE I

L'auteur entreprend un troisième voyage. — Il tombe aux mains
des pirates. — Scélératesse d'un Hollandais. — L'auteur arrive dans
une île. — On le reçoit dans Laputa.

J'étais à peine chez moi depuis dix jours, quand je
reçus la visite d'un Cornouaillais, le capitaine William
Robinson, qui commandait la *Bonne-Espérance*, solide
vaisseau de trois cents tonneaux. J'avais été sous ses
ordres jadis, comme médecin du bord, sur un navire
qui allait au Levant et dont il était, pour un quart, le
propriétaire. Il m'avait toujours traité en frère plus
qu'en officier subalterne ; et quand`il apprit mon
retour, il vint me faire cette visite, par pure amitié,
semblait-il, car notre conversation n'eut rien de particulier et fut celle de deux camarades qui se retrouvent.
Mais il revint souvent me voir, se disant ravi de ma
bonne mine et voulant savoir si j'avais renoncé à la
mer. Lui-même, ajoutait-il, avait en projet un voyage
aux Indes orientales et partirait dans deux mois... Un
jour enfin, et non sans quelques précautions oratoires,
il me posa franchement la question : viendrais-je avec
lui comme médecin du bord ? J'aurais un aide-médecin
en plus de nos deux seconds ; je toucherais double
paye ; je serais pratiquement comme un autre commandant de bord ; il promettait de suivre mes conseils,

car il connaissait mon sens de la mer, et le jugeait au moins égal au sien.

Il me fit tant de compliments, et je le savais d'ailleurs si honnête homme, que je ne pus rejeter ses propositions. Mes mésaventures passées n'avaient d'aucune manière apaisé ma soif ardente de visiter le monde. Il restait sans doute une difficulté : c'était d'obtenir le consentement de ma femme. Elle se laissa pourtant convaincre en songeant au bien de ses enfants.

Nous mîmes à la voile le cinq août mil sept cent six, et nous arrivâmes à Fort-Saint-Georges [1] le onze avril mil sept cent sept. Nous y relâchâmes trois semaines, pour reposer l'équipage, car nous avions beaucoup de malades. Nous nous rendîmes ensuite au Tonkin, où le capitaine décida de s'attarder, car les livraisons escomptées n'étaient pas prêtes, et réclamaient encore plusieurs mois de délais. Pour faire face à ces frais imprévus, il acheta un sloop, le chargea des marchandises que les Tonkinois achètent pour aller les revendre dans les îles voisines, et, mettant à bord quatorze hommes, dont trois indigènes, il m'en confia le commandement : je devais faire du cabotage tout le temps qu'il réglerait ses affaires au Tonkin.

Après trois jours à peine de mer, nous essuyâmes une grosse tempête : nous dérivâmes cinq jours vers le nord-nord-est, puis vers l'est ; enfin le beau temps reparut, avec une brise d'ouest encore assez forte. Vers le dixième jour, nous fûmes pris en chasse par deux pirates, qui nous eurent tôt rattrapés. Car mon sloop était si chargé qu'il ne pouvait aller vite, et nous n'étions pas en état de nous défendre.

Les deux pirates nous abordèrent en même temps et nous assaillirent furieusement à la tête de leurs hommes. Mais j'avais donné l'ordre de se coucher à plat ventre, et c'est dans cette position qu'ils nous trouvèrent tous. Ils nous firent donc lier de grosses cordes et garder à vue ; puis ils descendirent fouiller le sloop.

Je remarquai parmi eux un Hollandais qui paraissait jouir de quelque autorité, mais sans être le chef d'aucun des deux navires. Nous ayant identifiés comme Anglais, il s'en vint jargonner dans sa langue et nous jura qu'on nous lierait dos à dos, et qu'on nous jetterait à la mer. Je ne parle pas trop mal le néerlandais, et je lui dis qui nous étions, le priant de considérer notre qualité de chrétiens et de protestants, fils d'une terre voisine et fidèle alliée[1] de la sienne ; et de nous obtenir la pitié des capitaines. Mes paroles le rendirent fou furieux : il réitéra ses menaces, puis, se tournant vers ses compagnons, il leur fit une harangue enflammée, en une langue qui devait être du japonais, et où revenait sans cesse le mot *cristianos*[2].

Le plus gros des deux navires pirates avait pour chef un Japonais, qui savait quelques mots de mauvais néerlandais. Il s'approcha de moi et me posa plusieurs questions auxquelles je répondis avec une grande humilité. Il nous promit alors la vie sauve. Je lui fis une inclination profonde, et me tournant vers le Hollandais, je lui dis combien il m'était pénible de trouver plus de compassion chez un païen que chez un chrétien comme moi. Paroles insensées, dont j'eus bientôt à me repentir. Car ce vil drôle voulut par tous les moyens convaincre les deux capitaines de me jeter à la mer ; et, comme ils n'y consentaient pas, pour m'avoir promis la vie sauve, il obtint du moins qu'ils me punissent et de façon apparemment pire que la mort même. Mes hommes furent répartis par groupes égaux entre les deux navires pirates, et le sloop reçut un nouvel équipage. Quant à moi, on décida de m'abandonner à mon sort, seul dans un petit canot doté d'une voile et de rames, avec quatre jours de vivres. Mais le capitaine japonais eut la charité de me doubler mes provisions, en prenant sur ses propres réserves, et ne toléra pas que je fusse soumis à la fouille. Je descendis donc dans le canot sous la pluie de jurons et d'insultes que le

Hollandais me lançait depuis le pont, jusqu'à épuisement de son vocabulaire.

J'avais fait le point une heure avant l'arrivée des pirates : nous voguions par quarante-six degrés de latitude Nord, et cent quatre-vingt-trois degrés de longitude. Quand je fus à quelque distance des pirates, je découvris à la lorgnette un groupe d'îles vers le sud-est. Je résolus d'atteindre la plus proche de celles-ci, et mis à la voile, car le vent était favorable. Le trajet me prit trois heures environ. L'île n'était qu'un récif rocheux, mais j'y récoltai beaucoup d'œufs. Je battis le briquet et fis un feu de bruyère et d'herbes sèches pour avoir des œufs rôtis. Ce fut là tout mon souper car j'étais décidé à épargner mes provisions le plus possible. Je passai la nuit sous une roche en surplomb, où j'avais fait un mauvais lit de bruyère. Je ne dormis pas mal du tout.

Le jour suivant, je touchais une autre île ; puis une troisième, puis une quatrième. Je naviguais tantôt à la rame, tantôt à la voile. Mais le détail de mes tribulations ennuierait le lecteur : disons simplement que le cinquième jour j'arrivai à la dernière île en vue, au sud-sud-est de la précédente.

Cette île était plus éloignée que je n'avais pensé. Il me fallut près de cinq heures pour l'atteindre. Je dus la contourner presque en entier avant de rencontrer un mouillage : c'était une petite crique, trois fois large à peu près comme mon canot. L'île était tout en roche vive, mais quelques touffes d'herbe s'y mêlaient aux plantes aromatiques. Je débarquai mes maigres provisions ; puis, après m'être restauré, je mis le reste à l'abri dans un des nombreux trous du rocher. Je trouvai beaucoup d'œufs sur la falaise et fis aussi un gros tas d'algues et d'herbes sèches, que je comptais allumer le jour suivant pour rôtir mes œufs le mieux possible (car j'avais sur moi mon briquet et sa pierre, de l'étoupe et un verre grossissant). Je passai la nuit

dans la grotte où j'avais mis mes provisions, couché
sur ces mêmes bottes d'herbes et de goémon que je
gardais comme combustible. Je dormis fort mal : car
mes soucis étaient plus forts que ma fatigue et me
tinrent éveillé. Je voyais combien mon sort était déses-
péré sur cet îlot misérable et à quelle triste fin j'étais
condamné. Mon apathie et mon abattement étaient
tels que je n'avais pas le cœur de me lever [1], et quand
je me décidai enfin à ramper hors de ma grotte, il
faisait déjà grand jour. Je fis quelques pas sur les
rochers. Le ciel était parfaitement clair et le soleil
donnait si fort que je ne pouvais regarder dans sa
direction. Or, il perdit brusquement son éclat, mais non
pas, notai-je, comme s'il se couvrait de nuages ; je me
retournai et vis qu'une grande masse opaque passait
entre moi et le soleil, s'avançant en direction de l'île :
elle pouvait bien être à deux milles de hauteur et
cacha le soleil pendant cinq à six minutes. Je ne trouvai
pourtant ni l'air bien plus frais ni la lumière beaucoup
moins vive que si je me trouvais à l'ombre d'une montagne. Quand cette chose inconnue fut suffisamment
près, je vis qu'il s'agissait d'un corps solide dont la
face inférieure était plate et lisse au point que la mer,
en s'y réverbérant, lui donnait un vif éclat. J'étais sur
une hauteur qui dominait la plage de peut-être deux
cents yards, et vis cette masse énorme descendre
jusqu'à se trouver à peu près à mon niveau ; je n'en
étais pas alors à plus d'un demi-mille et, à la lorgnette,
je voyais nettement des gens qui, en grand nombre,
montaient et descendaient, au long de ses flancs en
pente. Mais ce qu'ils étaient en train de faire, je ne
pouvais le distinguer.

L'instinct de vivre me poussait sans doute à la joie :
j'étais déjà prêt à reprendre espoir. Cette aventure
n'allait-elle pas, d'une manière ou d'une autre, me
permettre d'échapper à ce lieu désolé, à cette situation
sans issue ? Mais, en même temps, je ne saurais dire au

lecteur à quel point j'étais abasourdi de voir flotter en
l'air une île peuplée d'hommes, capables apparemment
de la faire, à leur gré, monter, descendre ou circuler [1].
Je n'étais guère, pourtant, en disposition de philo-
sopher sur ce phénomène, et je m'occupais bien plus
de savoir dans quelle direction allait repartir l'île,
car elle semblait pour l'instant s'être immobilisée. Elle
ne tarda pas cependant à s'avancer de mon côté, et je
vis alors que ses flancs étaient parcourus de galeries
parallèles et unies ensemble par un certain nombre
d'escaliers. Sur la galerie inférieure il y avait des gens
qui pêchaient avec de très longues lignes, et d'autres
qui regardaient. Je fis des signaux à l'île avec mon
mouchoir et mon bonnet de marin. (Mon chapeau
d'officier était depuis longtemps au rebut.) Et comme
elle approchait encore, j'appelai et criai du plus fort
que je le pouvais. Regardant alors attentivement, je
vis qu'un attroupement se formait du côté qui me faisait
face. On se faisait des signes, on me montrait du
doigt, et je compris que j'étais repéré, quoique personne
ne répondît à mes appels. Quatre ou cinq hommes
pourtant s'élancèrent en courant vers le haut de l'île.
Je les vis remonter les escaliers à toute allure, puis je
les perdis de vue : j'avais quelques raisons de penser
qu'on les envoyait aux ordres auprès de l'autorité
compétente.

La foule des curieux augmentait. Au bout d'une
demi-heure à peine, l'île se remit à manœuvrer : la
galerie inférieure vint se mettre à la hauteur de ma
butte et à moins de cent yards de moi. Je pris alors les
postures les plus suppliantes et parlai sur le plus humble
des tons, mais je n'obtins pas de réponse. Ceux qui me
faisaient face le plus directement semblaient être des
personnes de qualité, à en juger par leurs costumes. Ils
parlaient entre eux gravement, en me désignant souvent du regard. Enfin l'un d'eux m'interpella en un
langage clair, affable et doux, dont le son rappelait

celui de l'italien. Je lui répondis donc en cette langue, pensant que la cadence au moins en serait agréable à ses oreilles. Et, bien qu'il fût impossible de me faire comprendre, on devina ce que je voulais, car ma détresse était assez visible.

On me fit signe de descendre de mon rocher et de me rendre sur la plage, ce que je m'empressai de faire ; puis l'île volante vint se ranger à un niveau convenable, avec son bord juste au-dessus de moi. On me lança, depuis la galerie inférieure, un siège fixé à une chaîne ; je m'y assis et un système de poulies me hissa vers le haut.

CHAPITRE II

Caractère et idées des Laputiens. — Bilan de leur science. — Le Roi et sa Cour. — Réception faite à l'auteur. — Craintes et préoccupations des habitants. — Portrait des Laputiennes.

A peine arrivé, je fus pris dans une foule nombreuse, mais ceux que j'avais tout contre moi paraissaient de grands personnages. Ils me regardaient avec l'ébahissement le plus complet, et je dois dire que je le leur rendais bien ; car jamais je n'avais vu une race de mortels si étranges, tant par leur allure que par leur costume et leurs manières. Ils avaient tous la tête inclinée, soit à gauche, soit à droite, et un œil tourné vers le dedans, tandis que l'autre se fixait sur le zénith [1]. L'étoffe de leurs vêtements était décorée de soleils, de lunes, et d'étoiles, entremêlés à des violons, flûtes, harpes, trompettes, guitares, clavecins et autres instruments de musique sans équivalents en Europe. Je les voyais entourés de plusieurs laquais en livrée qui tenaient à la main une sorte de fléau à manche court dont la tête était une vessie gonflée. (Je sus plus tard

que, dans la vessie, il y avait des pois secs et de petits
cailloux.) Les laquais tapaient de temps en temps
avec leur vessie sur la bouche ou les oreilles du personnage qu'ils accompagnaient ; et je ne comprenais rien
à cette pratique. Il paraît que ces êtres ont l'esprit
tellement absorbé par d'intenses spéculations, qu'ils
sont incapables de tenir ou d'écouter une conversation,
si l'on ne tient pas en éveil par quelque attou-
chement leur organe du parler ou de l'ouïe ; voilà
pourquoi tous ceux qui en ont les moyens comptent
parmi leurs gens un domestique frappeur (appelé
dans leur langue *climenole*) ; jamais ils ne sortent ni ne
vont en visite sans l'emmener. Le rôle de cet employé
est, quand deux ou plusieurs personnes sont réunies,
de donner un léger coup avec sa vessie sur la bouche de
celui qui a la parole, et sur l'oreille droite de son auditeur, ou de son auditoire. Il a également la charge de
surveiller son maître dans ses déplacements et de lui
donner, le cas échéant, un petit coup sur les yeux. Car
celui-ci est toujours si distrait par ses pensées, qu'il
court le risque manifeste de tomber dans le premier
précipice venu, ou de donner du crâne contre un poteau ;
et, dans la rue, de renverser les gens ou d'être renversé
lui-même dans la rigole [1].

Je devais cette explication au lecteur, qui n'aurait
pu, sans elle, comprendre mieux que moi le comportement de ces êtres, tandis qu'ils me conduisaient par
les escaliers vers le haut de l'île, et puis au Palais
royal. Plusieurs fois au cours de la montée, ils oublièrent
ce qu'ils étaient venus faire là et me délaissèrent jusqu'à ce que leurs frappeurs leur eussent réveillé la
mémoire. Ils semblaient alors complètement indiffé-
rents à mon costume et à mon allure étrangère ainsi
qu'aux cris de la foule, dont l'esprit semblait moins
asservi par la méditation.

Nous entrâmes enfin dans le Palais royal et nous
fûmes admis dans la Grand-Salle d'Audiences. Je vis

le Roi, assis sur son trône et entouré de dignitaires.
Devant le trône, il y avait une grande table chargée de
globes et de sphères, ainsi que de divers instruments
scientifiques. Sa Majesté ne nous prêta pas la moindre
attention, encore que notre entrée ne se fût pas faite
sans un certain désordre, tous les gens de la Cour s'étant
précipités dans la salle. Mais il était alors absorbé par
un problème, et nous attendîmes une bonne heure
qu'il en tînt la solution. Deux jeunes pages l'enca-
draient, le frappoir à la main ; quand ils le virent
libéré de son problème, ils lui donnèrent chacun un
petit coup, l'un sur la bouche, l'autre sur l'oreille
droite ; il sursauta comme un dormeur qu'on réveille [1],
et, me regardant, moi et mes accompagnateurs, il se
rappela ma visite, qu'on lui avait annoncée. Il proféra
quelques mots ; aussitôt, un jeune homme vint à moi
avec son frappoir et m'en donna un petit coup sur
l'oreille droite, mais je tâchai de lui expliquer par signes
que je me passais très bien de son instrument ; je sus
plus tard que ma réaction donna à Sa Majesté et à la
Cour une piètre idée de mon entendement. Le Roi,
autant que je pus en juger, me posa diverses questions,
et je lui parlai dans toutes les langues que je connusse.
Quand preuve fut faite que je ne saurais rien comprendre et qu'on ne me comprendrait pas mieux, le
Roi me fit conduire dans un des appartements du Palais
(ce prince l'emportant sur tous ses prédécesseurs pour
sa largesse envers les étrangers), et fit mettre deux
serviteurs à ma disposition. On apporta mon dîner,
et quatre des dignitaires que je me rappelais avoir vus
autour de la personne du Roi, me firent l'honneur de le
prendre à ma table. Il y eut deux services de trois
plats chacun. Au premier service on nous donna de
l'épaule de mouton coupée en triangle équilatéral, une
pièce de bœuf à l'état de rhomboïdes et un boudin
cycloïdal. Le second service comportait deux canards
moulés en forme de violon ; des saucisses et des boudins

ayant l'aspect de flûtes et de hautbois, et une poitrine de veau reproduisant une harpe. Les serveurs nous coupaient du pain en cônes, cylindres, parallélogrammes et autres figures géométriques.

Au cours du repas, je pris la liberté de demander comment se disaient dans la langue du pays un certain nombre de choses. Et ces nobles personnes, grâce à l'intervention de leurs frappeurs, daignèrent me donner les réponses, escomptant sans doute pouvoir m'éblouir de leur science, le jour où j'en viendrais à parler avec elles... Je sus vite réclamer du pain, du vin, et tout ce qu'il me fallait.

Après le repas mes commensaux se retirèrent, mais je vis se présenter un autre personnage, accompagné de son frappeur. Il venait par ordre du Roi et apportait une plume, de l'encre, du papier, et trois ou quatre livres, me donnant à comprendre, par signes, qu'il devait m'enseigner sa langue. Nous passâmes ensemble quatre heures, au cours desquelles j'établis une longue liste de mots, avec leur traduction en regard. Je trouvai aussi le moyen d'apprendre quelques phrases courtes, car mon professeur disait à un de mes domestiques d'aller chercher quelque chose, de faire demi-tour, de s'incliner ; ou bien de s'asseoir, se tenir debout, marcher et ainsi de suite. Je prenais alors note de l'expression. Il me montra aussi dans ses livres les figures du Soleil, de la Lune, des étoiles, du zodiaque, des tropiques et des cercles polaires et m'apprit la dénomination de nombreuses autres figures de géométrie plane et dans l'espace. Il me nomma et me décrivit tous les instruments de musique, et me dit les termes techniques dont usaient les musiciens. Quand eut pris fin sa leçon, je classai par ordre alphabétique les mots dans les deux langues. Par cette méthode, et grâce à ma mémoire, qui est fort bonne, je me familiarisai en quelques jours avec le laputien.

Le mot que je traduis par « Île volante » ou « flottante » se dit en cette langue *Laputa* ; mot dont je ne distingue pas la vraie étymologie. *Lap* est un archaïsme, et signifie « haut » en vieux laputien. *Untuh* veut dire « gouverneur ». La forme « Laputa » viendrait donc, selon eux, de la corruption du groupe *lapuntuh*. Mais je n'aime pas cette interprétation, qui me semble un peu forcée. J'osai donc soumettre à leurs grammairiens une hypothèse personnelle : *Laputa* me faisait penser à *Lap outed*, où *Lap* signifie exactement « le scintillement des rayons du Soleil sur la mer », et *outed*, « une aile ». Mais je ne garantis pas cette étymologie ; je la propose simplement à la sagacité du lecteur [1].

Le mauvais état de mes vêtements avait frappé les mentors que le Roi m'avait donnés. Ils firent donc venir le tailleur qui prit mes mesures pour un costume, mais ce spécialiste usait de procédés fort différents de ce qu'on voit en Europe. Il détermina d'abord ma hauteur avec un quart de cercle ; puis, à la règle et au compas, il releva les dimensions et la forme géométrique de chaque partie de mon corps ; le tout fut consigné par écrit, et, au bout de six jours, il m'apporta des habits complètement manqués et de forme extravagante : il avait confondu deux formules en faisant les opérations. Mais je vis que personne ne prenait au tragique de pareils accidents qui étaient monnaie courante, et ce fut ma consolation [2].

Je dus garder la chambre un certain temps, d'abord par manque d'habits, puis à cause d'une indisposition qui m'y retint plusieurs jours : mon dictionnaire y gagna beaucoup, de sorte que, quand je parus enfin à la Cour, je comprenais assez bien ce que disait le Roi et pouvais lui répondre tant bien que mal. L'île avançait vers le nord-nord-est, l'ordre de Sa Majesté étant de la mettre à la verticale de Lagado, capitale du Royaume de terre ferme. Nous en étions alors à quatre-vingt-dix lieues et le trajet nous prit quatre jours et demi. Je n'avais nullement l'impression d'être dans une île en mouvement sur l'air. Le deuxième jour, vers onze heures du matin, le Roi fit préparer les instruments de musique. Puis tous, le Roi lui-même, ses officiers, ses dignitaires, ses courtisans se mirent à jouer sans arrêt pendant trois heures de suite ; j'avais la tête cassée par tout ce bruit, mais je n'aurais pu comprendre ce qui se passait sans les explications de mon mentor. Il me dit que l'oreille des Laputiens était sensible à la musique des Sphères, qui se faisait régulièrement entendre à une période donnée, et les gens de la Cour savaient accompagner l'orchestre céleste, chacun sur son instrument favori [1].

Au cours de notre voyage vers Lagado, la capitale du Royaume, Sa Majesté faisait arrêter l'île au-dessus de certaines villes ou villages, pour y recevoir les pétitions de ses sujets. A cet effet, on laissait pendre des ficelles avec un petit plomb à leur bout. Les gens y accrochaient leurs pétitions, et quand elles s'élevaient en l'air, les ficelles faisaient penser à la corde d'un cerf-volant garni de ses petits bouts de papier. On nous livrait parfois du vin et des vivres, que des poulies hissaient là-haut.

Ma connaissance des mathématiques m'aida grandement à me familiariser avec leurs idiotismes, qui sont très souvent tirés de cette science, ou de la musique ; celle-ci non plus ne m'est pas étrangère. Leurs idées aiment à s'énoncer en lignes et en figures. S'ils veulent par exemple louer la beauté d'une femme, ou de tout être vivant, ils la décrivent à l'aide de cercles, de parallélogrammes, d'ellipses et autres termes de la géométrie ; ou alors ils font appel au vocabulaire technique de la musique, qui serait ici sans intérêt. Je remarquai dans la cuisine du Roi toutes sortes d'accessoires scientifiques et d'instruments de musique, qui servaient de modèles pour le découpage des viandes servies à la table de Sa Majesté.

Leurs maisons sont très mal bâties, les murs de

travers, sans aucun angle droit dans un appartement ;
la cause de ce défaut réside en leur mépris pour la
géométrie pratique [1] ; ils rejettent celle-ci comme vulgaire et artisanale, mais ils donnent à leurs maçons
des instructions bien trop compliquées pour leur entendement, ce qui est cause de mille erreurs. Et, s'ils font
preuve d'intelligence sur le papier, s'ils manient bien
la règle, le crayon et le compas à pointes, je puis dire que,
dans la vie de tous les jours, je n'ai jamais vu des gens
si maladroits, gauches et incapables, ni d'esprits plus
lents, et plus hésitants sur toutes les questions qui
ne sont pas de mathématiques ou de musique. Ce sont
de mauvais raisonneurs et ils défendent d'habitude
leurs idées *mordicus*, sauf pourtant quand elles se
trouvent être justes, ce qui n'arrive pas souvent. Ils
sont absolument incapables d'imagination, de fantaisie
ou d'invention, et n'ont même pas dans leur langue de
mots pour désigner ces réalités ; leur pensée vit dans
un monde réduit à deux sciences ; elle ne saurait en
sortir.

Nombre de savants, surtout quand leur branche est
l'astronomie, croient ferme en les vertus de l'astrologie [2]
sans oser pourtant le reconnaître en public. Mais ce
que j'admirais le plus, et qui, à vrai dire, me semblait
inconcevable, c'était leur intérêt passionné pour les
problèmes d'actualité et pour la politique. Ils voulaient
tout savoir des affaires publiques et tranchaient les
questions administratives, s'acharnant à défendre pied
à pied les thèses de leur parti. J'ai d'ailleurs observé la
même tendance chez les mathématiciens que j'ai connus
en Europe [3], bien que je n'aie pu voir ce qu'avaient
de commun la science du gouvernement et celle des
nombres. Ces gens-là se figurent-ils peut-être que, de
même qu'un grand cercle ne se divise pas en plus de
degrés qu'un petit, de même on peut régenter et admi-
nistrer toute la Terre sans avoir besoin de plus de qualités que pour manœuvrer et faire tourner une boule ?

Je retrouve plutôt sous cette manie un vice commun à tous les hommes : ce qui éveille le plus notre intérêt, ce qui nous passionne, c'est précisément le sujet qui nous convient le plus mal, tant à cause de notre nature que de notre formation.

Ces gens sont toujours en proie à l'inquiétude ; leur esprit n'a jamais une minute de paix ; mais leur trouble naît de bien autres sujets que chez le reste des mortels. Leurs appréhensions viennent de ce qu'ils redoutent certains changements dans les corps célestes. Par exemple que la Terre, dont l'éloignement par rapport au Soleil diminue constamment, ne finisse par être absorbée et avalée ; que la face du Soleil ne soit petit à petit encroûtée par ses propres émanations et cesse de donner sa lumière au monde ; que la Terre, après avoir évité d'extrême justesse une rencontre avec la queue de la dernière comète (qui l'eût infailliblement réduite en cendres), ne soit détruite par la suivante, dont leurs calculs annoncent l'arrivée dans trente et un ans d'ici. En effet, si lors de son périhélie elle s'approche jusqu'à un certain point du Soleil (et d'après leurs calculs, il y a lieu de le craindre), elle atteindra un degré de chaleur dix mille fois supérieur à celui du fer chauffé au rouge, et, s'éloignant du Soleil, elle aura derrière elle une queue incandescente, dont la longueur en milles serait de dix fois cent mille plus quatorze (de sorte que si la Terre passait à une distance de cent mille milles du *nucleus*, ou corps principal de la comète, elle s'enflammerait au passage et serait réduite en cendres) ; que le Soleil, qui gaspille tous les jours la chaleur de ses rayons sans en recevoir une autre pour la compenser, ne doive à la fin se consumer et se réduire à néant, ce qui signifierait la destruction de cette Terre et de toutes les planètes qui reçoivent la lumière de lui.

Ces appréhensions, et d'autres craintes du même genre, les font vivre dans un tel état d'alarme perpétuelle, qu'ils ne sauraient ni reposer tranquillement dans leur lit, ni prendre goût aux plaisirs ou amusements ordinaires de la vie. Quand deux amis se rencontrent au matin dans la rue, leur première question est sur la santé du Soleil : Quelle mine avait-il à son lever et à son coucher ? Et ce choc avec la comète, reste-t-il une chance encore de l'éviter ? Ils se délectent autant à tenir ces conversations que les enfants à écouter des histoires de revenants et de gnomes ; car les enfants adorent qu'on les leur conte, mais ils ont peur ensuite d'aller se mettre au lit.

Les femmes de l'île sont débordantes de vitalité ; elles méprisent leurs maris et raffolent des étrangers. Ceux-ci sont d'ailleurs très nombreux à la Cour, où ils se rendent depuis le continent, soit pour affaires municipales et corporatives, soit pour des motifs privés. On les y regarde de très haut pour leur insuffisance intellectuelle, mais c'est parmi eux que ces dames choisissent leurs galants. Ce qui est regrettable, c'est la dérisoire facilité de ces intrigues, car le mari est toujours si absorbé dans ses spéculations, qu'il laisse les deux amants se caresser à sa barbe, pourvu qu'on l'ait fourni d'un papier et d'une trousse à dessin et qu'on ait éloigné son frappeur. Toutes les femmes de l'île, mariées ou non, se plaignent d'y être confinées. L'endroit me semble pourtant le plus délicieux du monde ; elles y vivent dans le luxe le plus extraordinaire et peuvent s'y conduire absolument à leur guise. Mais elles rêvent de visiter le monde et de goûter les plaisirs de la capitale. Or, cette faveur ne s'obtient que très rarement, et demande un placet spécial du Roi. Les gens de qualité savent en effet, par expérience, combien il leur est difficile de faire revenir leurs femmes une fois qu'elles sont descendues à terre. On m'a conté le cas d'une grande dame de la Cour, mère de plusieurs enfants et femme du Premier Ministre ; lequel est le plus riche seigneur du Royaume, a un caractère charmant, l'aime

à la folie, et vit dans le plus beau palais de l'île ; elle
descendit un jour à Lagado, sous le prétexte de sa
santé, et resta plusieurs mois cachée là-bas jusqu'à ce
que le Roi l'envoyât chercher par des gens de justice ;
on la trouva au fond d'une gargote et vêtue de haillons, car elle avait mis ses robes en gage pour faire vivre
un laquais [1], un hideux vieillard qui la battait tous les
jours, mais des mains de qui on ne put l'arracher qu'à
grand-peine. Et, bien que son mari l'eût accueillie
avec une tendresse extrême et sans lui faire le moindre
reproche, peu de temps après elle parvenait à fuir encore avec tous ses bijoux ; elle rejoignit le même
amant et disparut sans laisser de traces...

L'impression du lecteur sera peut-être que cette
histoire a dû se passer en Europe, ou en Angleterre,
plutôt qu'en un pays si lointain. Mais qu'il considère,
de grâce, que les caprices du sexe féminin ne sont
limités ni par le climat ni par la race, et qu'ils sont
beaucoup plus universels qu'on ne le croit généralement.

Au bout d'un mois à peu près, j'avais fait assez de
progrès en leur langue pour répondre à presque toutes
les questions que me posait le Roi, quand j'avais l'honneur de le voir : Sa Majesté ne montrait pas la moindre
curiosité pour les lois, les institutions, l'histoire,
la religion et les mœurs des pays que je connaissais ;
Elle se bornait à m'interroger sur l'état des mathématiques, et accueillait les renseignements que je lui
donnais avec beaucoup de dédain et d'indifférence,
bien que ses deux frappeurs ne se fissent pas faute de
lui réveiller l'esprit.

CHAPITRE III

Explication de certains phénomènes grâce à la philosophie et à l'astronomie modernes. — Compétence des Laputiens en cette dernière science. — Les méthodes de répression qu'emploie le Roi.

Je demandai à ce Prince la permission de visiter les curiosités de l'île. Il eut la bonté de me l'accorder, et me fit accompagner par mon mentor. Ce qui m'intéressait le plus, c'était d'apprendre par quel phénomène naturel ou grâce à quelle technique humaine, cette masse se déplaçait ainsi. Je vais maintenant renseigner le lecteur :

L'Île volante, ou flottante [1], a la forme d'un cercle parfait. Son diamètre est de sept mille huit cent trente-sept yards, c'est-à-dire environ quatre milles et demi, sa superficie est donc de dix mille acres. Elle a trois cents yards d'épaisseur. Le fond ou surface inférieure, qui est celle que l'on voit d'en bas, est une vaste plaque de diamant poli, épaisse de deux cents yards. Au-dessus se succèdent des couches de minéraux dans leur ordre accoutumé, et le tout est recouvert d'un lit de riche terre labourable, profond de dix ou douze yards. La surface est de profil incliné, et la pente va des bords au centre, de sorte que l'eau qu'elle reçoit sous forme de pluie ou de rosée est conduite par des rigoles vers ce centre, où elle se déverse dans deux vastes bassins, ayant chacun un demi-mille de circonférence et situés à deux cents yards du point central. C'est l'évaporation quotidienne de l'eau à la chaleur du soleil qui empêche ces bassins de déborder. D'ailleurs, comme il est au pouvoir du monarque de faire monter l'île au-dessus de la zone des nuages et de la brume, il lui est facile d'empêcher à son gré la chute de rosée ou de pluie. Car les plus hauts nuages ne dépassent jamais, selon tous les naturalistes, l'altitude de deux milles (il en est du moins ainsi dans ce pays).

Au centre de l'île, il y a un puits de quarante yards
environ de diamètre, qui permet aux astronomes de
descendre dans une vaste excavation, appelée en leur
honneur *Flandona Gagnole* ou Grotte des Astronomes.
Celle-ci se trouve dans la couche de diamant, à cent
yards de son sommet. Vingt lampes y brillent en permanence, et le diamant renforce et multiplie leur éclat.
La salle contient mille sortes de sextants, quarts de
cercle, télescopes, astrolabes et autres instruments
d'astronomie. Mais la chose la plus admirable à voir,
celle sur qui repose tout le destin de l'île, c'est une
pierre magnétique, d'une grosseur prodigieuse, taillée
en forme de navette de tisserand. Elle a au moins six
yards de long, et plus de trois yards de large en son
centre. Cet aimant est porté par un axe très robuste en
diamant, qui le traverse de part en part en son milieu,
lui permettant de tourner sur lui-même, et qui est si
finement ajusté, que la plus faible main peut mettre
l'appareil en branle. Il est entouré d'une sorte de couronne cylindrique en diamant, d'une section de quatre
pieds sur quatre et d'un diamètre de douze yards.
Celle-ci est placée horizontalement sur des supports en
diamant eux aussi, qui ont six yards de hauteur. En
plein centre de la couronne, sur sa face inférieure, il y
a deux logettes, profondes de douze pouces, où re-
posent les extrémités de l'axe, et où se fait le mouvement de rotation, quand besoin est.

La pierre d'aimant ne peut être transportée ailleurs,
car la couronne et ses supports sont taillés d'un seul
bloc, qui fait corps lui-même avec la masse de diamant
constituant le fond de l'île.

C'est grâce à la force magnétique de la pierre que
l'île est capable de monter ou de descendre, et de se
déplacer d'un point à un autre. Par rapport à la surface
de la terre, où le monarque a ses domaines, la pierre
est douée d'un côté d'une force d'attraction, de l'autre
d'une force de répulsion. Si l'on met la navette verti-

cale avec son pôle attractif orienté vers la terre, l'île
descend. Elle monte au contraire tout droit quand c'est
le pôle répulsif qui est pointé vers le sol. Quand la pierre
est dans une position oblique, le mouvement de l'île est
oblique également, car les forces de cet aimant s'exercent toujours dans une direction parallèle à lui-même.

C'est en suivant ces mouvements obliques qu'on
peut diriger l'île vers les différentes régions du Royaume.
Pour donner une idée de la manœuvre : soit une ligne
idéale AB divisant en deux parties égales l'État de
Balnibarbi ; soit une ligne représentant l'aimant, D
étant le pôle répulsif, et C le pôle attractif, l'île se
trouvant en C. Mettons l'aimant dans la position
CD, le pôle répulsif venant se placer vers le bas : l'île
va se déplacer obliquement en direction de D. Une fois
atteint le point D, faisons pivoter l'aimant sur son axe,
jusqu'à pointer le pôle attractif en direction à présent
de E : l'île va donc se déplacer obliquement vers E.
En E, si l'on donne à la pierre, par une nouvelle rotation sur son axe, la position EF, le pôle répulsif étant
en bas, l'île se dirigera vers le point F, d'où la manœuvre
du pôle attractif, pointé cette fois vers G, permettra
de mener l'île en G. Puis de G on ira en H, grâce à une
nouvelle inversion des pôles de la pierre, le répulsif
pointé vers le sol. Ainsi donc, par de judicieuses et
fréquentes manœuvres de la pierre magnétique, on
utilise alternativement le pouvoir qu'a l'île de monter
et de descendre en oblique. Et c'est le jeu des montées
et des descentes (l'obliquité n'étant jamais très considérable) qui permet les déplacements en ligne d'un
point de l'Empire à l'autre.

Mais il faut noter que l'île ne peut se mouvoir en
dehors d'une aire réduite à ce même Empire de terre
ferme, ni ne peut s'élever à une hauteur de plus de
quatre milles. Les astronomes, qui ont consacré à
l'aimant d'innombrables traités, donnent à ces phénomènes les raisons suivantes : d'abord, la force magné-

tique ne se fait pas sentir à plus de quatre milles de
distance ; ensuite, le minéral qui agit sur l'aimant
depuis les entrailles de la terre, et en mer dans une
zone de six lieues, au plus, tout autour des côtes,
n'est pas réparti dans tout le globe, mais se rencontre
uniquement dans les terres du Roi. Et un Prince peut
sans mal, grâce aux avantages qu'il tire d'une situation
dominante, soumettre à son autorité tout pays sensible
à la force d'attraction de l'aimant.

Quand la pierre est placée parallèlement au plan
horizontal, l'île reste immobile, car, dans ce cas, les deux
pôles, se trouvant équidistants de la Terre, agissent avec
une force égale, l'un tirant vers le bas, l'autre poussant
vers le haut, ce qui rend tout mouvement impossible.

L'aimant est confié à une équipe d'astronomes, qui,
de temps en temps, lui font prendre la position qu'a
fixée le monarque, mais qui passent la plus grande
partie de leur vie à observer les corps célestes. Leurs
instruments de travail sont d'excellentes lentilles, très
supérieures aux nôtres. Car si leurs plus grands télescopes ne dépassent pas trois pieds de long, ils gros-
sissent plus que nos énormes appareils de cent pieds
et ont une bien meilleure transparence. Ces avantages
leur ont permis d'étendre le champ de leurs découvertes bien plus loin que les astronomes européens. Ils
ont un catalogue de dix mille étoiles fixes, tandis que
les plus complets des nôtres n'en énumèrent même pas
le tiers. Quant aux astres mobiles, ils en ont découvert
deux : une paire de petits satellites qui tournent autour
de Mars. Celui des deux qui a l'orbite la plus courte est
distant d'exactement trois diamètres du centre de la
planète principale ; l'autre de cinq diamètres [1]. Le
premier met dix heures à parcourir son orbite entière ;
le second, vingt et une heures et demie, de sorte que le
carré de leurs temps de révolution est à peu de chose
près proportionnel au cube de leurs distances au centre
de Mars, et qu'on peut les dire gouvernés par la même

loi de la gravitation [1] qui régit les autres corps célestes.

Les astronomes laputiens ont observé quatre-vingt-treize comètes [2] différentes et ont établi leur périodicité avec une grande exactitude. S'il en était vraiment ainsi (et ils l'affirment avec assurance), il est à souhaiter que leurs observations soient rendues publiques. Car la théorie des Comètes, jusqu'ici incomplète et mal établie [3], y gagnerait autant de solidité que les autres branches de l'astronomie.

Le Roi serait le monarque le plus absolu de l'Univers, s'il arrivait à former un ministère absolutiste. Mais les ministres, qui ont des terres sur le continent et savent d'autre part que la carrière de favori est toujours pleine d'aléas, ne consentiront jamais à réduire le pays en esclavage. Si une ville entre en rébellion ou se mutine, si elle est le lieu de graves désordres ou refuse de payer l'impôt, le Roi dispose de deux moyens pour la réduire à l'obéissance : le premier, qui est le plus doux, consiste à laisser l'île planer comme un milan au-dessus de la ville et de sa banlieue, il peut ainsi la priver de soleil et de pluie et condamner les habitants à la misère et à la maladie [4]. Il peut même, pour des fautes plus graves, accabler ceux-ci de grosses pierres dont ils ne peuvent se défendre qu'en fuyant dans les caves ou les grottes, mais laissant mettre en pièces les toits de leurs maisons. Si la révolte fait long feu, ou si l'insurrection générale menace, le Roi emploie alors le dernier remède : il laisse tomber verticalement l'île sur la tête des récalcitrants, et plus rien ne reste ni des hommes ni des maisons [5]. Mais le Prince ne prend pas de gaieté de cœur cette décision extrême : il l'évite même autant qu'il peut et les Ministres n'osent pas le pousser à une action qui, d'une part, les rendrait eux-mêmes odieux au peuple et, d'autre part, anéantirait leurs propriétés qui sont toutes sur le continent, car l'île est du domaine privé de la Couronne.

Au reste, si les rois de ce pays ont toujours répugné

à faire un geste si effrayant, sauf en cas d'absolue
nécessité, c'est qu'il y a une autre raison, et une raison
de taille : en effet, si la ville vouée à la destruction
renferme des roches élevées (comme c'est généralement
le cas pour les cités importantes, qui se sont bâties
dans des sites propres à les protéger de semblables
catastrophes), ou si elle compte de nombreux clo-
chers ou colonnes de pierre, une chute soudaine pourrait endommager le fond, ou surface inférieure, de l'île.
Celui-ci consiste pourtant, je l'ai dit, en un bloc de
diamant de deux cents yards d'épaisseur, mais un choc
brusque risquerait peut-être de le fendre et la chaleur
des foyers de le faire éclater, s'il s'en approchait de
trop près — chose qui arrive souvent à nos fonds de
cheminée, qu'ils soient de pierre ou de métal. Ce sont
là des données dont le peuple est tout à fait conscient,
et il sait très bien jusqu'à quelles limites il peut pousser
la résistance quand il lutte pour sa liberté ou pour ses
biens. Et lorsque le Roi, exaspéré et résolu en fin de
compte à anéantir une cité sous le poids de l'île, donne
l'ordre de faire descendre celle-ci délicatement, il
prétend agir ainsi par tendresse envers son peuple.
En vérité, il a peur de briser le fond de diamant, car
tous ses philosophes lui ont dit qu'en ce cas, l'aimant
ne suffirait plus à maintenir l'île en l'air et que la masse
entière s'écroulerait sur le sol.

Environ trois ans avant mon arrivée [1], à l'occasion
d'un voyage officiel du Roi au-dessus de ses États, il
produisit un événement extraordinaire qui aurait pu
marquer la fin de cette monarchie, au moins dans ses
institutions actuelles. La première ville à recevoir la
visite royale fut *Lindalino*, la deuxième du Royaume en
importance. Trois jours après le départ du Roi, les
habitants, qui s'étaient souvent plaints de grandes
exactions, fermèrent les portes de la ville, mirent la
main sur le Gouverneur, et, au prix d'un travail incroyablement rapide, élevèrent quatre grandes tours [2]

(une à chaque angle du carré que dessine l'enceinte de la Cité) aussi hautes qu'une grande roche pointue occupant le centre même de la ville. Au sommet de chaque tour aussi bien que sur la roche, ils fixèrent une grosse pierre magnétique, et, pour le cas où leur plan échouerait, ils avaient accumulé une grande quantité de matières inflammables [1], dans l'espoir de faire éclater le fond de diamant de l'île, si leurs aimants n'avaient servi à rien.

Huit mois s'écoulèrent avant qu'on pût confirmer au Roi la nouvelle de cette révolte des Lindaliniens. Il ordonna alors de diriger l'île sur la cité. Les rebelles restaient unanimes. Ils avaient amassé des vivres, et bénéficiaient de la belle rivière [2] qui traverse la ville en son milieu. Le Roi se maintint plusieurs jours au-dessus d'eux pour les priver de soleil et de pluie. Il fit pendre de nombreuses ficelles mais personne ne s'avisa d'y accrocher la moindre pétition. Au contraire, on y mettait des réclamations insolentes : on exigeait la réparation des dommages, de grandes immunités, la libre élection des gouverneurs et autres énormités du même genre. Sur quoi, Sa Majesté donna l'ordre aux habitants de l'île de jeter de grosses pierres sur la ville, depuis les galeries inférieures. Mais les bourgeois révoltés s'étaient prémunis contre ce danger en s'installant avec leurs biens dans les quatre tours ou d'autres solides bâtisses, ainsi que dans des caves voûtées.

Le Roi résolut d'en finir avec ces outrecuidants et donna l'ordre de faire descendre l'île tout doucement, jusqu'à une quarantaine de yards du sommet des tours et de la roche. L'ordre fut exécuté, mais les fonctionnaires responsables constatèrent que la descente était bien plus rapide qu'à l'ordinaire. Quand ils voulurent l'arrêter, en manœuvrant l'aimant, ils n'y parvinrent qu'à grand-peine : l'île avait tendance à tomber. Ils rendirent immédiatement compte au Roi de cet événe-

ment stupéfiant et supplièrent Sa Majesté de laisser
remonter l'île. Le Roi acquiesça, et le Grand Conseil
tint une séance où l'on convoqua les fonctionnaires de
l'aimant. L'un d'eux, qui comptait parmi les plus
vieux et les plus compétents, obtint la permission de
tenter une expérience : il prit une grosse corde, longue
d'une centaine de yards, puis comme l'île avait été
amenée au-dessus de la ville, mais en dehors de la zone
où s'était fait sentir l'attraction, il fixa le bout de cette
corde à un morceau d'aimant contenant un mélange à
base de ce minerai de fer qui constitue le fond ou couche
inférieure de l'île, et le fit descendre lentement vers le
sommet des tours. A peine l'aimant se trouva-t-il
quatre yards plus bas que le fonctionnaire le sentit
attiré avec une telle force qu'il eut toutes les peines
du monde à le faire remonter. Il jeta ensuite plusieurs
morceaux d'aimant et observa qu'ils étaient violemment attirés vers le sommet de la tour. La même expérience [1] fut faite au-dessus des trois autres tours, puis
de la roche, avec le même résultat. Cet incident ruina
les plans d'action du Roi, et l'obligea (joint à d'autres
circonstances sur lesquelles je ne m'attarderai pas) à
se plier aux exigences de la ville.

Un membre important du ministère m'assura que si
l'île était descendue tellement bas qu'elle n'eût plus
été capable de décoller d'au-dessus de la ville, les
bourgeois révoltés étaient déterminés à l'y maintenir
pour toujours, à massacrer le Roi et tous les agents
royaux, changeant complètement de régime politique.

Une des lois fondamentales du Royaume défend au
Roi et à ses deux fils aînés de sortir de l'île ; de même
à la Reine, tant qu'elle est en âge d'avoir des enfants.

CHAPITRE IV

L'auteur quitte Laputa ; on le conduit à Balnibarbi. — Son arrivée
dans la capitale. — Description de la capitale et de ses environs.
— Généreuse hospitalité d'un grand seigneur. — Conversation de
l'auteur avec celui-ci.

Quoique je ne puisse me plaindre de la façon dont on
me traitait dans l'île, je dois avouer qu'on ne s'occupait guère de moi et même qu'on m'y dédaignait un
peu. Car, de toute évidence, ni le Prince ni ses sujets
n'éprouvaient le moindre intérêt pour ce qui n'était
pas mathématiques ou musique, et comme je leur étais
très inférieur en ces deux disciplines, ils ne faisaient
pas cas de moi.

J'avais vu d'autre part toutes les curiosités de l'île,
et je désirais vivement la quitter, ne plus avoir à subir
la présence de ses habitants. Certes ils excellaient en
deux sciences que j'estime beaucoup, et dont je ne suis
pas sans quelque teinture, mais en même temps ils
étaient si distraits, si absorbés dans leurs spéculations,
que je n'ai jamais eu compagnie plus ennuyeuse. Pendant les deux mois de mon séjour dans l'île je n'eus
d'autre conversation que celle des femmes, des boutiquiers, des *frappeurs* ou des pages, et je n'en attirai
sur moi que plus de mépris ; mais c'est d'eux seuls que
je pouvais espérer des échanges raisonnables.

J'avais fini, à force de travail, par savoir vraiment
leur langue : j'étais las d'être ainsi reclus dans une île
où l'on avait si peu d'égards pour moi [1], et bien résolu
à la quitter, à la première occasion favorable.

Il y avait à la Cour un grand seigneur, proche parent
du Roi, et respecté pour cette raison seule, car on le
tenait pour le pire ignorant et le plus stupide des
hommes. Il avait fort bien tenu des charges importantes, possédait de grands talents naturels ou acquis,

renforcés par beaucoup d'honnêteté et de sens de
l'honneur, mais il avait l'oreille tellement réfractaire
à la musique, qu'on l'accusait même d'avoir battu la
mesure à contretemps, et ses précepteurs avaient eu
toutes les peines du monde à lui faire démontrer le
plus simple des théorèmes. Ce gentilhomme daigna
m'accorder sa faveur et vint souvent m'honorer de sa
visite. Il montrait de l'intérêt pour les affaires d'Europe,
pour les lois, les mœurs, les manières et les connaissances des autres peuples. Il m'écoutait avec attention
et faisait des remarques pertinentes sur tout ce que
je disais. Il avait à ses côtés deux frappeurs, mais
c'était pour la forme : il ne les employait jamais, sauf
à la Cour et dans les visites d'apparat ; quand nous
étions seuls ensemble, il les renvoyait toujours.

Je voulais obtenir la permission de quitter l'île, et
je priai cet illustre seigneur de m'appuyer auprès du
Roi. Il s'en chargea donc, mais eut la bonté de me dire
que c'était à regret ; il me fit même plusieurs offres
avantageuses, que je déclinai pourtant, non sans lui
en exprimer ma profonde gratitude. C'est le seize
février que je pris congé de Sa Majesté et de la Cour.
Le Roi me fit un présent d'environ deux cents livres
anglaises, et mon protecteur, son parent, me remit la
même somme, ainsi qu'une lettre de recommandation
pour un de ses amis qui vivait dans la capitale *Lagado*.

L'île en était alors éloignée de deux milles. Elle
s'arrêta au-dessus d'une montagne et l'on m'y fit descendre depuis la galerie inférieure de la même manière
que l'on m'avait jadis hissé.

Le domaine continental du monarque de l'Ile
Volante est, dans toute son extension, désigné sous le
nom de *Balnibarbi*, et sa capitale, je viens de le dire,
s'appelle *Lagado*. Ce n'est pas sans satisfaction que
je me retrouvai sur la terre ferme. Je m'avançais sans
crainte vers la cité, confiant en mon costume indigène
et ma connaissance suffisante de la langue. Je trouvai

bientôt la demeure de cette personne à qui j'étais
recommandé ; je lui remis la lettre de mon ami, le
grand seigneur qui vivait dans l'île, et je fus accueilli
très aimablement. Mon hôte était également un grand
seigneur, et s'appelait Munodi [1]. Il me fit préparer un
appartement dans son hôtel, où je vécus tout le temps
que dura mon séjour et où je recevais l'hospitalité la
plus large.

Le lendemain de mon arrivée, Munodi me fit faire
en carrosse la visite de la ville. Celle-ci est grande à peu
près comme la moitié de Londres, mais les maisons y
sont bizarrement bâties et, pour la plupart, presque en
ruine. Les gens dans la rue marchent vite, l'air farouche, le regard fixe, et sont généralement en haillons [2].
Nous sortîmes par une des portes de la ville et fîmes
dans la campagne un tour de trois milles environ. Je
voyais de nombreux paysans travailler avec des outils
d'aspect divers, mais je ne pouvais deviner ce qu'ils
faisaient là ; je ne voyais nulle part lever ni blé ni
herbe, bien que le sol me parût des plus riches. Je ne
pouvais réprimer ma surprise devant ce triste aspect,
tant de la ville que des champs, et je me hasardai à
questionner mon hôte : Voulait-il m'expliquer pourquoi
tous ces airs affairés, toutes ces têtes soucieuses, tous
ces bras au travail à la ville comme aux champs ? Car
je ne voyais pas que tant d'activité eût servi à grand-
chose. Tout au contraire : je ne savais pas au monde
de sol plus désastreusement cultivé, de maisons plus
mal disposées et plus délabrées, ni de gens plus misérablement vêtus et nourris, à en juger par leur allure.

Le seigneur Munodi était un personnage de haut
rang. Il avait été pendant plusieurs années Gouverneur
de Lagado ; mais une cabale de ministres l'avait fait
révoquer pour incapacité. Le Roi lui avait cependant
gardé toute sa tendresse, comme à un homme plein
de bonnes intentions, mais d'une intelligence ridicu-
lement bornée. A la critique hardie que je faisais de

son pays et de ses compatriotes, il se contenta de répondre que je n'étais pas depuis assez longtemps au milieu d'eux pour que mon opinion fût valable ; que chaque nation du monde a ses coutumes particulières, et autres lieux communs de même force. Mais une fois rentrés dans son hôtel, il me demanda ce que je pensais des bâtiments, quelles absurdités j'y décelais et quels reproches j'avais à faire au costume et à l'allure des gens de sa maison. Il ne risquait rien à me poser ces questions, car tout ce qui l'entourait était magnifique, harmonieux, raffiné. Je lui répondis que la prudence, la distinction et la fortune de Son Excellence lui avaient épargné les défauts que la sottise et la misère avaient engendrés chez les autres. Il me dit que si je l'accompagnais à sa maison de campagne, sise au milieu de ses terres, à vingt milles de la cité, nous y serions à notre aise pour aborder ces sujets. J'affirmai à Son Excellence que j'étais à son entière disposition. Le lendemain donc, nous nous mettions en route.

Pendant le trajet, il me montrait les différentes méthodes de culture dont usaient les fermiers, mais dont je ne voyais absolument pas les avantages, car, sauf en quelques rares endroits, je ne pus apercevoir ni un épi de blé ni un brin de fourrage. Pourtant, au bout de trois heures de route [1] la scène changea du tout au tout, et nous nous trouvâmes dans une plantureuse campagne : fermes nombreuses et joliment construites, champs bordés de haies et couverts de vignes, de blé ou de prairies. Je ne me rappelle pas avoir vu tableau plus enchanteur. Son Excellence remarqua que mon visage s'éclairait. Il me dit avec un soupir que nous entrions dans ses terres, et que le paysage ne changerait plus jusqu'à sa maison. « Je suis la risée de mes compatriotes, me dit-il ; ils me méprisent de gérer si mal mes affaires et de donner un si triste exemple au Royaume. C'est pourtant un exemple que personne ne suit, excepté quelques vieillards aussi têtus et pusillanimes que moi. » Nous arrivâmes enfin au château, qui était vraiment une noble bâtisse, dont le style obéissait aux meilleures règles anciennes de l'architecture [1]. Les fontaines, jardins, promenades, allées et bosquets étaient disposés avec discernement et bon goût. Je ne tarissais pas d'éloges, mais Son Excellence ne parut les avoir entendus qu'une fois terminé le souper. Nous étions seuls alors, et il me dit d'une voix mélancolique qu'il serait probablement réduit à abattre sa maison de ville comme sa maison des champs et à les rebâtir toutes deux en obéissant à la mode, à arracher toutes ses plantations et les refaire selon les principes conformes à l'usage en cours, et qu'il devrait dire à tous les fermiers d'en faire autant, s'il ne voulait pas se faire une réputation d'orgueilleux, d'original, de poseur, d'ignorant et de fantaisiste, au risque d'accroître encore le déplaisir du Roi.

« Cette admiration que je vois en vous, dit-il, ne tardera pas à tomber ou du moins à baisser, quand je vous aurai donné certains détails, que vous n'avez sans doute pas entendus à la Cour, car les gens de là-haut sont tellement pris par leurs spéculations qu'ils ne s'inquiètent guère de ce qui se passe ici-bas »... Voici en gros ce qu'il me conta : « Une quarantaine d'années auparavant [2], certaines personnes étaient montées à Laputa, tant pour leurs affaires que pour leur plaisir. Après un séjour de cinq mois là-haut, elles revinrent avec une légère teinture de mathématiques, mais la tête emplie des humeurs volatiles qui s'acquièrent dans ces régions éthérées [3]. Ces personnes commencèrent, dès leur arrivée, à critiquer la manière d'être de toutes les choses d'ici-bas, et projetèrent de faire repartir à zéro tous les arts, les sciences, les langues et les techniques. Elles obtinrent à cet effet une charte royale, qui institua une Académie de « planificateurs » à Lagado. Et cet état d'esprit se répandit tellement parmi le peuple, qu'on ne trouve plus dans le Royaume

une ville de quelque importance qui n'ait pas son
Académie. Celles-ci sont des collèges, où des professeurs
découvrent de nouvelles règles et méthodes pour l'agriculture et le bâtiment ; de nouveaux outils ou instruments pour tous les métiers ou manufactures ; grâce
à quoi, affirment-ils, un seul homme abattra la be-
sogne de dix, un palais se construira en une semaine,
avec des matériaux si résistants qu'il durera une éternité sans nulle réparation. Tous les fruits de la terre
viendront à maturité en la saison que nous aurons
fixée, et seront cent fois plus abondants qu'ils n'ont
été jusqu'ici. Et ils font mille autres plans aussi pro-
metteurs. Le seul inconvénient est qu'aucun de ces
projets n'est encore tout à fait au point, et, en attendant, le pays tout entier se trouve dans un état misérable, avec des maisons en ruine et des gens sans pain
ni vêtements [1]. Mais loin de se décourager, nos planificateurs n'en ont qu'une ardeur centuplée à suivre
leur système, poussés par le désespoir non moins que
par l'espérance. Quant à lui-même, comme il n'avait
pas l'esprit entreprenant, il aimait mieux s'en tenir
aux vieilles coutumes et vivre sans rien changer aux
mœurs de ses aïeux dans les maisons qu'ils avaient
construites et selon les règles qu'ils avaient suivies.
Ils étaient un petit nombre comme lui, parmi les
gentilshommes et les hobereaux. Mais on les regardait
avec mépris et malveillance, les tenant pour des
ennemis de la Science, des ignorants, de mauvais
citoyens, qui faisaient passer leurs habitudes de mol-
lesse avant le progrès du pays tout entier. »

Sa Seigneurie ne me donna pas d'autres détails, ne
voulant pas, disait-Elle, gâcher le plaisir que je prendrais certainement à visiter la Grande Académie, comme
Elle me conseillait de le faire. Elle me pria cependant
de considérer un édifice en ruine qui se dressait à bien
trois milles de là sur les flancs d'une montagne. Puis
Elle m'expliqua qu'Elle possédait jadis, à un demi-mille

du château et au bord d'une grosse rivière [1], un excellent moulin à eau qui suffisait aux besoins de sa maison et à ceux de ses nombreux fermiers. Mais Elle avait, sept ans auparavant, reçu la visite d'un groupe de ces techniciens qui lui avaient proposé de détruire le vieux moulin et d'en construire un autre au flanc de cette montagne ; il s'agissait de creuser un canal sur la ligne de crête jusqu'à un grand réservoir, où l'on ferait monter, par des tuyaux et des machines, l'eau qui alimenterait le moulin : car une eau a beaucoup plus de force motrice quand elle a été agitée par le vent et l'air des cimes, et de plus, si elle arrive au moulin après une forte descente, il lui faudra pour le mouvoir deux fois moins de débit qu'une rivière dont le cours est bien moins en pente. Elle n'était pas bien en Cour à ce moment-là, disait-Elle, et sur les instances de ses amis, avait accepté le projet. On employa cent ouvriers pendant deux ans, puis l'affaire tourna mal et les ingénieurs s'en allèrent, mais non sans rejeter toute la faute sur lui et sans le couvrir de sarcasmes. Ils avaient depuis tenté la même expérience en d'autres endroits, avec autant de confiance au départ, et autant de déconvenue finale.

Nous rentrâmes en ville à quelques jours de là. Son Excellence, consciente du peu d'estime où la tenait l'Académie, ne voulut pas m'accompagner en personne, mais chargea un de ses amis de me présenter. Elle eut la bonté de me décrire comme un grand admirateur des nouveautés, comme un esprit très curieux et facile à convaincre, ce qui à vrai dire n'était pas complètement faux, car, moi aussi, j'avais été un faiseur de projets dans ma jeunesse.

CHAPITRE V

L'auteur est admis dans l'enceinte de l'illustre Académie de *Lagado*.
— Description détaillée de cette Académie. — Genres de travaux
des Académiciens.

Cette Académie [1] n'occupe pas un édifice unique,
mais se compose d'une série d'immeubles sur les deux
côtés d'une rue. La rue en question tournant au terrain
vague on la racheta, et on l'utilisa ainsi.

Ce fut le gardien qui me reçut. Il se montra très
aimable et je revins tous les jours à l'Académie. Dans
chaque pièce vit un ou plusieurs faiseurs de projets et
je ne pense pas être entré dans moins de cinq cents
pièces.

Le premier des Académiciens que je vis était d'aspect malingre, tout maculé de suie aux mains et au
visage, cheveux longs, barbe longue, le tout hirsute
et roussi par endroits. Ses habits, sa chemise et sa peau
étaient de la même couleur. Il avait passé huit ans
sur un projet qui consistait à extraire de concombres
des rayons de soleil [2] et à les enfermer dans des fioles
hermétiques, où ils seraient disponibles pour réchauffer le temps, quand l'été est froid et pluvieux. Il affirmait qu'avant huit autres années il pourrait fournir
au jardin du Gouverneur des rayons de soleil à un prix
abordable, mais se plaignit du triste état de sa caisse,
et me supplia de faire un geste en faveur de la science,
surtout en une saison où les concombres étaient si
chers. Je lui remis mon obole, car Son Excellence
m'avait à dessein donné de l'argent, sachant que ces
messieurs demandent l'aumône à tous leurs visiteurs.

J'entrai dans une autre chambre, et, à demi asphyxié, j'eus comme un sursaut pour m'enfuir : l'odeur
y était effroyable. Mais mon guide me poussa en avant,

me disant à l'oreille que j'allais commettre là une incorrection très déplaisante, de sorte que je n'osai même pas me boucher le nez. L'inventeur qui vivait dans cette pièce était le membre le plus ancien de l'Académie. Sa figure et sa barbe étaient d'un blanc jaunâtre ; ses mains et ses habits couverts de saletés. Quand je lui fus présenté, il me serra sur son cœur (genre d'effusions dont je l'aurais bien dispensé). Depuis son arrivée à l'Académie, il recherchait inlassablement le moyen de reconvertir les excréments humains à leur état initial de nourriture, en isolant leurs divers éléments, en leur ôtant le liant qu'ils reçoivent de la bile, en faisant se dégager leur odeur, et en les purifiant de la salive. Chaque semaine la société lui allouait un récipient plein d'ordures humaines de la taille d'un baril de Bristol [1].

Un autre essayait de réduire, par calcination, de la glace en poudre à canon [2]. Il me montra également le traité qu'il avait écrit sur la malléabilité du feu et qu'il se proposait de publier.

Il y avait aussi un génial architecte, qui avait imaginé une nouvelle méthode pour construire les maisons, en commençant par le toit, et en menant les travaux de haut en bas jusqu'aux fondations. Il s'inspirait, me dit-il, de la technique mise au point par deux insectes de grande intelligence, l'abeille et l'araignée.

Il y avait de même un aveugle de naissance, avec des apprentis, tous nés aveugles comme lui, qui étaient chargés de préparer des couleurs pour les peintres, et le Maître leur enseignait comment les distinguer par le toucher et l'odorat. J'eus la malchance de les rencontrer à une époque où leur talent était encore incomplètement formé ; d'ailleurs le professeur lui-même se trompait la plupart des fois. Ce technicien reçoit tous les encouragements de ses confrères qui le tiennent en haute estime.

J'eus le grand plaisir, dans une autre chambre, de

rencontrer l'agronome qui avait eu l'idée d'utiliser les cochons pour le labourage [1]. Sa méthode, qui supprime l'emploi des charrues, des bœufs et des laboureurs, est la suivante : sur une surface à labourer d'une acre vous enfouissez à cinq ou six pouces de distance et à huit pouces de profondeur de grandes quantités de glands, dattes, châtaignes et autres fruits ou légumes dont les porcs sont particulièrement friands ; puis vous lâchez dans le champ six cents ou plus de ces animaux, lesquels, en cherchant leur nourriture, retournent le sol et le laisseront à la fois préparé pour les semailles et enrichi de leurs excréments. A vrai dire, l'expérience avait montré que le procédé était coûteux et d'une pratique difficile, mais il faut croire que cette invention est susceptible encore de nombreux perfectionnements.

Je pénétrai dans une autre pièce où les murs et le plafond étaient tellement couverts de toiles d'araignée, que le savant ne disposait plus pour circuler que d'un étroit passage. J'étais à peine entré qu'il me cria de prendre garde à ne pas abîmer ses toiles. Il me parla, déplorant l'erreur fatale que le monde avait si longtemps commise en élevant des vers à soie, alors que nous disposions de ces insectes domestiques, si nombreux et tellement supérieurs aux autres, puisqu'ils savent non seulement filer, mais tisser. Il se flattait aussi de pouvoir, par l'emploi des araignées fileuses, éviter tous frais de teinture, et il me convainquit pleinement quand il m'eut montré un grand nombre de mouches de tous coloris qui servaient à les alimenter. Il était persuadé que la couleur des mouches passerait dans les toiles d'araignée, et comme il en possédait de toutes les nuances, il espérait satisfaire n'importe quelle clientèle, pour peu qu'il sût découvrir certain aliment pour mouches à base de gomme, huile et autres matières collantes, qui donneraient aux fils la consistance et la force voulues.

Il y avait un astronome dont l'idée était de mettre un cadran solaire sur la girouette de l'Hôtel de Ville [1], ce qui l'obligeait à tenir compte à la fois des mouvements annuels et journaliers de la Terre et du Soleil, et de tous les changements accidentels du vent.

J'avais ce jour-là l'intestin dérangé, ce qui détermina mon guide à m'indiquer la chambre d'un médecin, spécialiste de cet organe, dont il soignait les affections en l'obligeant à fonctionner à rebours. Il disposait d'un grand soufflet, dont le bec était en ivoire, et de forme longue et effilée. Il introduisait ce bec dans l'anus du patient, jusqu'à une profondeur d'environ huit pouces, et affirmait que, lorsqu'il aspirait, il rendait les boyaux aussi plats qu'une vessie vidée. Quand la maladie était plus sérieuse, au contraire, c'est après avoir rempli d'air le soufflet qu'il mettait le bec en place, puis il envoyait un jet d'air dans le corps du patient. Il retirait alors l'appareil pour le gonfler de nouveau, en tenant étroitement fermé avec son pouce l'orifice du fondement. L'opération se répétait trois ou quatre fois, jusqu'à ce que le vent introduit sortît avec une grande violence, entraînant les substances malignes avec lui (comme l'eau nettoie les conduits d'une pompe) et laissant le malade guéri. Je vis le savant expérimenter sur un chien ces deux procédés. Le premier n'eut pas d'effets perceptibles. Quant au second, il mit l'animal à deux doigts d'éclater, et provoqua une décharge assez violente pour que mes compagnons et moi en fussions fort affectés. Le chien tomba raide mort [2], et nous laissâmes le docteur affairé à le ressusciter à l'aide d'une opération analogue.

Je visitai bien d'autres chambres, mais, par souci de concision, j'épargnerai au lecteur le récit de toutes les curiosités que j'y observai.

Je n'avais vu qu'un côté de l'Académie. L'autre est réservé aux pionniers de la science abstraite. Mais je n'en parlerai pas sans avoir cité encore un illustre expérimentateur, celui qu'on nomme le Savant universel. Il nous confia avoir passé trente ans de sa vie à méditer sur l'amélioration de la Condition humaine [1]. Il disposait de deux grandes salles pleines d'admirables curiosités, et de cinquante collaborateurs. Les uns condensaient l'air en une substance solide, le séparant de son nitre et éliminant les particules aqueuses ou fluides [2]. D'autres amollissaient le marbre [3] pour en faire des oreillers et des pelotes à épingles. D'autres encore pétrifiaient les sabots du cheval pour le préserver de la fourbure. Le savant lui-même était, à l'époque, absorbé par deux grands projets : le premier consistait à ensemencer les terres avec la balle du blé, où il affirmait que résidaient les vraies vertus germinatives de la graine, comme il le démontrait par certaines expériences que je ne fus pas assez intelligent pour comprendre. L'autre, à empêcher, par l'application d'un enduit à base de gomme, de minéraux et de végétaux, la laine de pousser sur le dos de deux jeunes agneaux, dans l'espoir d'être à même, dans un délai raisonnable, de propager dans tout le Royaume une race de moutons au poil ras [4]. Nous franchîmes une cour qui nous séparait de l'autre partie de l'Académie, celle où résidaient, comme je l'ai dit, les pionniers de la science spéculative.

Le premier professeur occupait avec une quarantaine de disciples une salle de grandes dimensions. Nous nous saluâmes, et, comme mon regard se portait avec intérêt sur une vaste machine qui occupait la pièce dans presque toute sa longueur et sa largeur, il me demanda si je ne trouvais pas étranges ses recherches pour faire avancer les sciences spéculatives par des procédés pratiques et mécanisés. Mais le monde verrait bientôt l'utilité de son travail. Il se flattait, quant à lui, d'avoir eu la plus noble idée qui eût jamais été conçue par une cervelle humaine. Chacun sait au prix de quels efforts s'acquièrent actuellement

les arts et la science, tandis que, grâce à son invention,
la personne la plus ignorante sera, pour une somme
modique et au prix d'un léger travail musculaire,
capable d'écrire des livres de philosophie, de sciences
politiques, de droit, de mathématiques et de théologie,
sans le secours ni du génie ni de l'étude. Il me fit donc
approcher de cet appareil, près des côtés duquel ses
disciples étaient alignés. C'était un grand carré de vingt
pieds sur vingt, installé au centre de la pièce. Sa surface était faite de petits cubes de bois, de dimensions
variables mais gros en moyenne comme un dé à coudre.
Ils étaient assemblés au moyen de fil de fer. Sur chaque face de ces cubes était collé un papier où était écrit
un mot en laputien. Tous les mots de la langue s'y
trouvaient, à leurs différents modes, temps ou cas,
mais sans aucun ordre. Le professeur me pria de bien
faire attention, car il allait mettre la machine en marche. Chaque élève saisit au commandement une des
quarante manivelles de fer disposées sur les côtés du
châssis, et lui donna un brusque tour, de sorte que la
disposition des mots se trouva complètement changée ;
puis trente-six d'entre eux eurent mission de lire à
voix basse les différentes lignes telles qu'elles appa-
raissaient sur le tableau, et quand ils trouvaient trois
ou quatre mots, qui mis bout à bout constituaient
un élément de phrase, ils les dictaient aux quatre
autres jeunes gens qui servaient de secrétaires. Ce
travail fut répété trois ou quatre fois, l'appareil étant
conçu pour qu'à chaque tour de manivelle, les mots
formassent d'autres combinaisons, à mesure que les
cubes de bois tournaient sur eux-mêmes...

Les jeunes étudiants passaient six heures par jour
à ce travail, et le professeur me montra un bon nombre
de gros in-folio, contenant les textes déjà recueillis
sous forme de phrases décousues et qu'il avait l'intention de refondre entre elles ; il espérait tirer de ce riche
matériau une Somme scientifique et philosophique

qu'il présenterait au monde. Celle-ci serait d'ailleurs beaucoup plus parfaite et plus rapidement terminée, si le public fournissait les moyens de construire et d'employer cinq cents appareils de ce type à Lagado, les responsables ayant l'obligation de mettre en commun les résultats obtenus.

Depuis sa jeunesse, m'assura-t-il, il n'avait eu de pensées que pour cette invention. Il avait fait tenir dans son cadre la totalité du vocabulaire et avait calculé avec la plus extrême rigueur quelle était dans les livres la proportion des particules, des noms, des verbes et de toutes les parties du discours.

Je remerciai vivement cette illustre personne de sa grande amabilité et lui promis que, si ma bonne étoile me ramenait dans ma patrie, j'aurais la loyauté de la présenter comme le seul inventeur de cette merveilleuse machine. Je la priai de me la laisser dessiner dans ses détails et c'est ce dessin qui est reproduit ici même. « Bien qu'en Europe, ajoutai-je, il soit normal entre savants de se voler ses trouvailles, ce qui a l'avantage au moins de faire naître une controverse sur le véritable inventeur, je saurai prendre les précautions nécessaires pour qu'aucun rival ne vienne vous ravir l'honneur de cette découverte-ci. »

Nous passâmes ensuite à l'Institut des langues, où trois professeurs discutaient sur les moyens de perfectionner celle de leur propre pays.

Le premier projet était de rendre la phrase plus concise, en ne gardant qu'une syllabe des mots qui en comportent plusieurs, et en supprimant les verbes et les qualificatifs, puisque seuls les noms correspondent à des choses existantes en réalité.

L'autre proposait d'abolir tous les mots quels qu'ils fussent, car les santés y gagneraient aussi bien que la concision. N'est-il pas indéniable que chaque mot que nous disons contribue pour sa part à corroder et à débiliter nos poumons, et par conséquent à raccourcir

notre vie ? On peut donc envisager une autre solution :
puisque les mots ne servent qu'à désigner les choses,
il vaudrait mieux que chaque homme transportât sur
soi toutes les choses dont il avait l'intention de parler.
Et cette invention se serait certainement imposée,
pour le plus grand bien-être physique et intellectuel
des gens, si les femmes, conjurées en cela avec le bas
peuple et les illettrés, n'avaient menacé de faire une
révolution. Elles voulaient conserver le droit de parler avec la langue, à la façon de leurs aïeux ; car le
vulgaire fut toujours le pire ennemi de la science.
Nombreux sont cependant, parmi l'élite de la pensée
et de la culture, ceux qui ont adopté ce nouveau langage par *choses*. Ils ne lui trouvent d'ailleurs qu'un seul
inconvénient : c'est que, lorsque les sujets de conversation sont abondants et variés, l'on peut être forcé de
porter sur son dos un ballot très volumineux des différentes choses à débattre, quand on n'a pas les moyens
d'entretenir deux solides valets à cet effet. J'ai souvent rencontré deux de ces grands esprits, qui
ployaient sous leurs faix comme des colporteurs de chez
nous : quand ils se croisaient dans la rue, ils déposaient
leurs fardeaux, ouvraient leurs sacs et conversaient
entre eux pendant une heure, puis ils remballaient le
tout, s'aidaient à soulever leurs charges et prenaient
congé l'un de l'autre. Pour les conversations courantes,
on peut se contenter d'accessoires transportés dans les
poches ou sous le bras, et, chez soi, chacun dispose
évidemment du nécessaire. Dans la pièce utilisée
comme parloir, tous ont à portée de la main les mille
choses utiles pour alimenter ce brillant type de conversation. Ce système comporte un autre avantage important, c'est d'avoir mis au point une sorte de langage
universel, à l'usage de toutes les nations civilisées,
car les différents outils et instruments y sont généralement identiques, ou du moins fort semblables, de sorte
que leur mode d'emploi est compris de chacun. Aussi,

les ambassadeurs seront à même de converser avec les
princes étrangers ou leurs ministres, tout en étant
complètement ignorants de leur langue.

Je passai aussi par l'Institut de Mathématiques, où le
maître suivait une méthode d'enseignement que tout
Européen jugerait presque inconcevable. On écrivait
sur des gaufrettes, avec une encre composée de suc
encéphalique, les théorèmes et leur démonstration.
Les étudiants devaient consommer ces gaufrettes à
jeun et ne rien prendre ensuite pendant trois jours que
du pain et de l'eau [1]. La digestion faite, les sucs montaient au cerveau et y amenaient avec eux le théorème.
Cette méthode n'était pas encore considérée comme
infaillible, en partie à cause d'erreurs qui s'étaient
glissées dans le *Quantum*, ou formule de composition,
en partie aussi à cause de l'indiscipline des écoliers.
Car ceux-ci trouvent généralement le cachet si infect,
qu'ils le recrachent en cachette, ou le vomissent
avant qu'il ait agi, et on n'a pas pu encore les persuader de se soumettre à la longue abstinence prescrite.

CHAPITRE VI

Description de l'Académie (suite). — L'auteur fait quelques sugges-
tions qui sont favorablement accueillies.

La visite de l'Institut des Sciences politiques me
causa une vive déception. Pas un seul professeur ne
m'y parut être dans son bon sens, et le spectacle de la
folie humaine me rend toujours mélancolique. Ces
malheureux s'étaient mis dans la tête de convaincre
les rois qu'un favori devait être choisi pour sa sagesse,
sa capacité, sa vertu ; que les ministres devaient apprendre à se soucier du Bien public ; qu'on devait

récompenser le mérite, les grands talents, les éminents services ; qu'un prince devait reconnaître son véritable intérêt, lequel n'est jamais différent de l'intérêt du peuple ; qu'il fallait mettre à un poste la personne qualifiée pour le tenir ; plus une quantité d'autres balivernes qu'aucune cervelle humaine n'avait jamais conçues. Tout cela me confirma la vérité d'un vieil adage, qui prétend qu'une bourde, si folle soit-elle, trouve toujours un philosophe pour la défendre.

Mais je serais injuste envers cette section de l'Académie, si j'affirmais que tous ses membres sans exception étaient des visionnaires. J'y vis au moins un homme de grand talent : c'était un médecin, très compétent aussi en matière politique et administrative. Cet illustre savant avait fort utilement mis sa formation médicale au service des administrations publiques, recherchant les remèdes appropriés aux maladies et affections dont elles souffraient, tant à cause des vices ou des infirmités des gouvernants qu'à cause du désordre où vivaient les gouvernés. Par exemple : puisque tous les écrivains et penseurs s'accordent à dire qu'il existe une correspondance totale entre le corps de l'homme et celui de l'État, n'est-il pas de toute évidence que les mêmes prescriptions s'appliquent à l'un et à l'autre, pour maintenir leur santé comme pour guérir leurs maladies ? On ne peut nier que tous les Sénats, que toutes les Hautes Assemblées sont souvent agités par des humeurs pléthoriques, ébulliantes ou autres humeurs peccantes ; qu'ils souffrent de nombreux maux de tête, et de maux de cœur plus nombreux encore ; qu'ils sont sujets aux convulsions, et à certaines contractions des nerfs et tendons de la main, et spécialement de la main droite ; qu'ils connaissent la prostration, la flatuosité, le vertige et le delirium ; qu'il leur vient des tumeurs scrofuleuses, pleines d'un pus fétide, des renvois de matières acides, des appétits boulimiques suivis de digestions pénibles ; ainsi que mille autres malaises qu'il serait trop long de citer. Ce savant proposait donc de former un corps de médecins sénatoriaux, chargés d'assister aux trois premières séances de toutes les sessions que tiendrait une Assemblée, et de prendre le pouls de ses membres après chaque débat ; puis ils consulteraient ensemble sur les maladies de chaque sénateur et sur les traitements qui s'imposeraient ; enfin le quatrième jour, ils retourneraient au Sénat, en compagnie de leurs apothicaires, qui porteraient les remèdes prescrits ; avant que les parlementaires prissent place, on leur administrerait des lénitifs, des apéritifs, des abtersifs, des corrosifs, des astringents, des palliatifs, des laxatifs, des céphalalgiques, des ictériques, des apophlegmatiques ou des acoustiques, selon le cas de chacun ; et, suivant l'effet obtenu, on redonnerait, changerait ou supprimerait ces médecines à la séance suivante [1].

Ce projet n'entraînerait pas de frais considérables et devrait, à mon humble avis, améliorer grandement la gestion des affaires publiques, dans des pays où le Sénat a des responsabilités législatives : l'unanimité y serait obtenue et les débats raccourcis ; certaines bouches hermétiquement closes pourraient s'ouvrir et certaines bouches toujours ouvertes — les plus nombreuses d'ailleurs — pourraient se fermer ; on verrait se calmer la pétulance des jeunes et diminuer la suffisance des vieux, se réveiller les esprits engourdis et se modérer les impertinents.

Un autre projet du même savant portait sur la mémoire des favoris : on se plaint généralement que celle-ci soit courte et débile. Il devrait donc être permis à tout solliciteur ayant été reçu par un premier ministre, au moment où il prend congé après lui avoir exposé son affaire succinctement et en mots précis, de lui tordre le nez, lui donner un coup de pied dans le ventre, lui écraser les cors aux pieds, lui frotter trois fois les oreilles, lui planter une épingle dans les fesses ou lui pincer le bras jusqu'au sang, afin de lui fortifier la mémoire ; puis de recommencer l'opération à chaque lever du Roi, jusqu'à ce que l'affaire ait été conclue, dans un sens ou dans l'autre. Il proposait également d'obliger tout parlementaire ayant présenté un projet de loi devant l'Assemblée, à émettre un vote directement contraire à celui-ci, cette mesure ne pouvant avoir que des effets très heureux pour le Bien public.

Il avait conçu de même un merveilleux système pour réconcilier les partis adverses en cas de violentes querelles intestines, et qui consistait en ceci : vous prenez cent meneurs de chaque parti ; vous les répartissez en couples d'adversaires ayant le volume du crâne sensiblement égal ; puis vous chargez des chirurgiens adroits de scier simultanément à chacun d'eux l'occiput, de manière à enlever la moitié exactement des deux cervelles. Les deux occiputs ainsi détachés seront alors greffés sur la tête de l'adversaire politique. Certes, l'opération paraît exiger une habileté exceptionnelle, mais notre savant affirmait que si elle était bien faite, elle amènerait infailliblement la guérison du mal. Il raisonnait ainsi : les deux demi-cerveaux étant laissés à eux-mêmes pour débattre la question à l'intérieur d'un seul crâne, ils arriveront forcément à se mettre d'accord, et à produire cette pensée modérée et pleine de nuances, qui est si nécessaire dans la tête d'un homme convaincu d'être venu au monde pour en surveiller et en régir les mouvements. Quant à la différence des cervelles tant en volume qu'en qualité, le docteur nous affirmait qu'à sa connaissance, elle était chez les chefs de parti pratiquement négligeable.

J'assistai à un débat très animé entre deux Académiciens sur la façon la plus commode et la plus effective de faire rentrer de l'argent sans grever les contribuables. Le premier affirmait que la méthode la plus juste serait de taxer les vices et les sottises de chaque individu, en laissant à un jury de voisins le soin de

fixer loyalement le montant de la taxe. Mais l'autre
était d'une opinion exactement contraire ; il voulait
taxer les qualités physiques et morales dont chaque
homme était le plus fier, et on aurait d'autant plus à
payer que l'on s'estimerait plus haut ; ainsi, le montant
de l'impôt serait établi par le contribuable lui-même.
La taxe la plus forte se percevrait sur les succès fémi-
nins des hommes, et varierait suivant le nombre et la
nature des faveurs reçues. La parole du déclarant ferait toujours foi. L'intelligence, le courage et la courtoisie pourraient de même être fortement imposés, la
récollection se faisant toujours de la même manière,
sur la base de ce que chacun s'en reconnaît personnellement. Quant à l'honneur, la justice, la raison et le
savoir, ils seraient entièrement libres de taxes, car ce
sont des vertus d'une espèce si singulière que les
hommes ne consentent ni à les reconnaître chez leur
prochain, ni à les estimer en eux-mêmes.

On pourrait de la même façon mettre un impôt sur
la beauté et l'élégance des femmes, en laissant à
celles-ci le même privilège qu'aux hommes, c'est-à-
dire le droit de fixer la somme à payer. Mais on ne
taxerait pas la fidélité conjugale, ni la chasteté, ni le
bon sens, ni le bon caractère, car les rentrées ne
couvriraient pas les frais de perception.

Pour garder les parlementaires fidèles aux intérêts
de la Couronne, il était proposé de leur distribuer des
places par tirage au sort. Juste avant la tombola,
tous devraient faire le serment de continuer à voter en
faveur de la Cour, qu'ils aient gagné ou non, et les
perdants pourraient prendre part au tirage suivant,
quand il se produirait une vacance. Ainsi, l'on entrete-
nait l'espoir et l'intérêt, et personne ne pourrait se
plaindre de promesses non tenues, puisque tous les
désappointements devaient être mis au compte de la
Fortune, qui a le dos plus large et les reins plus solides
qu'un quelconque ministère.

Un autre Académicien me remit un long article qu'il avait consacré à la découverte des complots et des conspirations contre le régime. Il invitait les hommes d'État à établir un questionnaire précis sur tous les suspects : Que mangeaient-ils, et à quelle heure ? Sur quel côté dormaient-ils ? Avec quelle main se torchaient-ils le derrière ? Que pouvait-on dire de leurs excréments ? Quels en étaient la couleur, l'odeur, le goût, la consistance [1] ? Car une digestion plus ou moins complète trahit les pensées et les préoccupations de chacun. Les hommes ne sont en effet nulle part plus sérieux, pensifs, concentrés que sur leur chaise percée, ce que notre théoricien s'était prouvé à lui-même expérimentalement : il s'amusait, à titre d'essai, quand il était dans cette posture, à songer au meilleur moyen de tuer le Roi. Ses excréments prenaient alors une teinte verdâtre ; mais ils étaient très différents, quand il songeait simplement à soulever le peuple ou à brûler la capitale.

Cette dissertation révélait une grande intelligence et contenait de nombreuses observations aussi curieuses qu'utiles pour un homme politique. Je les trouvai pourtant incomplètes et pris la liberté d'en avertir l'auteur, lui proposant, s'il le désirait, de lui fournir des données complémentaires. Il accepta mon offre avec plus d'empressement que n'en mettent généralement les auteurs et surtout les théoriciens ; il m'assura qu'il serait heureux de pouvoir profiter de mes lumières.

Je lui dis donc que dans le Royaume de *Tribnia*, appelé *Langden* [2] par ses habitants, où j'avais séjourné longtemps, la masse de la population se composait essentiellement d'indicateurs, de mouchards, d'informateurs, de délateurs, de plaignants, de témoins à charge et de jureurs à gages, sans compter le menu fretin de leurs comparses, le tout étant aux ordres, à la disposition et à la solde des ministres et de leur majorité. Les complots, dans le Royaume, sont générale-

ment forgés de toutes pièces par des personnes qui
cherchent, soit à s'imposer comme des hommes politiques éminents, soit à réchauffer le zèle d'une administration engourdie, soit à endormir ou détourner le
mécontentement général, soit à remplir leurs caisses
avec les biens confisqués, soit enfin à faire monter
ou descendre les valeurs d'État au mieux de leurs
intérêts. Ils commencent à se mettre d'accord sur le
nom des suspects qui vont être accusés de complots ;
puis ils prennent bien soin de saisir toute leur correspondance ou autres papiers et de les mettre eux-mêmes
en prison. Ces papiers sont remis aux mains de spécialistes des codes secrets, sachant découvrir le sens
conventionnel des mots, des syllabes et des lettres.
Par exemple, ils savent reconnaître que les mots :
Chaise percée désignent le Conseil privé ; *Troupeau
d'oies :* un Sénat ; *Chien boiteux* [1] *:* un envahisseur ;
Peste : une armée permanente ; *Gibet*, un ministre ;
Goutte : un membre du haut clergé ; *Pot de chambre :*
un comité de grands seigneurs ; *Panier percé :* une
dame de la Cour ; *Balai :* une révolution ; *Souricière :*
un emploi public ; *Puits perdu*, le Trésor ; *Égout :* la
Cour ; *Bonnet à grelots :* un favori ; *Roseau brisé :* un
tribunal ; *Barrique vide :* un général ; *Plaie purulente :*
l'administration.

Si ce procédé échoue, il leur en reste deux, qui sont
plus efficaces et que les érudits appellent *acrostiche* et
anagramme. Le premier permet d'attribuer un sens
politique à l'initiale de chaque mot : par exemple, au
N le sens de complot, au *B* celui de régiment de cavalerie, au *L* celui de flotte en mer. Le second procédé
consiste à transposer les lettres de l'alphabet pour
faire ressortir dans un texte suspect les intentions profondes d'un parti de l'opposition : par exemple, si je
dis dans une lettre à un ami : *Notre frère Thomas
souffre depuis quelque temps d'hémorroïdes*, un habile
spécialiste pourra découvrir qu'avec les lettres em-

ployées pour écrire cette phrase, on peut écrire les mots suivants : *Résistez — Un complot se prépare — Le Voyage.* C'est ce qu'on appelle la méthode anagrammatique.

L'Académicien me remercia avec effusion de lui avoir communiqué ces observations et me promit de les mettre en bonne place dans son traité.

Je ne voyais plus rien dans ce pays qui eût pu me donner envie d'y prolonger mon séjour. Je me pris donc à envisager mon retour en Angleterre.

CHAPITRE VII

L'auteur quitte Lagado et arrive à Maldonada. — Aucun navire en partance. — Il fait un bref séjour à Glubbdubdrib. — Comment il y est reçu par le Gouverneur.

Autant que je puisse en juger, le continent dont fait partie ce Royaume s'étend en direction de l'est jusqu'aux territoires américains situés à l'ouest de la Californie et encore inexplorés [1], et en direction du nord jusqu'à l'océan Pacifique, qui n'est pas à plus de cent cinquante milles de Lagado et dont la côte offre un bon port, point de départ d'un trafic intense avec la grande île de Luggnagg. Celle-ci se trouve au nord-ouest, à environ vingt-neuf degrés de latitude Nord et cent quarante degrés de longitude, c'est-à-dire à une distance d'environ cent lieues au sud-est du Japon. Une étroite alliance unit l'Empereur du Japon et le Roi de Luggnagg, de sorte que de nombreux bateaux se rendent d'une île à l'autre. Je choisis donc cet itinéraire pour tâcher de rentrer en Europe. Je louai deux mules pour porter mes quelques bagages et un homme pour me montrer le chemin. Je pris congé de mon noble

protecteur, qui m'avait témoigné tant de bonté, et qui
me fit un généreux présent à mon départ.

Le trajet par terre se fit sans incident notable.
Quand nous arrivâmes au port de Maldonada (car tel
est son nom), il n'y avait à quai aucun navire en partance pour Luggnagg, et aucun n'était annoncé avant
longtemps. La ville est de l'importance de Portsmouth.
Je m'y fis vite des amitiés et fus très hospitalièrement
reçu. Certain gentilhomme, fort distingué, me proposa
de venir passer quelque temps dans la petite île de
Glubbdubdrib, sise à cinq lieues à peu près au sud-
ouest. Puisque je devais attendre un mois une occasion
pour Luggnagg, ce voyage ne serait peut-être pas sans
agrément? Il m'accompagnerait avec un ami et fournirait un bateau pour la traversée.

Glubbdubdrib, si j'interprète exactement le mot,
signifie : île des Sorciers ou des Magiciens ; l'île est
trois fois moins grande environ que celle de Wight,
et d'une extrême fertilité. Elle est gouvernée par le
chef d'une tribu dont tous les membres sont magiciens.
Ils ne se marient qu'entre eux et le doyen d'âge est
automatiquement Prince ou Gouverneur. Celui-ci
habite un fort beau palais, dont le parc a bien trois
mille acres et s'entoure d'un mur de clôture en pierres
de taille de vingt pieds de haut. A l'intérieur du parc
il y a d'autres enclos, contenant des pâturages, des
champs de blé et des jardins.

Le Gouverneur emploie pour son service domestique
des serviteurs d'un genre assez particulier. Il a en
effet, grâce à ses talents de nécromancien, le pouvoir
de faire sortir des enfers tous les revenants qu'il veut
et de leur confier du travail à condition que ce ne soit
pas pour plus de vingt-quatre heures ni plus d'une fois
tous les trois mois, sauf dans des cas tout à fait exceptionnels.

Nous débarquâmes dans l'île vers onze heures du
matin. Un des gentilshommes qui m'accompagnaient

se rendit aussitôt chez le Gouverneur, le priant de
donner audience à un étranger venu spécialement pour
avoir l'honneur de lui présenter ses respects. On me
l'accorda immédiatement, et nous franchîmes tous trois
la grille du Palais, entre deux rangs de gardes équipés
et armés à l'antique, mais ayant dans leur allure un
je-ne-sais-quoi qui me glaçait d'épouvante. Pour nous
rendre à la salle d'audience, nous dûmes traverser une
suite de salons, entre des serviteurs disposés de même
sur deux rangs, et qui donnaient une impression semblable. Arrivés devant Son Altesse, nous lui fîmes
trois profondes révérences ; puis, après avoir répondu
à quelques questions banales, nous fûmes invités à
nous asseoir sur des tabourets placés au pied des
marches du trône. Il comprenait la langue de *Balnibarbi*, bien qu'elle différât de celle de l'île. Il m'invita
à lui raconter un peu mes voyages, et, pour que je
sache qu'il entendait me traiter sans cérémonie, il
congédia, d'un geste du doigt, tous les serviteurs. A
mon grand étonnement, ceux-ci disparurent tout d'un
coup, comme les visions d'un rêve brusquement
interrompu[1]. J'en restai quelques instants à me
remettre, mais les paroles rassurantes du Gouverneur,
comme la vue de mes deux compagnons qui restaient
parfaitement calmes, n'en étant pas à leur première
visite, me rendirent un peu de courage. Je fis donc à
Son Altesse un bref récit de mes aventures, non sans
quelques hésitations malgré tout, ni quelques regards
furtifs vers l'endroit où j'avais vu les domestiques fan-
tômes. Puis j'eus l'honneur de dîner à la table du
Gouverneur où une nouvelle équipe de spectres passaient les plats et faisaient le service. Je prenais
conscience d'être moins terrifié que je ne l'avais été
dans la matinée. Je restai au Palais jusqu'au soir, mais
je m'excusai humblement auprès de Son Altesse de ne
pouvoir accepter son invitation pour la nuit. Je descendis avec mes compagnons chez un bourgeois de la

ville voisine, qui est la capitale de la petite île. Le
lendemain nous retournâmes au Palais, comme nous
avions eu l'honneur d'en être priés.

Nous passâmes ainsi une dizaine de jours dans l'île,
reçus chez le Gouverneur une grande partie de la
journée, mais rentrant la nuit en ville. La présence des
esprits me fut vite familière. Dès ma troisième ou quatrième visite, je les voyais sans nulle émotion, ou du
moins, s'ils m'inspiraient encore quelques craintes,
celles-ci étaient moins fortes que ma curiosité. Car
Son Altesse le Gouverneur s'était mis à mon entière
disposition pour évoquer les morts : je pouvais lui
nommer tous ceux que je voulais et les choisir de
n'importe quelle époque, depuis la création du monde
jusqu'à nos jours. Je pouvais même exiger d'eux une
réponse à toutes les questions que je posais, à condition du moins que ma question portât sur le temps
où ils avaient vécu. Il n'y avait pas à craindre qu'on
dissimulât la vérité, car le mensonge est un raffinement
bien inutile dans l'au-delà.

J'acceptais avec une humble reconnaissance cette
très grande faveur de Son Altesse. Nous étions dans
une chambre donnant sur le parc, et la vue y était
splendide. Elle me donna sans doute des idées de
pompe et de magnificence, car mon premier désir fut
de voir Alexandre le Grand [1] à la tête de ses troupes,
juste après la bataille d'Arbèles. Sur un signe du doigt
que fit le Gouverneur, celles-ci apparurent immédiatement sur la vaste esplanade où donnait notre fenêtre.
Nous fîmes monter Alexandre. J'eus beaucoup de mal
à comprendre son grec, et le mien d'ailleurs n'allait
pas très loin non plus ; il me jura sur l'honneur qu'il
n'était pas mort empoisonné, mais emporté par la
fièvre à la suite d'une orgie.

Puis je vis Hannibal [2] à son passage des Alpes. Il me
dit qu'il n'avait pas une goutte de vinaigre [3] dans son
camp.

Je vis César et Pompée, à la tête de leurs troupes et
juste avant d'engager le combat ; ensuite je revis le
premier au moment de son dernier grand triomphe. Je
demandai que le Sénat de Rome apparût dans une
grande salle et qu'un Parlement moderne vînt compléter le tableau en apparaissant dans la pièce contiguë.
Le premier faisait penser à une assemblée de héros
et de demi-dieux, l'autre à un ramassis de vauriens,
de filous, de brigands et de matamores.

A ma requête, le Gouverneur fit signe à César et à
Brutus de s'avancer vers nous. Je ne pus voir Brutus
sans éprouver un profond sentiment de vénération.
Chacun de ses traits et de ses gestes révélait la vertu
la plus consommée, l'intrépidité et la constance les
plus grandes, le patriotisme le plus sincère, et un
inépuisable amour de l'Humanité. Je vis avec plaisir
que les deux hommes vivaient en bonne intelligence, et
César m'avoua franchement que les plus grandes actions de sa vie étaient fort loin d'être aussi glorieuses
que l'exploit de l'homme qui avait ôté la vie à César.
J'eus l'honneur de causer longuement avec Brutus. Il
me révéla que son ancêtre Junius, Socrate, Épami-
nondas, Caton le Censeur, Sir Thomas More [1] et lui-
même formaient un groupe d'inséparables, un « Sex-
tumvirat » auquel tous les autres âges de l'Humanité
n'avaient pu fournir un septième membre.

Je veux épargner au lecteur la longue énumération
des personnages illustres que je fis évoquer. Mon ardeur
à voir défiler sous mes yeux tous les âges de l'Antiquité
était vraiment insatiable. Et le spectacle qui réjouis-
sait le plus mes yeux était celui des héros qui avaient
abattu tyrans et usurpateurs, et qui avaient rendu la
liberté aux nations opprimées et asservies. Mais cette
délectation même qu'éprouvait mon esprit était beaucoup trop forte pour que j'essaye, en l'exprimant, de
la faire partager au lecteur.

CHAPITRE VIII

Séjour à Glubbdubdrib (suite). — Corrections apportées à l'Histoire
moderne et ancienne.

Désireux de connaître les personnages de l'Antiquité
les plus renommés par leur talent et leur science, je
décidai de consacrer un jour à leur évocation. Je
demandai donc qu'on fît apparaître Homère et Aristote, à la tête de tous leurs commentateurs. Mais ceux-ci
étaient si nombreux que plusieurs centaines d'entre
eux durent attendre dans la cour ou bien dans l'antichambre. Au premier coup d'œil je reconnus mes héros,
et les trouvai bien distincts non seulement de la foule,
mais encore l'un de l'autre. Homère était plus grand et
de plus fière mine ; il se tenait très droit pour un
homme de son âge, ses yeux étaient les plus vifs et les
plus perçants que j'aie jamais vus. Aristote était plus
courbé et s'appuyait sur un bâton. Il avait le visage
émacié, les cheveux plats et clairsemés, la voix caverneuse [1]. Je pensai bientôt, à les voir traiter en gens
complètement inconnus leurs commentateurs, qu'ils
n'avaient jamais dû les rencontrer, ni entendre parler
d'eux. Un fantôme, que je ne veux pas nommer, vint
me dire à l'oreille qu'en effet ceux-ci ne s'approchaient
jamais, aux Enfers, des auteurs qu'ils avaient glosés,
par honte et par remords d'avoir si horriblement déformé leur pensée, quand ils l'expliquaient aux générations postérieures. Je présentai donc Didyme et Eus-
tathe [2] à Homère, et obtins qu'il les traitât plus
aimablement qu'ils ne le méritaient peut-être, car il
leur découvrit vite un talent bien insuffisant pour
comprendre quel souffle inspire un poète. Aristote,
au contraire, perdit aussitôt patience, à peine lui avais-je
parlé des travaux de Scot [3] et de Ramus, en lui pré-

sentant les deux philosophes. Il me demanda si les
autres membres de la tribu étaient tous de pareils
idiots.

Je priai ensuite le Gouverneur d'appeler Descartes
et Gassendi [1] et les engageai à exposer leurs systèmes à
Aristote. Le grand philosophe, après avoir franchement
reconnu ses propres erreurs en sciences naturelles,
car il avait, comme tout le monde, procédé par hypo-
thèses, déclara dépassés tant le gassendisme — cet
épicurisme réchauffé avec beaucoup d'art — que la
théorie cartésienne des « tourbillons [2] ». Et il prédit
le même sort à celle de l'attraction [3], dont nos lettrés
sont si férus à l'heure actuelle. Il dit que ces nouveaux
systèmes philosophiques ne sont que des modes passa-
gères et changent à chaque génération ; même ceux
qu'on prétend fondés sur des principes mathématiques
ne font florès que pendant un temps donné et finissent
par perdre leur vogue.

Je passai cinq jours à converser avec les esprits illustres de l'Antiquité. Je vis la plupart des Empereurs
romains de la grande époque. Le Gouverneur voulut
bien appeler les cuisiniers d'Héliogabale et leur dire de
préparer notre dîner. Mais ils ne purent nous donner
qu'un faible aperçu de leurs talents, faute de matériel.
Un ilote d'Agésilas nous fit un plat de brouet noir,
mais je ne pus en avaler plus d'une cuillerée.

Les trois derniers jours de notre séjour dans l'île
(car mes compagnons devaient repartir, pour affaires
privées) furent consacrés à des entrevues avec les
morts de l'époque contemporaine, ceux qui avaient
tenu de grands rôles dans notre pays et en Europe
au cours des trois derniers siècles ; et comme je suis
passionné de généalogie historique, je priai le Gouverneur d'appeler une douzaine ou deux de rois, accom-
pagnés de neuf ou dix générations de leurs ancêtres,
rangés dans l'ordre. Mais quels ne furent pas mon
désappointement et ma surprise, de voir par exemple,

au lieu d'une longue file de diadèmes royaux, une dynastie comprenant deux violoneux, trois petits-maîtres
de cour, et un prélat italien ; une autre où figuraient
un abbé, un barbier et deux cardinaux. J'éprouve trop
de vénération envers les têtes couronnées pour avoir pu
m'attarder sur un sujet si brûlant ; mais le cas des
comtes, marquis, ducs et autres grands seigneurs me
donnait beaucoup moins de scrupules. Et je confesse
que ce ne fut pas sans un certain plaisir que je pus faire
remonter à leurs origines véritables les caractères distincts de certains parents. J'appris de bonne source,
par exemple, pourquoi dans certaine famille on a le
menton pointu ; pourquoi dans telle autre on a compté
tant de gredins pendant deux générations, et tant d'im-
béciles pendant les suivantes ; pourquoi, dans une troisième, abondent les têtes brûlées, et les escrocs dans
une quatrième ; pourquoi il arrivait à certaines grandes maisons de ne compter, selon l'expression de
Polydore Virgile : *Nec vir fortis, nec femina casta*.
Et pourquoi le signe distinctif de certaines familles
avait fini par être la cruauté, la perfidie, la lâcheté tout
autant que les pièces de leur blason. Je sus qui avait
introduit dans une noble race une vérole retransmise
ensuite de génération en génération sous forme de
pustules scrofuleuses. Et comment m'étonner de ces
dégénérescences, alors que je voyais tant de lignées
interrompues par des pages, des laquais, des valets,
des cochers, des joueurs professionnels, des violoneux,
des acteurs, des capitaines, des vide-goussets ?

Ce qui me dégoûta le plus, ce fut l'Histoire moderne.
Car ayant examiné avec grand soin tous les personnages de renom qui avaient vécu à la cour des princes
pendant les cent dernières années, je compris combien
l'opinion a pu être la dupe de ces plumitifs à gages, qui
attribuaient les plus grands exploits des guerres à des
lâches, les plus sages décisions à des fous, les paroles
les plus sincères à des flatteurs, les vertus les plus

dignes de Rome à des traîtres ; et qui voyaient de la
piété chez les athées, de la chasteté chez les sodomites
et de la bonne foi chez les faux témoins. Je sus combien d'innocents, combien d'hommes de bien avaient
été condamnés à la mort ou à l'exil, parce que des gens
haut placés s'employaient à corrompre les juges, et à
faire jouer les haines de partis ; je sus aussi combien
de gredins avaient obtenu les postes les plus élevés
dans la confiance des princes, ainsi que le pouvoir,
les dignités, les profits, et je vis quelle part immense
de tout ce qui se fait et se décide dans les cours, conseils et assemblées revient aux grues et aux cocottes,
aux entremetteurs, parasites et bouffons. Quelle pauvre opinion ne me fis-je pas de la sagesse et de l'intégrité humaines, quand j'eus la révélation de ce
qu'étaient les vrais motifs, les ressorts profonds de
toutes les grandes entreprises et révolutions de
l'Histoire, et quand je découvris à quelles misères
celles-ci devaient leur succès.

C'est là que m'apparurent en pleine lumière la mauvaise foi et l'ignorance de ces chroniqueurs spécialisés
dans l'anecdote ou « histoire secrète », qui vous expédient sous terre tant de rois à l'aide de coupes empoisonnées, qui vous répètent les paroles échangées sans
témoins entre un prince et son premier ministre, qui
vous crochètent aussi bien les cervelles que les tiroirs
des ambassadeurs ou secrétaires d'État, et qui ont la
perpétuelle malchance de tomber à côté. J'appris
quelles étaient les vraies causes de nombreux événements importants qui avaient étonné le monde : comment une catin peut faire la loi dans une camarilla, une
camarilla dans un conseil, et un conseil dans une assemblée. Un général reconnut avoir gagné une bataille à
force de couardise et de maladresse, et un amiral avoir
battu l'ennemi par erreur en allant lui livrer sa flotte.
Trois rois vinrent m'affirmer qu'ils n'avaient jamais,
au cours de leur règne, donné de l'avancement à un

homme de mérite, sauf à cause d'un malentendu ou d'une supercherie de ministres bien en cour, et qu'ils étaient prêts à le refaire s'ils revenaient en vie. Car, comme ils me le démontrèrent en bonne logique, la corruption est le soutien indispensable d'un trône et l'assurance, la fermeté, l'inflexibilité que la vertu donne à un caractère sont cause de mille ennuis dans le gouvernement des États.

J'eus la curiosité de demander de façon précise à toute une série de grands personnages par quelle méthode ils avaient obtenu leurs titres nobiliaires et leurs immenses richesses, et je limitai mon enquête à une époque très rapprochée, sans toucher toutefois à la période actuelle, pour être sûr de ne rien apprendre qui pût offenser quelqu'un, même un étranger. (Il va de soi que je ne dis rien ici qui concerne en quoi que ce soit l'Angleterre.) Nombreux donc furent les gens interrogés, et ils révélèrent, sans se faire prier, des choses tellement infâmes que je n'y puis songer sans écœurement. Le parjure, l'oppression, la corruption, la fraude, les services d'entremetteur, et autres « faiblesses » apparaissent encore comme les plus excusables de ces procédés et j'eus pour eux, bien entendu, beaucoup d'indulgence. Mais quand certains vinrent me confesser qu'ils devaient leur grandeur et leur fortune à la sodomie, ou à l'inceste ; d'autres, qu'ils avaient prostitué leur femme et leurs filles ; ou bien qu'ils avaient trahi leur pays et leur prince, ou bien qu'ils avaient employé le poison ; ou même, très souvent, qu'ils avaient corrompu un tribunal et fait périr des innocents ; alors, j'espère qu'on voudra me pardonner si de pareilles révélations m'ont fait perdre un peu de cette profonde vénération que m'inspirent tout naturellement les personnes de haut rang ; lesquelles ont droit à être traitées avec un respect infini, étant donné leur dignité sublime, par nous qui sommes leurs inférieurs.

Comme j'avais vu souvent mentionnés dans les livres certains services rendus aux princes et aux États par des hommes de grand mérite, j'eus la curiosité de voir quelques-uns de ces bons serviteurs. En réponse à mes questions, on me dit que leurs noms s'étaient perdus complètement, sauf quelques-uns d'entre eux que l'histoire représentait comme des gredins et des traîtres abominables. Tous les autres m'étaient rigoureusement inconnus. Ils m'apparurent, la mine déconfite et vêtus de haillons ; la plupart me dirent qu'ils étaient morts dans la pauvreté et la disgrâce, le reste sur l'échafaud ou sur un gibet. Un de ces personnages, entre autres, me parut digne d'attention. Il avait à ses côtés un jeune homme d'environ dix-huit ans. Il me dit qu'il avait, pendant de nombreuses années, commandé un navire de guerre. Lors de la rencontre d'Actium, il avait eu la bonne fortune de percer la ligne de bataille des ennemis, de couler trois de leurs plus gros navires, et de s'emparer d'un quatrième. Son fait d'armes avait suffi pour provoquer la fuite d'Antoine et amener la victoire ; mais son fils unique, ce même jeune homme qui se tenait à son côté, avait été tué au cours de l'action. « Une fois la guerre finie, ajouta-t-il, persuadé que mes mérites allaient me valoir quelque avancement, je me rendis à Rome, à la Cour d'Auguste, et sollicitai le commandement d'un plus gros navire, dont le capitaine avait été tué. Mais, sans faire le moindre cas de ma demande, on donna le poste à un gamin qui n'avait jamais vu la mer, le fils d'une certaine Libertina, femme de chambre d'une des maîtresses de l'Empereur. Je revins donc à mon ancien bâtiment, mais ce fut pour me voir accuser d'abandon de poste : mon bateau fut donné à un des mignons du Vice-Amiral Publicola. Alors je me retirai dans une pauvre maison des champs, très loin de Rome, pour y finir mes jours. » J'étais si curieux de connaître le fond de cette histoire, que je demandai à voir l'Amiral Agrippa,

le propre vainqueur d'Actium. Il apparut et me confirma tous les termes du récit, en insistant pourtant sur
les mérites du capitaine, qui m'avait parlé de son exploit avec beaucoup trop de modestie.

Je fus surpris de voir avec quelle facilité la corruption avait envahi cet Empire à peine le luxe s'y était-il
introduit, mais je n'en trouvais que moins étonnant
le cas de tant d'autres pays, où les vices de toutes sortes
règnent depuis bien plus longtemps, et où les comman-
dants en chef accaparent tout le butin [1] et toute la
gloire, alors qu'ils sont souvent les derniers à y avoir
droit.

Comme chacun des personnages évoqués m'apparaissait sous l'aspect qui était le sien sur terre, je fus pris
de mélancolie à voir combien l'espèce humaine avait
dégénéré chez nous depuis un siècle, combien étaient
apparentes les mille traces laissées par la vérole sur le
physique des Anglais : les tailles étaient moins hautes,
les nerfs moins vifs, les muscles et les tendons moins
fermes, les couleurs du visage moins saines ; et les chairs
paraissaient flasques et corrompues.

Le spectacle me parut si navrant, que pour reprendre courage je demandai à voir quelques paysans anglais
de la vieille souche, de ceux qu'on admirait le plus pour
la simplicité de leurs manières, de leur nourriture et de
leurs vêtements, pour leur probité sans faille ; pour leur
véritable esprit de liberté, pour leur vaillance et leur
patriotisme. Je ne pus sans un serrement de cœur
comparer les vivants et les morts, ni me dire que toutes
ces belles vertus d'autrefois étaient maintenant prostituées pour de l'argent ; que les descendants de ces
mêmes hommes, en vendant leurs bulletins de vote et
en s'initiant à la fraude électorale, s'étaient laissé
gagner par tous les vices et toutes les corruptions de
la Cour.

CHAPITRE IX

Retour de l'auteur à Maldonada. — Il s'embarque pour le Royaume de *Luggnagg*. — Son arrestation. — Son arrivée à la Cour. — Grande bonté du Roi envers ses sujets.

Le jour fixé pour notre départ étant arrivé, je pris congé de Son Altesse le Gouverneur de Glubbdub-drib, et retournai avec mes deux compagnons à Maldonada, où, après une attente de quelques jours, je trouvai un bateau en partance pour Luggnagg. Les deux gentilshommes ainsi que plusieurs autres personnes eurent la générosité et l'amabilité de me fournir des provisions de route et de m'accompagner à bord. Le voyage dura un mois. Nous essuyâmes une grosse tempête et dûmes naviguer vers l'ouest, pour profiter des vents alizés, qui se maintinrent pendant soixante lieues. Le vingt et un avril mil sept cent huit, nous entrâmes dans la rivière de Clumegnig, port de mer situé à l'extrémité sud-ouest de Luggnagg. Nous jetâmes l'ancre à moins d'une lieue de la ville, et par signal nous demandâmes un pilote. Il en monta deux à bord moins d'une demi-heure après. Ils nous firent franchir un passage très dangereux, semé de récifs et d'écueils, et nous arrivâmes dans un vaste bassin, où une flotte entière pourrait se mettre à l'abri, à moins d'une enca-blure des murailles de la ville.

Certains de nos matelots avaient, par fourberie ou par inadvertance, fait savoir aux pilotes que j'étais un étranger et un grand voyageur, et les pilotes aver-tirent les employés des douanes qui me firent subir à mon débarquement un interrogatoire très serré. Ils s'exprimaient dans la langue de Balnibarbi, qui est très répandue dans la ville, à cause des échanges com-merciaux, surtout entre les marins et les douaniers. Je leur donnai quelques détails de mes aventures, m'efforçant de les rendre aussi vraisemblables et cohérentes que possible, mais je jugeai prudent de leur cacher ma vraie nationalité et de me faire passer pour Hollandais, car je voulais me rendre au Japon et savais que les Hollandais sont les seuls Européens autorisés à entrer dans ce royaume. Je dis donc au douanier que, me trouvant désemparé sur un îlot après un naufrage près de la côte de Balnibarbi, j'avais été admis dans l'île volante de Laputa (dont il avait entendu parler), et que j'avais maintenant l'intention de me rendre au Japon, où peut-être je trouverais une occasion pour rentrer dans ma patrie. Le douanier me répondit qu'il devait s'assurer de ma personne en attendant d'avoir des ordres de la Cour. Il allait rendre compte immédiatement, et pensait recevoir une réponse dans la quinzaine. On me conduisit au lieu de mon internement, et on mit un garde à ma porte, mais on me laissa la disposition d'un grand jardin ; j'étais nourri aux frais du Roi et je n'avais pas à me plaindre de mon régime. Plusieurs personnes s'offrirent à être mes hôtes, surtout par curiosité, car le bruit s'était répandu que je venais de pays très lointains et complètement inconnus d'eux tous.

J'engageai comme interprète un jeune homme que j'avais connu pendant la traversée ; il était de Luggnagg mais avait passé plusieurs années à Maldonada et parlait parfaitement les deux langues. Grâce à lui, je pus converser avec les gens qui venaient me voir, mais les dialogues restaient fort simples : une question d'eux, une réponse de moi.

La dépêche de la Cour arriva dans les délais prévus. Elle notifiait l'ordre de me conduire, moi et ma suite, à Traldragdubh ou Trildrogdrib (car je crois me rappeler que les deux prononciations sont possibles), avec une escorte de dix cavaliers. Ma suite se composait en tout et pour tout de ce pauvre garçon qui me servait d'interprète, et que j'avais persuadé de rester à mon ser-

vice. A mon humble requête on nous donna une mule
chacun. Un courrier nous précédait d'une demi-journée,
chargé d'annoncer au Roi mon arrivée et de le prier de
bien vouloir fixer le jour et l'heure où il plairait à Sa
Gracieuse Majesté que j'eusse l'honneur de « lécher la
poussière devant l'escabeau de ses pieds [1] ». Telle était
la formule officielle et je m'aperçus qu'elle recouvrait
autre chose qu'une clause de style, car, lorsque je
reçus audience, deux jours après mon arrivée, on me
pria de me mettre à plat ventre et d'avancer vers le
trône en léchant le parquet. Mais, eu égard à ma qualité d'étranger, on avait balayé avec tant de soin que
je n'avalai pas trop de poussière. Ceci était cependant
une faveur exceptionnelle, qu'on accordait aux seules
personnes de haut rang, lorsqu'elles demandaient
audience. On allait même, quand la personne intro-
duite avait des ennemis à la Cour, jusqu'à rajouter
de la poussière sur le plancher. Je vis certain grand
seigneur qui en avait tellement avalé, que, lorsqu'il
arriva au bout du trajet réglementaire, il était incapable d'articuler un mot. Mais sa situation était sans
remède, car c'était un crime capital, au cours d'une
audience, que de cracher [2] et de s'essuyer la bouche en
présence de Sa Majesté. Il y a d'ailleurs pire, et c'est un
usage que je ne puis vraiment approuver : quand le Roi
est décidé à se débarrasser d'un de ses nobles d'une façon
douce et indulgente, il fait répandre sur le sol certaine
poudre brune, préparée à cet effet, et capable de vous
enlever dans les vingt-quatre heures quiconque s'en
est mis sur la langue. Mais il faut rendre cette justice
à la grande clémence du Prince, à sa sollicitude pour
la vie de ses sujets (en quoi les monarques d'Europe
feraient bien de le prendre pour modèle), qu'il donne
des ordres très stricts, et c'est tout à son honneur,
pour que les parties contaminées du plancher soient
lavées avec grand soin après chaque exécution de ce
genre ; et, si les domestiques négligent ce devoir, ils

risquent fort de tomber en disgrâce. Je l'entendis moi-même donner l'ordre de fouetter le page de service, qui aurait dû transmettre la consigne de nettoyer le plancher et qui, par malice, ne l'avait pas transmise. Sa négligence avait causé la mort d'un jeune seigneur de grand avenir, qui, reçu en audience, eut la disgrâce d'être empoisonné alors que le Roi n'avait à ce moment aucune intention de le faire périr. Pourtant ce Prince clément fit grâce au page de sa fouettée, contre promesse de ne pas recommencer, à moins d'ordre spécial. Mais après cette digression, revenons-en à mon audience. Quand j'eus fait sur le ventre les quatre yards qui me séparaient du trône, je me mis réglementairement sur les genoux et je frappai sept fois du front le sol en disant les mots suivants, que j'avais appris la veille au soir : « *Ickpling gloffthrobb squutserumm blhiop mlashnalt zwin tnodbalkguffh slhiophad gurdlubh asht.* » Telle est la formule que doit prononcer, d'après l'étiquette de la Cour, toute personne admise en la présence du Roi. Son sens équivaut à peu près à ceci : « Puisse la vie de Votre Céleste Majesté être de onze lunes et demie plus longue que celle du Soleil. » A quoi le Roi me répondit quelque chose que je ne compris pas. Mais je lui récitai de confiance la deuxième phrase qu'on m'avait enseignée : « *Fluft drin yalerik dwuldum prastrad mirplush* », et qui signifie mot à mot : « Ma langue est dans la bouche de mon ami », expression consacrée pour demander la permission de faire venir l'interprète. On introduisit donc ce jeune homme dont j'ai parlé, et je pus grâce à son intervention répondre à toutes les questions que Sa Majesté put me poser pendant plus d'une heure. Le Roi fut enchanté de notre entretien et dit à son *Bliffmarklub* ou Grand Chambellan de réserver pour moi et mon interprète un appartement au Palais, de me verser une allocation quotidienne pour ma subsistance et de me remettre une grosse bourse d'or pour mes menus plaisirs.

Je restai trois mois dans ce pays, pour complaire à Sa Majesté qui avait daigné m'admettre en sa faveur et qui me fit des offres très flatteuses. Mais je jugeai plus conforme à la justice de retourner vivre auprès de ma femme et de mes enfants le reste de mes jours.

CHAPITRE X

Éloge des Luggnaggiens. — Description des Struldbruggs. — Conversations que l'auteur eut avec d'éminents esprits à leur sujet.

Les Luggnaggiens sont un peuple poli et généreux. Ils ne sont pas, certes, exempts de cet orgueil qui est la marque propre de toute nation orientale, mais ils se montrent pleins d'égards envers les étrangers, surtout quand ceux-ci sont bien vus en Cour. Je me fis beaucoup de relations dans la meilleure société, et, grâce à mon interprète qui ne me quittait pas, je pus tenir des conversations qui ne manquaient pas d'agrément. Un jour, dans une réunion de gens fort distingués, certain seigneur me demanda si je n'avais jamais vu un de leurs *Struldbruggs* [1], ou Immortels, je répondis que non, et que j'étais curieux de savoir dans quelle acception ce terme s'applique à une créature mortelle. Il me dit qu'on voyait parfois dans une famille naître un enfant marqué au front, juste au-dessus du sourcil gauche, d'une petite tache rouge de forme circulaire, qui était un signe infaillible d'immortalité. Son diamètre, précisait-il, était au début celui d'une pièce d'argent de trois pence, mais on le voyait augmenter avec l'âge du sujet, et la couleur de la marque était, de même, variable ; à douze ans elle tournait au vert, à vingt-cinq ans au bleu foncé ; à quarante-cinq ans, elle devenait noire comme du charbon ; la tache avait alors la taille d'un

shilling anglais, et ne changeait plus. Il ajouta que de
pareilles naissances étaient extrêmement rares et que,
dans tout le Royaume, on ne devait pas compter plus
de onze cents Struldbruggs des deux sexes, dont une
cinquantaine peut-être vivaient dans la capitale ;
on connaissait en province une petite immortelle de
trois ans. L'immortalité n'était pas le privilège de
certaines familles mais l'effet du hasard, et même les
enfants de deux Struldbruggs naissaient aussi mortels
que le reste de la nation.

J'avoue que ces révélations me causèrent une joie
indicible. Et comme mon interlocuteur comprenait
le balnibarbien, que je parlais couramment, je me
lançai aussitôt dans une tirade un peu trop enthousiaste. Je m'écriai avec ravissement : « Heureuse nation
où tout enfant naît avec une chance au moins d'être
immortel ! Heureux peuple, qui bénéficie de tant
d'exemples vivants de la vertu antique, qui trouve
des maîtres sachant lui enseigner la sagesse de tous
les temps passés ! Mais mille fois plus heureux encore
ces excellents Struldbruggs, exemptés dès leur naissance du malheur qui guette la race des hommes, et
capables par conséquent de garder leur esprit libre et
dégagé, d'avoir des pensées affranchies de cette lour-
deur et de cette tristesse que cause l'appréhension
continuelle de la mort ! » Puis je dis combien je trouvais curieux de ne pas avoir vu à la Cour une seule
de ces illustres personnes ; la marque noire de leur
front étant un signe assez caractéristique, je n'en
aurais sûrement pas croisé sans les reconnaître et
je ne pouvais penser, d'autre part, qu'un prince aussi
judicieux que Sa Majesté ne se fût pas entouré d'un
bon nombre de ces conseillers réfléchis et compétents.
Peut-être la vertu de ces Sages vénérables était-elle
un peu trop austère pour les habitudes libertines
et corrompues d'une Cour ? Car chacun sait par expérience que les jeunes gens sont à la fois trop opiniâtres

et trop légers pour vouloir suivre les bons conseils des
vieillards. En tout cas, puisque Sa Majesté daignait
m'admettre auprès de sa Royale Personne, j'étais
résolu à lui donner là-dessus, à la première occasion,
mon opinion franche et détaillée, par le moyen de mon
interprète. D'ailleurs, que le Roi écoutât ou non mes
avis, j'avais décidé de toute façon d'accepter, et avec
beaucoup de reconnaissance, la proposition que Sa
Majesté m'avait souvent faite de m'établir dans ses
États : j'y passerais ma vie à converser avec les Struldbruggs, si ces êtres supérieurs daignaient m'admettre
en leur compagnie.

Le gentilhomme à qui j'adressai ce discours savait
(comme je l'ai dit) la langue balnibarbienne. Avec un
sourire teinté de pitié, comme on en adresse aux
ignorants, il déclara très heureuse ma décision de
demeurer dans le pays, quel qu'en eût été le motif,
mais il aimerait traduire mes paroles aux autres seigneurs qui nous entouraient. Je l'en priai donc, et ils
se mirent tous à discuter dans leur langue, à quoi je
ne comprenais goutte. Je ne sus pas mieux lire sur
leurs visages quelle impression leur avaient faite mes
paroles. Après un bref silence, la même personne me dit
que ses amis, qui étaient aussi les miens (telle était la
formule qu'il se plut à employer), avaient beaucoup
apprécié les judicieuses remarques que j'avais faites
sur les avantages de l'immortalité, et qu'ils étaient
désireux d'apprendre, dans le détail, comment j'aurais aimé organiser ma vie, si le sort m'avait fait naître
Struldbrugg.

Je répondis qu'il me serait facile de traiter avec
éloquence un sujet si riche et si séduisant, d'autant
plus que j'avais toujours eu le goût de la rêverie et que
je me complaisais à jouer mon personnage dans le rôle
d'un roi, d'un général ou d'un grand seigneur. Quant à
ce propre thème, de ce que serait ma vie si j'étais immortel, je l'avais déjà abordé maintes fois, m'établis-

sant tout un programme et me donnant mille règles de conduite.

Oui, si j'avais eu la chance de naître Struldbrugg, à peine aurais-je su distinguer entre la vie et la mort, prenant par là conscience de mon immense privilège, je prendrais la décision de mettre tout en œuvre pour devenir riche. En deux cents ans environ d'efforts méthodiques joints au sens des affaires et à l'épargne, je pouvais raisonnablement espérer me faire la plus grosse fortune du Royaume. En second lieu, je m'appliquerais, dès mon plus jeune âge, à l'étude des sciences et des lettres de manière à pouvoir un jour être le plus savant homme de l'univers. Enfin je prendrais soin de noter tous les faits et événements importants de la politique, de faire les portraits des différents princes de chaque dynastie et de tous les ministres célèbres, en y ajoutant des réflexions personnelles. Je tiendrais un registre exact de tous les changements intervenus dans les coutumes, la langue, le vêtement, l'alimentation et les loisirs. Ces différentes acquisitions devaient faire de moi un vivant trésor de connaissances et de sagesse, un oracle écouté de toute ma nation.

Je ne songerais pas à des remariages après la soixantaine, mais je pratiquerais une large hospitalité, sans être pourtant prodigue. Je prendrais plaisir à former, à diriger l'intelligence de jeunes gens pleins de promesses, leur faisant acquérir, à la lumière de mes souvenirs, de mon expérience et de mes observations, le tout appuyé sur de nombreux exemples, la conviction que la vertu est indispensable à la vie publique comme à la vie privée. Mais je choisirais mes compagnons ordinaires entre ceux qui jouiraient comme moi du privilège de l'immortalité. J'en réunirais un groupe d'une douzaine, dont les plus jeunes seraient de mon époque, et les aînés des temps les plus reculés. Je fournirais aux plus déshérités de bonnes maisons au-

tour de mon domaine, et j'aurais toujours quelques-
uns d'entre eux à ma table. Quant à vous mortels, je
vous recevrais en petit nombre et seulement si vous
offrez un intérêt exceptionnel, car je m'endurcirais en
vieillissant au point de savoir vous perdre, vous et
votre postérité, avec une indifférence presque totale ;
tel un jardinier prend plaisir à voir se succéder à chaque
printemps les œillets et les tulipes de ses plates-bandes,
sans regretter la disparition des fleurs mortes l'année
d'avant [1].

Nous autres Struldbruggs, nous mettrions en commun
nos observations et nos souvenirs sur les temps révolus ; nous décèlerions les progrès insensibles de la
corruption dans le monde et nous nous y opposerions
pied à pied, en prodiguant aux hommes nos avertisse-
ments et nos conseils. Et peut-être que ceux-ci, joints à
la puissante influence de notre exemple, sauraient com-
battre efficacement la dégénérescence de la race humaine, que, non sans raison, l'on déplore de siècle en
siècle.

Je goûterais aussi le plaisir de voir se bouleverser les
États et les Empires ; se transformer toute la face du
monde, les grandes cités tomber en ruine et les modestes
villages devenir métropoles royales, les grandes rivières
se faire petits ruisseaux, les océans se retirer d'une côte
pour en envahir d'autres, les hommes découvrir cent
terres nouvelles, les nations les plus policées retomber
dans la barbarie et les plus barbares s'ouvrir aux
lumières. — Et j'assisterais aux grandes découvertes :
la longitude [2], le mouvement perpétuel, la médecine
universelle, et aux perfectionnements de tant d'autres
nobles inventions.

Quelles merveilleuses découvertes ferions-nous en
astronomie, disposant des années nécessaires pour voir
se confirmer nos prédictions ; observant le passage,
puis le retour des comètes [3] ; notant même le changement dans la course du Soleil, de la Lune et des étoiles.

Je développai bien d'autres lieux communs, car dans leur désir de vie éternelle et de bonheur sur la terre, les hommes n'en sont jamais à court. Quand j'eus fini, et que le fond de mon discours eut été traduit comme la fois précédente aux seigneurs qui m'entouraient, ils se remirent à discuter avec animation dans leur langue, et j'entendis fuser un bon nombre de rires. Enfin, ce gentilhomme qui me servait d'interprète me dit qu'on l'avait chargé de me tirer d'erreur. Si j'en avais fait quelques-unes, c'est que l'intelligence humaine est faillible, et cette raison suffisait bien à m'excuser. D'ailleurs la race des Struldbruggs était propre à leur seul pays. On n'en rencontrait ni à Balnibarbi ni au Japon, où il avait eu successivement l'honneur d'être l'ambassadeur de Sa Majesté, et où il avait eu beaucoup de mal à convaincre les gens de la réalité du phénomène. Quant à moi-même, le propre étonnement que j'avais montré lorsqu'on m'avait parlé d'immortels prouvait bien que leur existence me semblait extraordinaire et pour ainsi dire incroyable. Dans les deux royaumes qu'il venait de nommer, il avait au cours de ses missions conversé avec beaucoup de monde, et il avait observé que le désir d'une longue vie y était absolument universel. Tout homme qui avait déjà un pied dans la tombe affermissait tant qu'il pouvait l'autre pied sur le sol. Les plus vieux gardent l'espoir de vivre un jour encore et regardent la mort comme le pire des maux, celui que par instinct il faut fuir. Il n'y a que dans cette île de Luggnagg que l'appétit de vivre soit plus modéré, parce que l'on a constamment devant les yeux l'exemple des Struldbruggs.

« Ce plan de vie immortelle que vous avez tracé, me dit-il, est déraisonnable et absurde, parce qu'il implique la durée éternelle de la jeunesse, de la santé et de la vigueur ; et quel homme serait assez fou, assez extravagant dans ses rêves, pour partir d'un tel postulat ? Le problème n'est pas d'organiser une vie toujours en son printemps, toujours comblée de bonheur et de santé, mais de supporter une existence perpétuellement en butte aux misères de la vieillesse. Les hommes, bien sûr, auraient honte d'avouer que, même à ce prix-là, ils choisiraient encore de ne pas mourir ; il n'empêche que dans les deux royaumes de Balnibarbi et du Japon, dont je vous parlais, j'ai observé que tous essayent de renvoyer leur mort à plus tard, de ne pas la laisser approcher. Et on ne m'a pas souvent parlé d'un homme qui eût désiré la mort, à moins d'être poussé à bout par la peine ou bien les souffrances. Vous-même, au cours de vos voyages ou dans votre pays, n'avez-vous pas constaté que cette disposition d'esprit est vraiment universelle ? »

Après ce préambule, il me donna quelques détails sur la vie que les Struldbruggs menaient parmi eux. Jusqu'à trente ans, ils ne sont pas différents des mortels, précisa-t-il, c'est à partir de cet âge qu'ils commencent à être mélancoliques et amers, et ils le deviennent de plus en plus jusqu'à leur quatre-vingtième année. C'est grâce à leurs propres confidences que l'on connaît ces détails, car ils sont trop peu nombreux (à peine deux ou trois par génération) pour être l'objet d'une enquête générale. Quand ils atteignent quatre-vingts ans, un âge que ne dépassent guère les naturels de l'île, ils ont pour lot toutes les infirmités physiques et mentales des vieillards, plus une infinité d'autres qui naissent de l'atroce perspective de ne jamais en finir.

Ils ne sont pas seulement entêtés, hargneux, cupides, susceptibles, vaniteux, bavards, mais incapables de toute amitié et même d'affection envers leurs descendants, qu'ils perdent de vue après la deuxième génération. Ils ont deux passions dominantes : l'envie et les désirs rentrés. Ce qu'ils envient, ce sont les vices de la jeunesse ; ce qu'ils désirent, c'est la mort des vieillards. Car quand ils pensent aux premiers, ils comprennent à quel point ils sont privés de tous genres de plaisir ; et de même, quand ils voient passer un convoi funèbre, ils se mettent à se lamenter : « Quoi, gémissent-ils, les autres s'en vont au repos de la terre, et nous n'avons pas l'espoir d'y arriver jamais. » Leurs seuls souvenirs remontent à leur jeunesse ou au début de leur âge mûr, et sont d'ailleurs fort incertains, de sorte que le plus lucide des immortels est encore beaucoup moins capable de vous renseigner sur les circonstances d'un fait passé que la tradition populaire. Le mieux qu'on puisse leur souhaiter, c'est de perdre toutes leurs facultés et de radoter complètement. Car alors, ils peuvent compter sur un peu de pitié et d'assistance, n'ayant pas le caractère si méchant.

Quand il y a eu mariage entre deux Struldbruggs, une généreuse loi du Royaume le déclare dissous dès que le plus jeune des conjoints a atteint ses quatre-vingts ans. Car il y aurait sans doute une grave injustice à laisser un malheureux (condamné sans être coupable à une perpétuelle appartenance au monde) supporter, par-dessus le marché, le fardeau que représente une femme. Dès qu'ils ont atteint cette limite de quatre-vingts ans d'âge, ils sont considérés comme morts civilement, leurs biens échoient à leurs héritiers, et seul un petit capital est mis de côté pour leur permettre de vivre. Les plus pauvres sont alors entretenus aux frais de l'État. Après la mort civile, ils sont tenus pour inaptes à tout emploi et toute profession, ils ne peuvent ni acheter de propriétés, ni passer un bail, ni être témoin en justice, tant civile que criminelle, même pas pour des questions de tenants et d'aboutissants.

A quatre-vingt-dix ans ils perdent leurs dents et leurs cheveux. A cet âge, ils ne distinguent plus la saveur des aliments, ils mangent et ils boivent n'importe quoi, sans éprouver de goût ni d'appétit. Leurs infirmités n'évoluent plus. Ils ne se portent jamais ni

déteste le genre humain

mieux ni plus mal. Quand ils parlent ils ne trouvent plus leurs mots, même pour désigner les choses les plus simples. Ils vont jusqu'à oublier le nom de leurs meilleurs amis, de leurs plus proches parents. Pour la même raison, ils doivent renoncer à toute lecture, la mémoire leur faisant défaut entre le début et la fin d'une phrase. Ils perdent ainsi la seule distraction à laquelle ils auraient encore droit.

Comme la langue du pays évolue avec une grande rapidité, les Struldbruggs d'une époque sont incapables de comprendre ceux d'une autre, et au bout de deux cents ans aucun d'entre eux n'a plus qu'une poignée de mots communs avec les mortels qui l'entourent ; ils connaissent donc la disgrâce de vivre en étranger dans leur propre pays.

Telle fut la description qu'on me fit des Struldbruggs, autant que je puisse m'en souvenir. J'eus plus tard l'occasion d'en voir cinq ou six, tous d'âge différent, le plus jeune ne dépassant pas deux cents ans. Mes amis venaient m'en montrer de temps en temps ; ils les avaient prévenus que j'étais un grand voyageur, que j'avais parcouru le monde, mais ils n'eurent pas l'idée de me poser des questions. Ils ne savaient que me demander un *Slumskudask*, un petit souvenir de moi. Façon pudique de mendier, malgré la loi qui le leur interdit strictement, puisque l'État est censé pourvoir à leurs besoins, si peu généreux soit-il.

Il n'est personne qui ne les haïsse et ne les méprise. Le jour où l'un d'eux vient au monde est regardé comme néfaste, et leur naissance est toujours consignée avec soin. Un moyen de connaître leur âge est donc de consulter les registres publics, mais ceux-ci ne remontent pas au-delà de mille ans, et ont pu être abîmés ou détruits. Le procédé le plus courant consiste donc à leur demander les rois ou les grands hommes dont ils se souviennent et de se reporter à un livre d'histoire, car infailliblement le dernier prince dont le nom leur

dégout du corps.

mysogine

est resté dans la tête est monté sur le trône avant leurs quatre-vingts ans d'âge.

Je n'ai jamais rien vu d'aussi répugnant, mais les femmes sont encore plus horribles que les hommes. En plus des difformités propres à l'extrême vieillesse, elles prennent une allure spectrale, toujours plus frappante au cours des siècles, et qu'il faut renoncer à décrire. Quand il y en avait une demi-douzaine ensemble, je distinguais toujours la plus vieille, même quand elles n'avaient qu'une ou deux centaines d'années de différence.

Le lecteur comprendra sans mal qu'après tout ce que j'avais vu et entendu, mon ardent désir de vie éternelle s'était beaucoup refroidi. Je me sentis tout honteux de mes aimables songeries, et me pris à penser qu'il n'était de mort si cruelle que je n'aurais choisie avec bonheur plutôt que cette vie-là. On conta au Roi ce qui s'était passé entre mes amis et moi à cette occasion, et il me taquina très plaisamment. Il serait bon, dit-il, que je pusse emmener un couple de Struldbruggs dans mon pays, afin de guérir mes compatriotes de la peur de mourir. Mais les lois fondamentales du Royaume s'y opposaient, paraît-il. Je le regrette ; j'étais tout prêt à faire face aussi bien aux frais qu'aux difficultés de leur transport.

Il me fallut bien reconnaître que les sévères mesures prises par les lois du Royaume contre les Struldbruggs étaient parfaitement fondées en raison, et conformes à ce que tout pays, dans les mêmes circonstances, aurait dû faire. Car on sait que la cupidité va de pair avec la vieillesse. Laissés à eux-mêmes, ces immortels auraient fini par accaparer tous les biens de la nation, et à s'emparer même du pouvoir. Et, étant donné leur incapacité, ils auraient mené l'État à sa ruine.

CHAPITRE XI

L'auteur quitte Luggnagg pour le Japon. — Un navire hollandais le
ramène à Amsterdam. — Il rentre en Angleterre.

Si j'ai conté au lecteur ces histoires de Struldbruggs,
c'est que je pensais l'intéresser par une relation originale. Du moins, je ne me rappelle pas avoir rien lu
de semblable dans aucun livre de *Voyages* que j'ai eu
entre les mains. Mais, si j'ai fait erreur, qu'on me
pardonne : quand plusieurs voyageurs décrivent le
même pays, il est inévitable que leurs récits aient des
points communs, sans qu'on puisse les accuser de s'être
pillés ou plagiés l'un l'autre.

Il existe, certes, un important courant commercial
entre ce Royaume et le grand Empire du Japon. Il y a
donc tout lieu de croire que les auteurs japonais ont
parlé des Struldbruggs. Mais la brièveté de mon séjour
au Japon jointe à mon ignorance de la langue ont fait
que je n'ai pu me renseigner sur ce point. Je laisse donc
aux Hollandais, dont je connais le zèle et la compétence, le soin de faire à ma place cette investigation.

Sa Majesté m'avait offert plusieurs fois, et avec
insistance, une charge à sa Cour. Mais devant ma ferme
résolution de retourner dans mon pays, Elle daigna
enfin m'accorder mon congé, me faisant l'honneur de
rédiger de sa propre main la lettre qui me recomman-
dait à l'Empereur du Japon. Le Roi me remit aussi
quatre cent quarante-quatre pièces d'or (on aime là-bas
ces nombres faits de plusieurs fois le même chiffre) et
un diamant rouge que je vendis onze cents livres en
Angleterre.

Le six mai mil sept cent neuf, je pris solennellement congé de Sa Majesté, et de tous mes amis. Le
Prince eut la bonté de me faire conduire par un garde

jusqu'à Glanguenstald, port de guerre situé sur la côte
sud-ouest de l'île. Au bout de six jours, je trouvai un
vaisseau prêt à m'emmener au Japon. Le voyage dura
quinze jours, et nous débarquâmes à Xamoschi, petite
ville maritime du sud-est du Japon. La ville s'étend à
l'ouest, face à un petit détroit commandant l'entrée
sud d'un long bras de mer, au bout duquel, sur la côte
nord-ouest, se trouve Yedo, la capitale. En débarquant,
je montrai aux officiers des douanes la lettre du Roi de
Luggnagg me recommandant à S. M. Impériale. Ils en
identifièrent facilement le sceau, qui était aussi large
que la paume de ma main et représentait un roi aidant
à se relever un mendiant agenouillé. Les magistrats de
la ville, avertis que je portais des lettres royales, me
reçurent comme un envoyé officiel ; ils me fournirent
un attelage et une suite, et firent transporter mon ba-
gage à Yedo. Là, je fus reçu en audience et je remis mes
lettres. Celles-ci furent ouvertes en grande cérémonie
et un interprète les traduisit à l'Empereur, m'avisant
en retour de présenter ma requête à Sa Majesté, qui
par égard pour son royal frère de Luggnagg daignait y
faire droit par avance. Cet interprète était chargé
ordinairement des rapports avec les Hollandais : il eut
tôt fait de deviner que j'étais Européen et c'est donc
en néerlandais qu'il me transmit l'ordre de Sa Majesté.
Il parlait d'ailleurs cette langue à la perfection. Je
répondis (selon le plan que je m'étais tracé) que j'étais
un marchand hollandais, ayant fait naufrage dans un
pays très lointain, d'où j'avais gagné par mer l'île de
Luggnagg. De là, j'avais profité d'un bateau qui se
rendait au Japon, sachant que mes compatriotes y
venaient souvent pour leur négoce et dans l'espoir que
l'un d'eux me fournirait l'occasion de rentrer dans mon
pays. Je priai donc humblement Sa Majesté de bien
vouloir me faire conduire sous escorte à Nagasaki.
Puis j'adressai une deuxième requête : par égard pour
mon protecteur, le Roi de Luggnagg, pourrait-on me

dispenser de l'obligation imposée à mes compatriotes
de marcher rituellement sur un crucifix ¹? Car c'est
la malchance qui m'avait mené dans ce Royaume et
non l'appât du gain. Quand cette dernière demande
fut traduite à l'Empereur, celui-ci manifesta une légère
surprise. Il dit que j'étais le premier de mes compatriotes à éprouver des scrupules sur ce point, ce qui lui
faisait penser que je n'étais peut-être pas un vrai Hollandais ; il me soupçonnait plutôt d'être un « chrétien ».
Mais, pour les raisons que j'avais exposées, et surtout
pour être agréable au roi de Luggnagg, il voulait bien
me donner une marque exceptionnelle de faveur et
satisfaire ce singulier caprice que j'avais. Il fallait
cependant s'y prendre avec doigté et ordonner aux
fonctionnaires de simuler un oubli car, m'assura-t-il,
si le secret en était découvert par mes compatriotes
hollandais, ils me couperaient la gorge pendant le
voyage. J'adressai à l'Empereur, par la voix de l'interprète, tous mes remerciements pour une faveur si
extraordinaire ; et, comme il se trouvait ce jour-là
que des troupes devaient se rendre à Nagasaki, les
officiers reçurent l'ordre de se charger de moi, avec des
instructions particulières au sujet de cette affaire de
crucifix.

J'arrivai à Nagasaki le neuf juin après un voyage
long et désagréable. Je tombai aussitôt sur un groupe
de matelots hollandais, appartenant à l'*Amboyna*,
d'Amsterdam un solide navire de quatre cent cinquante tonneaux. J'ai longtemps vécu en Hollande,
ayant fait mes études à Leyden, et je parle bien le
néerlandais. Les marins apprirent vite quelle avait
été ma dernière étape, et me posèrent mille questions
sur mes voyages et sur ma vie. Je leur inventai une
histoire aussi courte et aussi vraisemblable que possible, mais qui taisait une bonne part de la vérité. Je
connaissais beaucoup de monde en Hollande et fus
capable de trouver un nom pour mes parents, dont

j'assurai qu'ils étaient d'humbles gens de la province de Gueldre. J'étais prêt à payer au capitaine (un certain Théodore Vangrult) le prix qu'il fixerait pour me ramener en Hollande, mais, en apprenant que j'étais médecin, il se contenta de la moitié de ce qu'il exigeait habituellement, à condition que je lui prêtasse mes services. Avant le départ du navire, j'eus souvent à subir les questions de mes camarades de bord : M'étais-je plié à la formalité en question? Je m'en tirais en répondant d'une manière évasive que j'avais satisfait sur tous les points aux exigences de l'Empereur et de la Cour. Un gredin de quartier-maître eut pourtant la scélératesse d'aborder un fonctionnaire japonais, et, me montrant du doigt, de lui dire que je n'avais pas encore marché sur un crucifix. Mais l'autre, qui avait la consigne de ne pas me chercher noise, fit donner à ce pendard trente coups de bambou sur le plat du dos. Après quoi je fus délivré des questions indiscrètes.

Le voyage fut sans histoire. Le vent nous fut favorable jusqu'au cap de Bonne-Espérance, où nous ne relâchâmes que pour faire de l'eau. Le onze avril, nous arrivâmes à bon port à Amsterdam, sans avoir perdu plus de quatre hommes : trois qui moururent de maladie et un qui tomba du mât de misaine au large de la Guinée. Je trouvai vite un petit bâtiment, d'Amsterdam même, pour me mener de ce port en Angleterre.

Le vingt avril mil sept cent dix, nous étions en vue des Downs. Je débarquai le lendemain, revoyant ainsi mon pays natal après une absence d'exactement cinq ans et six mois. Je me rendis sur l'heure à Redriff, où j'arrivai le même jour à deux heures de l'après-midi. J'y retrouvai ma femme et mes enfants en bonne santé.

FIN DE LA TROISIÈME PARTIE

QUATRIÈME PARTIE

Voyage
chez les Houyhnhnms

CHAPITRE I

L'auteur reprend la mer comme capitaine. — Mutinerie à bord. —
Ses hommes le gardent longtemps prisonnier dans sa cabine, puis
le débarquent sur une terre inconnue. — Il s'enfonce vers l'intérieur
du pays. — Description de certains êtres étranges : les Yahoos. —
L'auteur rencontre deux Houyhnhnms.

Je restai cinq mois dans ma famille. J'avais tout
pour y être heureux. Il ne me manquait que de savoir
reconnaître le bonheur. Je quittai ma pauvre femme
qui attendait un enfant, et j'acceptai une offre avantageuse, celle de partir comme capitaine à bord de l'*Aventure*, un solide marchand de trois cent cinquante tonneaux. Car je connaissais bien la mer, et j'étais las de
naviguer toujours comme médecin. Je pouvais certes
tenir encore ce rôle à l'occasion, mais je préférai engager un jeune et excellent spécialiste, nommé Robert
Purefoy. Nous sortîmes de Portsmouth, le sept septembre mil sept cent dix. Le quatorze, à Ténériffe,
nous ralliâmes le capitaine Pocock, de Bristol, qui
allait charger du bois dans la baie de Campêche [1].
Le seize, nous fûmes surpris par une violente tempête.
Je sus, à mon retour, que son navire avait sombré sans
laisser d'autre survivant qu'un garçon de cabine. Ce
Pocock était un très brave homme et un bon marin,
mais il s'entêtait un peu trop dans ses décisions, ce

qui fut la cause de sa perte, comme cela l'a été pour
plusieurs autres. Car, s'il avait suivi mes avis, il serait
peut-être à l'heure actuelle comme moi, sain et sauf
dans sa famille [1]. Plusieurs hommes de mon équipage
étaient morts de la *calenture*, de sorte que je dus recruter du monde à la Barbade et dans les îles Sous-le-
Vent, où mes armateurs avaient décidé que je ferais
escale ; mais les nouveaux venus me firent vite regretter de les avoir engagés, car je m'aperçus qu'ils étaient
presque tous d'anciens flibustiers. J'avais cinquante
hommes à bord, ma mission étant de commercer avec
les Indiens des Mers du Sud, et de faire toutes les
découvertes que je pourrais. Les coquins que j'avais
ramassés corrompirent les autres matelots et l'on com-
plota de s'emparer du navire et de s'assurer de ma personne. Les mutins passèrent à l'action un beau matin,
faisant irruption dans ma cabine et me liant les pieds
et les poings. Ils menacèrent de me jeter par-dessus
bord, si je m'avisais de bouger, mais je répondis que
j'étais leur prisonnier, et que je ne résisterais pas. Ils
me dirent de le jurer. Je fis le serment et on m'ôta mes
cordes, me laissant seulement enchaîné par une jambe
à mon lit. Une sentinelle fut mise à ma porte, avec son
arme chargée et la consigne de m'abattre si j'essayais
de sortir. Les révoltés me faisaient porter à manger et
à boire et dirigeaient le navire à leur gré. Leur dessein
était de se faire pirates et d'attaquer les navires espa-
gnols, ce qui ne pourrait se faire sans un équipage
renforcé. Mais ils décidèrent de vendre d'abord la cargaison, puis d'aller à Madagascar recruter du monde,
plusieurs d'entre eux étant morts depuis ma réclusion.
Ils naviguèrent durant plusieurs semaines. Ils faisaient
du commerce avec les Indiens, mais je ne savais pas
où on allait, car on me tenait étroitement enfermé dans
ma cabine. Je m'attendais à rien moins qu'à être
assassiné, comme on m'en avait menacé à plusieurs
reprises.

Le neuf mai mil sept cent onze, un certain James
Welch descendit à ma cabine, et me dit que le capitaine lui avait ordonné de me débarquer. Je tentai de
discuter, mais en vain : il ne voulut même pas me dire
qui était le nouveau capitaine. On me contraignit à
monter dans la chaloupe, mais on m'avait permis de
mettre mes meilleurs habits, qui étaient comme neufs,
et d'emporter un petit ballot de linge, ainsi que mon
épée ; mais pas d'autres armes. On eut la bonté de ne
pas fouiller mes poches, où j'avais tout mon argent, et
quelques petits objets utiles. Les mutins firent à la
rame une lieue environ, puis me déposèrent sur une
grève. Je les priai de me dire où nous étions. Ils me
jurèrent que j'en savais autant qu'eux, et ajoutèrent
que le capitaine (ils lui donnaient ce titre) avait décidé,
une fois la cargaison vendue, de m'abandonner sur la
première terre qu'ils rencontreraient. Ils prirent le
large immédiatement, m'avertissant de faire vite si
je ne voulais pas être pris par la marée. Et ils me dirent
adieu.

Laissé ainsi à mon triste sort, je m'éloignai de la mer
et j'atteignis bientôt la terre ferme ; je m'assis alors sur
un talus, tant pour me reposer que pour réfléchir à ce
que je devais faire. Quand j'eus un peu repris mes forces, je repartis vers le cœur du pays, décidé à me livrer
aux premiers sauvages que je rencontrerais, et à obtenir d'eux la vie sauve en échange de bracelets, miroirs de
poche et autres babioles qu'un marin emporte toujours
dans ses voyages et dont j'avais quelques-unes sur
moi. La campagne était coupée de grands rideaux
d'arbres, qui n'avaient pas été plantés, mais qui poussaient naturellement. Il y avait beaucoup de pâturages
et quelques champs d'avoine. J'avançais avec beaucoup de prudence de crainte d'être attaqué par surprise
ou de recevoir une flèche par-derrière ou de flanc. J'arrivai à un sentier battu, où je vis de nombreuses em-
preintes de pieds humains et quelques traces de vaches,

mais surtout de chevaux. Enfin j'aperçus un groupe
d'animaux dans un champ, et un ou deux autres de la
même espèce grimpés dans les arbres. C'étaient des
bêtes très bizarres et difformes, qui m'effrayaient un
peu, de sorte que je me tapis dans un fourré pour mieux
les observer. Comme quelques-unes venaient de mon
côté, je pus voir très bien tous les détails de leur corps :
leur tête et leur poitrine étaient couvertes d'une toison épaisse, frisée chez les uns, raide chez les autres.
Ils avaient une barbe de bouc et une longue rangée de
poils le long de l'échine ainsi qu'à la partie antérieure
des quatre membres et du pied ; partout ailleurs le corps
était nu, et je pouvais voir leur peau, qui avait la
couleur d'un cuir chamois. Ils n'avaient pas de queue
ni de poils sur les fesses, excepté autour de l'anus ;
la nature leur en avait mis là, je pense, pour les protéger lorsqu'ils sont assis sur le sol. Je les voyais en effet
prendre cette position, mais ils se tenaient couchés
aussi, et se dressaient souvent sur leurs pattes de derrière. Ils grimpaient au sommet des plus grands arbres,
aussi lestes que des écureuils, car leurs pattes de devant
comme celles de derrière étaient garnies de griffes
longues et puissantes, aux pointes aiguës et recourbées.
Ils se mettaient souvent à courir, à bondir et à gambader avec une agilité prodigieuse. Les femelles étaient
plus petites que les mâles. Elles avaient sur la tête de
longs cheveux plats, mais leur face était dégagée et leur
corps ne portait qu'un léger duvet, sauf autour de
l'anus et des parties génitales. Leurs pis pendillaient
entre les pattes de devant, touchant presque le sol à
chaque pas. Le poil était de couleur variable : brun,
roux, noir, blond, tant chez un sexe que chez l'autre.
Somme toute, je n'ai jamais vu au cours de mes voyages
d'animaux plus répugnants, plus capables de m'inspirer une antipathie instinctive. Estimant donc
que je les avais assez vus, plein de mépris et d'aversion,
je me relevai et me remis à suivre le sentier battu, espé-

rant qu'il me mènerait à la hutte de quelque Indien.
A peine avais-je fait quelques pas que je tombai sur
une de ces créatures qui me barrait le passage et avançait droit sur moi. A ma vue, l'horrible bête se mit à
grimacer pendant un moment, puis me regarda avec
des yeux fixes, comme un objet complètement inconnu ;
elle s'approcha ensuite de moi, et, soit malice, soit
curiosité, je ne saurais le dire, allongea sa patte de
devant. Mais je tirai mon sabre et lui en assenai un
bon coup avec le plat, car je n'osai frapper du tranchant,
pensant que les gens du pays m'en voudraient d'avoir
mis à mal une pièce de leur bétail. Au rugissement
poussé par la bête, qui se rejeta en arrière à peine eût-
elle reçu le coup, tout un troupeau bondit vers moi
depuis le champ voisin. J'en comptais bien une quarantaine, qui m'entourèrent en hurlant et en faisant
des grimaces horribles. Mais je courus m'adosser au
tronc d'un arbre et les tins à distance en faisant des
moulinets avec mon sabre. Quelques-uns de ces démons-
là grimpèrent dans l'arbre, s'agrippant aux branches
qui pendaient de l'autre côté, et se mirent à décharger
leurs intestins sur ma tête. Je pus tout juste me mettre
à l'abri en m'aplatissant contre le tronc de l'arbre,
mais je fus presque asphyxié par l'odeur des excréments qui pleuvaient autour de moi.

J'étais en plein dans cette mauvaise passe, quand je
vis tout à coup mes agresseurs détaler à toutes jambes.
Je me hasardai donc à quitter mon arbre, et à reprendre ma route, me demandant ce qui avait pu les
effrayer ainsi. Mais, regardant sur ma gauche, j'aperçus un cheval qui passait tranquillement dans un
champ : les autres animaux l'avaient vu avant moi
et c'est à cause de lui qu'ils avaient pris la fuite. Quand
le cheval fut à mon niveau, il eut un mouvement de
surprise, mais, réagissant aussitôt, il me regarda dans
les yeux avec une expression de réel étonnement. Il
tourna plusieurs fois autour de moi, en examinant

mes mains et mes pieds. J'allais me remettre en route,
mais il me barra le passage ; pourtant son attitude
restait paisible et n'avait absolument rien de mena-
çant. Nous restâmes ainsi quelque temps face à face,
enfin je m'enhardis à allonger la main vers lui, pour le
flatter au col, avec les mots et les bruits de bouche
dont use un jockey, quand il veut amadouer un cheval
inconnu. Mais cet animal, qui avait l'air d'accueillir
avec dédain mes civilités, secoua la tête, fronça le
sourcil, et, d'un geste de sa patte gauche, me doucement retirer ma main. Puis il eut trois ou quatre
hennissements sur des rythmes différents, de sorte
que j'en arrivai à me dire qu'il se parlait à lui-même
une langue qu'il comprenait.

Nous en étions là, l'un et l'autre, quand un second
cheval survint. Il salua très aimablement le premier,
puis tous deux s'entrechoquèrent avec civilité le
sabot de la jambe antérieure droite, en émettant à tour
de rôle sur des tons variés plusieurs hennissements
qui semblaient presque articulés. Ils s'écartèrent de
quelques pas, comme s'ils voulaient conférer entre eux,
faisant les cent pas côte à côte, à la façon de personnes
qui délibèrent sur un point très important, mais jetant
souvent des regards de mon côté, comme s'ils crai-
gnaient que je prisse la fuite. J'étais abasourdi de
voir des bêtes dépourvues de raison se tenir et procéder
de la sorte, et en tirai la conclusion que si dans ce pays
l'intelligence des gens était en proportion de celle des
chevaux, j'étais sûrement chez le peuple le plus doué
de la terre. Cette pensée me fit tellement de bien que
je résolus de pousser jusqu'à un endroit habité, maison
ou village, ou alors de partir à la recherche d'un indigène, laissant les deux chevaux à leur discussion. Mais
l'un d'eux (celui que j'avais vu d'abord, un gris pommelé) voyant que je m'esquivais, me héla d'un hennissement si expressif que je fus persuadé d'en avoir compris le sens. Je revins donc sur mes pas et m'avançai

vers lui pour prendre ses ordres, tâchant de ne pas montrer ma peur, car je ne savais pas trop comment je me tirerais de l'aventure, et le lecteur me croira aisément si je lui dis que je n'en menais pas large.

Les deux chevaux s'approchèrent de moi, et considérèrent avec une grande attention mon visage et mes mains. Le destrier gris promena le sabot de sa patte droite sur toute la surface de mon chapeau et me le bossela de telle façon que je dus l'ôter pour le remettre en forme ; puis je me couvris. Il me regardait faire avec ébahissement, de même que son compagnon, un alezan foncé. Celui-ci tâta les pans de ma veste, et, constatant qu'ils flottaient autour de mon corps, il donna de nouveaux signes de surprise. L'autre aussi. Il me caressa la main droite, semblant en admirer la douceur et la couleur, mais il me la serra si fort entre le sabot et le paturon que je ne pus retenir un hurlement ; après quoi ils s'efforcèrent de me tâter tout doucement. C'étaient surtout mes bas et mes souliers qui les intriguaient ; ils n'arrêtaient pas de les palper, s'adressant des hennissements l'un à l'autre et faisant différents gestes du sabot ; on aurait dit des philosophes affrontés à un problème inconnu et difficile.

Somme toute, le comportement de ces animaux était si logique et rationnel, si sagace et judicieux, que ma conclusion dernière fut que j'avais sûrement affaire à des magiciens, qui, pour une raison ou pour une autre, s'étaient métamorphosés de la sorte, et qui, trouvant en chemin un étranger, avaient décidé de s'amuser à ses dépens. Peut-être étaient-ils réellement étonnés de voir un homme si différent par son costume, son visage et la couleur de sa peau, des hommes qui devaient vivre sous ces climats ? Dans la rigueur de ma logique, je me hasardai à leur adresser la parole en ces termes : « Messieurs, si vous êtes des magiciens, j'ai de bonnes raisons de croire que vous comprenez toutes les langues. Je me permets donc d'informer Vos Sei-

gneuries que je ne suis qu'un pauvre Anglais en détresse, jeté sur vos côtes par la mauvaise fortune ; je
supplie donc l'un de vous de me porter sur son dos,
comme un vrai cheval, jusqu'à une ville ou bien un
village où l'on puisse me secourir. Pour vous payer de
votre peine, je vous donnerai ce canif, et ce bracelet »
(que je tirai de ma poche). Les deux êtres m'écoutaient sans rien dire, et, semblait-il, avec une grande
attention. Quand j'eus terminé, ils échangèrent un
bon nombre de hennissements, comme s'ils tenaient
une conversation sérieuse. Je remarquai fort bien que
leur langage savait exprimer des sentiments, et qu'on
aurait pu sans trop de mal noter les mots en signes
alphabétiques, mieux que pour le chinois par exemple.

Je saisis au vol, et à plusieurs reprises, le mot
Yahoo [1], que tous les deux répétaient constamment, et
bien qu'il me fût impossible d'y attribuer un sens, je
profitai de ce colloque où s'absorbaient les deux chevaux, pour m'entraîner, par des jeux de langue, à l'articuler correctement. Quand ils se furent tus, je me lançai,
et fis d'une voix forte : *Yahoo*, tout en m'efforçant
d'imiter le hennissement d'un cheval. Ils en furent tous
deux visiblement ébahis, et le gris pommelé me répéta
deux fois le même mot, comme s'il voulait me faire
prendre l'accent correct ; je reprenais après lui, tâchant
de reproduire le son du mieux possible et j'avais conscience de faire des progrès, tout en restant bien loin
de la perfection. Alors l'alezan me proposa un autre
mot, bien plus difficile à prononcer, et qui, transcrit en
orthographe anglaise, pourrait donner quelque chose
comme *Houyhnhnm* [2]. Je ne m'en tirai pas aussi bien
que la première fois, mais, après deux ou trois essais
supplémentaires, j'eus un peu plus de succès et tous
deux parurent stupéfaits de mon intelligence.

Les deux amis échangèrent encore quelques propos
(à mon sujet je pense), puis ils prirent congé l'un de
l'autre, avec le même cérémonial, c'est-à-dire une

poignée de sabot. Le gris me fit signe de marcher devant lui, et j'estimai prudent de lui obéir tant que je
n'aurais pas trouvé de meilleur maître. Quand je
faisais mine de ralentir, il me criait : *Hhuun, hhuun.*
Je voyais bien ce qu'il voulait dire, et je tâchais de lui
expliquer que j'étais fatigué, que je ne pouvais pas
marcher plus vite ; alors il s'arrêtait un moment et me
laissait faire une pause.

CHAPITRE II

Un Houyhnhnm emmène l'auteur chez lui. — Description de la
maison. — Accueil fait à l'auteur. — Comment se nourrissent les
Houyhnhnms. — Embarras de l'auteur qui ne trouve rien à manger.
— Il découvre une solution. — Son régime alimentaire.

Après une marche d'environ trois milles, nous arrivâmes à une espèce de construction tout en longueur,
faite de poutres plantées dans le sol et réunies par des
branches entrelacées ; le toit était bas, et couvert de
paille. Je commençais à prendre courage, et je tirai de
mes poches un de ces bibelots que les voyageurs ont
toujours sur eux, pour faire des cadeaux aux Indiens
sauvages d'Amérique ou d'ailleurs, espérant qu'il me
vaudrait d'être reçu amicalement par les gens de la
maison. Le cheval me fit signe d'entrer le premier, et
je vis une grande salle, au sol d'argile uni. Tout le
long d'un des murs, il y avait un râtelier avec sa
mangeoire. Trois petits chevaux de bât et deux juments se tenaient là. Ils ne mangeaient pas et certains
étaient assis sur leur derrière, ce qui m'emplit d'étonnement, mais je fus encore plus surpris de voir les autres
s'occuper de travaux domestiques : car, pour tout le
reste, ils avaient l'air de chevaux ordinaires. Cela me
confirma dans mon opinion qu'un peuple qui arrive

à dresser si parfaitement des animaux dépourvus de
raison, doit sûrement surpasser en intelligence toutes
les nations de la terre. Le gris pommelé entra juste derrière moi et prévint tout geste hostile des autres à mon
égard. Il hennit plusieurs fois à leur intention, avec un
air d'autorité, et ils lui répondirent. Derrière cette salle,
venaient trois autres pièces qui faisaient toute la longueur de la maison. On passait de l'une à l'autre par
trois portes en enfilade, ce qui faisait une belle perspective. Nous traversâmes la deuxième salle, pour nous
rendre dans la troisième. Mais le gris pommelé y entra
sans moi en me faisant signe d'attendre un moment.
Je restai donc dans la deuxième pièce, et tins prêts
les cadeaux que je destinais au maître et à la maîtresse
du logis, à savoir : deux canifs, trois bracelets de fausses
perles, un petit miroir et un collier de verroterie. Le
cheval hennit trois ou quatre fois, et je m'attendais à
entendre répondre une voix humaine, mais toutes les
répliques furent échangées dans le même dialecte ;
une ou deux d'entre elles pourtant étaient dites sur
un ton un peu plus aigu. Je me pris à penser que cette
maison devait appartenir à une personne de très haut
rang, parce qu'on faisait beaucoup de cérémonies pour
m'obtenir une audience. Mais, que la maison d'un
homme de qualité se composât uniquement de chevaux,
voilà qui dépassait mon entendement. Je craignais que
mon cerveau n'eût souffert de mes épreuves et de mes
revers de fortune ; je me secouai et je parcourus du
regard la pièce où je me trouvais ; elle était meublée
comme la première, seulement de façon un peu plus
élégante. Je me frottai les yeux, mais le décor ne
changea pas. Je me pinçai le bras et les flancs, espérant
que j'allais me réveiller d'un songe, et j'arrivai à une
conclusion catégorique : tout cela ne pouvait être que
nécromancie et magie. Mais je n'eus pas le temps de
poursuivre ces réflexions, car le cheval gris vint à la
porte et me fit signe de le suivre dans la troisième pièce:

j'y vis une jolie jument en compagnie d'un poulain et d'une pouliche, tous les trois assis sur leur arrière-train, et ayant sous eux des nattes de paille, tressées non sans art et tenues admirablement nettes et propres.

A peine eus-je fait mon entrée, que la jument se leva de son tapis et, s'approchant de moi, examina soigneusement mes mains et mon visage. Après m'avoir jeté un regard des plus méprisants, elle se tourna vers le cheval. J'entendis leur conversation, où revenait continuellement le mot *Yahoo*. C'était bien ce mot dont je ne savais pas encore le sens, bien qu'il eût été le premier que j'eusse appris à dire. Mais je ne tardai pas à être pleinement éclairé à mon éternelle confusion. Car le cheval, d'un signe de tête qu'il me fit, en répétant ce mot *hhuun, hhuun,* qu'il avait prononcé sur la route, et auquel je donnais le sens de « suivez-moi », me conduisit jusqu'à une sorte de cour extérieure, où se trouvait une autre construction à quelque distance de la maison. Nous y entrâmes, et je vis trois de ces êtres abomi- nables, que j'avais rencontrés juste après avoir touché terre, en train de se repaître de raves crues et de mor- ceaux de charogne (c'était de la viande d'âne et de chien, comme je le sus plus tard ; quelquefois aussi on leur donnait une vache morte d'accident ou de maladie). Tous trois étaient attachés aux poutres par de gros liens d'osier passés à leur cou ; ils tenaient la viande crue entre les griffes de leurs pattes de devant et la déchiraient avec les dents.

Le destrier ordonna au petit cheval de bât brun, qui était son domestique, de détacher le plus gros de ces animaux et de le mener dans la cour. On nous plaça l'un à côté de l'autre, puis maître et serviteur compa- rèrent point par point nos deux individus, le mot *Yahoo* revenant constamment sur leurs lèvres. Mon horreur et ma stupéfaction furent inexprimables quand je constatai que cet ignoble animal offrait une image absolument humaine. Certes, la face était plate et tout en largeur, le nez camus, les lèvres épaisses, la bouche trop grande ; mais ces particularités se rencontrent aussi chez toutes les peuplades sauvages, où les linéaments du visage sont déformés par l'habitude qu'on a de laisser les enfants se vautrer par terre ou s'aplatir le visage contre l'épaule de la mère, qui les transporte sur son dos. Les pattes de devant du Yahoo ne différaient de mes mains que par la longueur de leurs ongles, l'extrême callosité de leurs paumes et l'épaisseur du poil qui en recouvrait le dessus. Il y avait autant de ressemblance entre nos pieds, mais cela, j'étais seul à le savoir ; les deux chevaux ne s'en doutaient pas, à cause de mes bas et de mes souliers. Et on pouvait en dire autant de toutes les parties du corps qui ne se distinguaient que par leur pilosité et leur couleur, ainsi que je l'ai dit plus haut.

Pour les deux chevaux, la difficulté majeure était de s'expliquer comment le reste de mon corps pouvait être si différent de celui des Yahoos : c'est à mes vêtements que je devais cet avantage, mais le concept leur en était totalement étranger. Le petit cheval brun m'offrit une rave, qu'il tenait à leur façon (que je décrirai en bonne place), c'est-à-dire entre le sabot et le paturon. Je la pris, la flairai et la lui rendis avec toute la courtoisie dont j'étais capable. Il alla chercher dans le chenil du Yahoo un morceau de viande d'âne, mais la charogne empestait tellement que je m'écartai avec un haut-le-cœur. Il la jeta donc au Yahoo, qui l'engloutit aussitôt. Puis il me montra une botte de foin et me tendit des grains d'avoine dans le creux de son fanon. Mais je secouai la tête, pour faire comprendre que je ne mangeais ni l'un ni l'autre. Et il faut dire que j'eus peur tout d'un coup de mourir de faim si je ne rencontrais pas d'autres individus de mon espèce. Quant à ces sales Yahoos, j'avais beau à l'époque porter à l'humanité un amour dont bien peu étaient capables, je confesse que je n'ai jamais vu d'êtres aussi

dégoûtants, à tout point de vue, dans toute la gent
animale, et plus je les fréquentai, plus je les trouvai
haïssables, tout le temps que je passai dans le pays.
Ces sentiments, le maître du logis les devina vite à mon
attitude : il fit ramener le Yahoo à son chenil. Puis il
porta le sabot à la bouche, ce qui m'étonna beaucoup,
bien qu'il eût fait le geste avec beaucoup d'aisance et
un naturel parfait. Par d'autres signes encore, il me
demanda ce que je voulais manger, mais je fus incapable de lui répondre de façon compréhensible. D'ailleurs, même s'il m'avait compris, je ne voyais pas
comment il aurait pu me procurer des aliments. Nous
en étions donc là, quand je vis passer une vache. Je la
montrai du doigt et demandai par geste la permission
de la traire. Cette fois je fus compris, car le destrier me
fit rentrer chez lui et donna l'ordre à une jument-
servante d'ouvrir une pièce où il y avait de grandes
réserves de lait dans des jarres de terre et de bois, le
tout très bien rangé et très propre. Elle m'en servit un
grand bol, que je bus avec infiniment de plaisir et qui
me rendit beaucoup de forces. Vers midi, je vis approcher de la maison une sorte de véhicule sans roues re-
morqué par quatre Yahoos. Il transportait un vieux
destrier de noble allure qui descendit en posant sur le
sol d'abord les pieds de derrière, car il s'était blessé
le pied antérieur gauche dans un accident. Il venait
dîner chez notre cheval qui le reçut fort civilement. Le
dîner leur était servi dans la meilleure salle, et le plat
de résistance consistait en une bouillie d'avoine au lait,
qui fut servie chaude au vieux cheval, et froide à tous
les autres. Il y avait au centre de la pièce une grande
mangeoire circulaire, divisée en plusieurs comparti-
ments. Les convives étaient assis tout autour sur leur
arrière-train, ayant sous eux des bottes de paille. A
l'intérieur du cercle, il y avait un râtelier polygonal,
dont chaque côté correspondait à une section de la
mangeoire, de sorte que chevaux et juments avaient

chacun leur ration de foin et de bouillie d'avoine au lait, qu'ils mangeaient avec beaucoup de décence et de bonnes manières. La pouliche et le poulain se tenaient très bien à table. Le maître et la maîtresse de la maison se montraient pleins de cordialité et de complaisance envers leur hôte. Le gris pommelé me gardait debout près de lui ; et je fus l'objet d'une longue discussion entre lui et son ami, à en juger par tous les regards que l'invité me lançait et par le nombre de fois qu'il répéta le mot Yahoo.

Il se trouvait que j'avais mis mes gants. Le maître de maison, le gris pommelé, s'en aperçut et parut tout décontenancé. Je vis à ses gestes qu'il se demandait ce que j'avais fait à mes pattes de devant. Il posa deux ou trois fois son sabot sur elles, comme s'il voulait dire que je devais les ramener à leur état primitif. Je lui obéis donc, en enlevant mes gants et en les mettant dans ma poche. Cet épisode aussi fut commenté, et je vis que les convives appréciaient ma conduite, ce dont je n'eus qu'à me féliciter, car bientôt on me demanda de dire les quelques mots que je comprenais, et au cours du repas le maître de maison m'enseigna les vocables « avoine », « lait », « feu », « eau » ; et plusieurs autres, que je répétais facilement après lui, car j'ai toujours été doué pour les langues.

Le repas terminé, le cheval, mon hôte, me prit à part et, tant par signes qu'en paroles, il m'exprima son souci de ne me voir rien manger. « Avoine » dans leur langue se dit *Hlunnb*, je prononçai donc deux ou trois fois ce mot-là ; car bien que j'eusse commencé par refuser cet aliment, je m'étais dit, en fin de compte, que je pourrais bien en tirer une sorte de pain, qui, avec le lait, me suffirait pour vivre, jusqu'à ce que je puisse m'échapper dans un autre pays et vers des créatures de ma propre espèce. Le cheval ordonna immédiatement à une jument-servante de la maison de m'apporter une grande quantité d'avoine sur une sorte

de plateau en bois. Je la fis chauffer devant le feu
aussi bien que possible, puis je la frottai dans mes
mains pour en détacher la balle que je m'arrangeai
pour éliminer. Ensuite j'écrasai et je concassai les
grains entre deux pierres ; je pris de l'eau, fis une
espèce de pâte ou de galette que je rôtis sur le feu et
mangeai chaude avec du lait. Au début, le régime me
parut fort insipide (c'est pourtant celui de bien des
gens en Europe), mais je finis par m'y habituer ; et
comme j'avais connu dans ma vie plus d'une période
de vaches maigres, je savais par expérience comme la
nature sait se contenter de peu. Et je dois dire en conscience que je n'ai pas été malade une heure pendant
tout mon séjour dans l'île. Il est vrai que j'arrivais
parfois à attraper un lapin ou un oiseau, à l'aide de
lacets en poils de Yahoo ; souvent aussi je cueillais
des plantes comestibles que je faisais bouillir ou que je
mangeais crues avec mon pain. De temps en temps,
pour varier mon menu, je faisais un peu de beurre et
je buvais le petit-lait. Au début le sel me manquait
beaucoup, mais je m'accoutumai vite à m'en passer et
je suis convaincu qu'on nous a fait prendre l'habitude
de consommer beaucoup de sel uniquement pour nous
amener à boire ; elle est un luxe bien inutile, sauf quand
il s'agit de conserver les viandes au cours des longues
traversées ou dans les lieux éloignés des grands marchés.
L'homme est le seul animal qui soit friand de sel. Quant
à moi, lorsque j'eus quitté le pays, je restai très longtemps sans pouvoir en supporter le goût dans un plat.

Je n'en dirai pas plus de mon régime alimentaire.
Il y a des voyageurs qui ne parlent que de cela dans leurs
livres, comme si les lecteurs avaient un intérêt quelconque à ce que l'auteur mange bien ou mal. Il était
pourtant nécessaire de traiter le sujet en passant, sans
quoi personne ne voudrait croire que j'aie pu séjourner
trois ans dans un tel pays, et chez de tels habitants,
sans mourir de faim.

Comme le soir approchait, le cheval, maître de céans, m'assigna un logement pour la nuit. Il n'était pas à plus de six yards de la maison et se trouvait à l'écart de l'étable des Yahoos. Je trouvai là de la paille, et, me couvrant de mes vêtements, je pus faire un excellent somme. Je ne tardai pas d'ailleurs à être mieux logé, comme le lecteur l'apprendra plus tard, quand je lui décrirai plus en détail mon genre de vie.

CHAPITRE III

L'auteur veut savoir la langue du pays. — Le Houyhnhnm, son maître, l'aide à l'apprendre. — Aperçu de cette langue. — Plusieurs Houyhnhnms de la meilleure société ont la curiosité de venir voir l'auteur. — Celui-ci fait à son maître un bref récit de son voyage.

Rien ne me tenait tant à cœur que d'apprendre la langue du pays, que mon maître (dorénavant, je l'appellerai ainsi), ses enfants et tous les domestiques de sa maison étaient enchantés de m'apprendre. Il leur semblait prodigieux qu'un animal, qu'une vraie bête, pût se conduire comme je le faisais et être doué de raison. Je montrais du doigt chaque objet, en demandant qu'on me le nommât, puis je notais le mot sur mon carnet de bord, quand j'étais seul, et je le faisais prononcer plusieurs fois par les gens de la maison pour améliorer ma prononciation. Il y avait en particulier un petit cheval de bât alezan, un des derniers valets, qui était toujours prêt à me rendre ce service.

Leur langue est faite de sons nasaux et gutturaux et, à ma connaissance, ressemble plus au haut-allemand, ou germanique, qu'à toute autre langue européenne, mais elle est plus douce et plus expressive. L'empereur Charles Quint faisait une remarque analogue quand il

disait que s'il avait à parler à son cheval, il emploierait
le haut-allemand [1].

La curiosité et l'impatience de mon maître étaient
si grandes, qu'il consacrait des heures entières de ses
loisirs à faire mon instruction. Il était convaincu
(comme il me l'a dit plus tard) que j'étais un Yahoo,
mais mon ouverture d'esprit, ma politesse et ma propreté lui paraissaient stupéfiantes, car rien n'était plus
étranger à ces animaux que de telles qualités. C'étaient
surtout mes habits qui l'intriguaient. Il se demandait
souvent s'ils faisaient, oui ou non, partie de mon
corps. Car je ne les retirais jamais avant que tout le
monde fût endormi dans la maison, et je m'habillais le
matin avant que personne ne fût levé. Mon maître
désirait vivement savoir d'où je venais et comment
j'avais acquis cette apparente raison que je mettais
dans mes actes. Il voulait l'apprendre de ma propre
bouche, et avait l'espoir que ce serait pour bientôt,
étant donné les progrès que je faisais, tant en prononciation qu'en vocabulaire et en syntaxe. Pour soutenir
ma mémoire, je notais tous les mots en orthographe
anglaise et j'en faisais des listes avec leur traduction.
Au bout de quelque temps, je faisais ce travail ouvertement devant mon maître. Et j'eus toutes les peines du
monde à lui expliquer en quoi il consistait, car ils n'ont
pas la moindre notion des livres ni de la pensée écrite.

Au bout d'une dizaine de semaines, j'étais capable
de comprendre la plupart de ses questions ; au bout de
trois mois je savais donner quelques réponses intelli-
gibles. Il voulut à tout prix savoir de quelle région du
monde je venais et comment j'avais appris à imiter les
créatures douées de raison. Car les Yahoos (dont, à
défaut du reste, il voyait que j'avais exactement la
tête, le visage et les mains), bien que capables apparemment de sournoiserie, et très ingénieux pour faire
le mal, s'étaient révélés comme les plus irréductibles
des brutes. Je répondis que j'étais parti d'un pays très

lointain, de l'autre côté de la mer, avec beaucoup
d'autres êtres de mon espèce, dans un grand récipient
creux fait de troncs d'arbres, et que mes compagnons
m'avaient contraint à débarquer sur cette côte où ils
me laissèrent me tirer d'affaire tout seul. Ce ne fut
pas sans mal, et sans beaucoup de mimiques que je pus
enfin me faire comprendre de lui. Il répétait que je me
trompais sûrement ou que je disais *la-chose-qui-n'est-
pas* (car ils n'ont pas de mots dans leur langue pour
désigner le mensonge ou les faussetés). C'était chose
impossible, et il le savait bien, qu'il existât un pays au-
delà des mers ou qu'un groupe d'animaux pût diriger
sur l'eau, à son gré, un récipient en bois. Il était sûr
qu'aucun Houyhnhnm au monde ne saurait fabriquer
un récipient de ce genre, ni n'en confierait la conduite
à un Yahoo. Le mot *Houyhnhnm* dans leur langue
signifie « Cheval », et étymologiquement : « Perfection
de la nature [1]. » Je dis à mon maître que je manquais
de vocabulaire, mais que je tâcherais de faire tous les
progrès possibles, et que j'espérais être bientôt à
même de lui conter des merveilles. Il eut donc la bonté
de dire à la jument son épouse, à son poulain, à sa
pouliche et à tous les gens de sa maison de saisir toutes
les occasions de m'enseigner la langue — et lui-même
consacrait à cette tâche deux ou trois heures chaque
jour. Plusieurs de nos voisins, chevaux et juments de
la meilleure société, venaient fréquemment nous faire
visite, car le bruit s'était répandu de ce merveilleux
Yahoo qui savait parler comme un Houyhnhnm, et
qui semblait faire preuve, dans ses paroles et dans ses
actes, de quelques lueurs de raison. Ils se plaisaient à
parler avec moi, ils me posaient de nombreuses questions
auxquelles je répondais aussi bien que je pouvais le
faire. En profitant de ces circonstances, je fis de tels
progrès que, cinq mois après mon arrivée, je comprenais
tout ce qu'on me disait et je m'exprimais moi-même
assez correctement.

Les Houyhnhnms qui venaient en visite chez mon maître, dans l'idée de me voir et de parler avec moi, avaient du mal à croire que j'étais un vrai Yahoo parce que l'enveloppe de mon corps me différenciait des autres individus de mon espèce. Ils s'étonnaient de ne pas me voir couvert de la même peau et du même poil que les autres, sauf sur la tête, au visage et aux mains. Mais, quinze jours plus tôt, mon maître avait eu connaissance de mon secret, à la suite d'un incident.

J'ai déjà dit au lecteur que, chaque nuit, quand tout le monde dormait dans la maison, j'avais l'habitude de me dévêtir et de me draper dans mes vêtements. Un beau matin, de très bonne heure, mon maître m'envoya chercher par le petit cheval alezan, qui était son valet. Quand celui-ci entra chez moi, je dormais profondément ; mes habits avaient glissé de côté, et ma chemise s'était retroussée au-dessus de ma ceinture. Au bruit qu'il fit, je m'éveillai, et je remarquai qu'il bredouillait un peu en me transmettant son message ; après quoi, il revint auprès de son maître et, dans son affolement, lui fit un récit incohérent de ce qu'il avait découvert ; je connus vite toute l'histoire, car comme je m'étais habillé et me présentais devant Son Honneur, il me demanda ce que signifiait le rapport de son domestique : que je n'avais pas le même aspect en dormant que dans les autres moments ? Son valet affirmait qu'une partie de mon corps était blanche, une autre jaune ou du moins pas si blanche et une autre enfin brune.

J'avais pu jusque-là garder le secret de mes vêtements, voulant me distinguer le plus possible de la maudite race des Yahoos. Mais il me sembla inutile de le maintenir désormais. D'ailleurs, mes vêtements et mes souliers commençaient à être fatigués ; je me disais qu'ils seraient vite hors d'usage et que j'allais être obligé de m'en fabriquer d'autres en peau de Yahoo ou de toute autre bête, ce qui dévoilerait for-

cément mon secret. Je prévins donc mon maître que,
dans le pays d'où je venais, les gens de mon espèce
couvraient toujours leur corps avec le poil de certains
animaux traité de façon spéciale, tant par pudeur que
pour se garantir de toutes les rigueurs du climat, le
froid comme la chaleur. J'étais prêt, pour ma part, à
lui en fournir la preuve immédiate s'il en exprimait le
désir ; je le priai seulement de m'excuser si je ne lui
dévoilais pas les parties que la Nature nous a enseigné
à cacher. Il me dit que mes propos étaient tout à fait
étranges, mais spécialement les derniers, car il ne comprenait pas pourquoi la Nature nous enseignerait à
cacher ce que la Nature nous avait donné : ni lui ni
personne de sa famille n'éprouvaient de la honte pour
aucune partie de leur corps. Enfin, il me laissait faire
comme je voulais. Sur quoi, je commençai par débou-
tonner ma veste, je l'ôtai, je fis de même pour mon
gilet ; je retirai mes chaussures, mes bas et ma culotte.
Je rabattis le haut de ma chemise jusqu'à la taille et
j'en relevai les pans pour m'en faire une sorte de ceinture et cacher ma nudité.

Mon maître me regardait faire avec de grandes
marques d'intérêt et d'émerveillement. Il saisit tous
mes vêtements avec son paturon, pièce par pièce, et les
examina en détail, puis il me tapota gentiment le
corps et se mit à tourner autour de moi, en me regardant ; après quoi il déclara que sans discussion possible j'étais un vrai Yahoo, mais que je me distinguais
nettement des autres individus de mon espèce par la
blancheur et la douceur de ma peau, par l'absence de
poils sur certaines parties de mon corps, par la forme
et la petitesse de mes griffes, aux pattes de devant
comme aux pattes de derrière, et par cette manie de
ne vouloir marcher que dressé sur deux pieds. Il ne
réclama pas d'en voir plus, et me permit de remettre
mes vêtements, car j'étais en train de grelotter.

Je lui dis combien il m'était pénible de l'entendre me

donner si souvent le nom de Yahoo, cet odieux
animal, qui ne m'inspirait qu'aversion et mépris. Je
le suppliai de renoncer à m'appliquer ce mot et d'imposer la même consigne à ceux qui vivaient sous son
toit, de même qu'à ses amis lorsqu'il leur permettait
de me voir. Je le priai également de conserver pour lui
seul le secret de cette enveloppe artificielle qu'avait
mon corps, du moins pendant tout le temps que dure-
raient mes habits ; quant à son valet, le petit cheval
de bât alezan, Son Honneur pourrait lui donner l'ordre
de cacher ce qu'il avait découvert.

Mon maître, très gracieusement, fit droit à toutes
ces requêtes. Ainsi, le secret de mes vêtements fut
gardé, jusqu'au jour où ils tombèrent en loques et que
je trouvai à les remplacer d'une façon que je raconterai plus tard. En attendant, il me demandait de
faire tous mes efforts pour savoir vite la langue, car il
était bien plus étonné de me voir doué de parole et de
raison que par les côtés physiques de ma personne,
couverte ou non de vêtements. Il ajouta qu'il attendait
avec impatience le moment où il pourrait ouïr les merveilles dont je lui avais promis le récit.

Dès lors, il m'instruisit avec un zèle redoublé. Il me
conduisait à toutes les réceptions et faisait en sorte
qu'on m'y traitât avec civilité, car, comme il le confiait
à ses relations, cela me mettait de bonne humeur et me
rendait plus amusant. Tous les jours, quand j'étais en
sa compagnie, non seulement il se donnait la peine de
me faire la classe, mais il me posait de nombreuses
questions sur moi-même et je répondais aussi bien que
je pouvais ; je l'avais donc déjà renseigné dans les
grandes lignes, mais de façon très imparfaite. Il serait
fastidieux d'énumérer les étapes que je parcourus
avant d'être capable de tenir une conversation dans
les règles. Voici, en tout cas, le premier récit à peu près
cohérent et relativement étoffé que je lui fis de mes
aventures : j'étais parti d'un Royaume très lointain,

comme j'avais déjà tenté de le lui expliquer, avec une
cinquantaine d'êtres de mon espèce. Nous avions
traversé les mers dans un grand récipient creux fait
en bois, et plus grand que la maison de Son Honneur.
Je décrivis le navire en termes aussi adéquats que je
pouvais et, pour lui expliquer comment le vent le
faisait avancer, je me servis d'un mouchoir déployé.
Puis je dis comment une querelle était née entre nous,
et comment je fus déposé sur cette côte, d'où j'étais
parti droit devant moi, sans savoir où j'allais, jusqu'à
ce qu'il m'eût délivré de mes odieux agresseurs, les
Yahoos. Il me demanda alors qui avait fabriqué le
navire, et comment les Houyhnhnms de mon pays
pouvaient en confier la manœuvre à des bêtes. Je
répondis que je n'osais poursuivre, s'il ne me donnait
sa parole d'honneur de ne pas se fâcher ; mais qu'ensuite je lui conterais les merveilles que je lui avais si
souvent promises. Il y consentit, et je repris mon
récit, affirmant que le navire avait été construit par
des créatures comme moi, et que celles-ci, dans tous
les pays où j'avais voyagé, aussi bien que dans le mien,
étaient les seuls animaux doués d'autorité et de raison.
Quand j'étais arrivé dans leur île, j'avais été aussi
étonné de voir les Houyhnhnms se comporter en êtres
rationnels que lui-même et ses amis de trouver quelque
trace de raison dans une créature qu'ils se plaisaient à
appeler Yahoo. Des Yahoos certes, j'avais en tout
point l'aspect extérieur, c'était indéniable ; mais je
n'arrivais pas à m'expliquer leur dégénérescence, ni
l'état bestial dans lequel ils vivaient. J'ajoutais que,
si ma bonne fortune devait me ramener dans mon
pays, pour que j'y raconte mes voyages, comme j'avais
l'intention de le faire, tout le monde se mettrait à
penser que je dis « la-chose-qui-n'est-pas », que je tire
une fable de ma propre cervelle. Je terminai en disant,
avec tout le respect que je lui devais, à lui, à sa famille
et à ses amis, et fort de la promesse qu'il m'avait faite

de ne pas s'offenser, que mes compatriotes auraient
beaucoup de mal à admettre qu'il pût exister une société où le Houyhnhnm fût la créature prépondérante,
et le Yahoo une bête brute.

CHAPITRE IV

Les notions de vérité et de mensonge chez les Houyhnhnms. —
Les paroles de l'auteur désapprouvées par son maître. — L'auteur
parle plus en détail de lui-même et des incidents de son voyage.

Mon maître m'écoutait, mais je le voyais très mal à
l'aise. Car émettre un doute, refuser de croire, est chose
si peu connue dans ce pays que les habitants ne savent
quelle attitude adopter en de pareilles circonstances.
Et je me rappelle qu'au cours des nombreux entretiens
que j'avais avec mon maître, sur la nature de l'humanité dans les autres parties du monde, ayant l'occasion
de parler de mensonges, de déformations de la vérité,
j'eus toutes les peines du monde à lui faire saisir ce
que je disais, bien qu'il eût d'habitude l'intelligence
très vive. Car il raisonnait ainsi : la raison d'être de la
parole, c'est de nous permettre de comprendre nos
semblables et de recevoir des informations sur des
faits. Or si celui qui me parle dit « la-chose-qui-n'est-
pas », c'est la nature même du langage qu'il trahit ;
car on ne peut dire alors que je le comprenne, au vrai
sens du mot, ou que je reçoive une information, bien
au contraire, puisqu'il me laisse dans un état pire que
l'ignorance, et que je suis amené à croire qu'une chose
est noire quand elle est blanche ou qu'une autre est
courte quand elle est longue. Voilà à quoi se réduisait
pour lui la notion de mensonge, alors que la faculté de
mentir est si largement connue et utilisée parmi les
créatures humaines.

Mais laissons là cette digression. Quand j'eus révélé à mon maître que dans mon pays les Yahoos étaient les seuls êtres qui eussent des responsabilités politiques (ce qu'il m'avoua être incapable de concevoir), il me demanda si nous avions des Houyhnhnms chez nous, et à quoi on les employait. Je lui répliquai que nous en avions un grand nombre, que pendant l'été ils paissaient dans les champs et que l'hiver on les gardait dans des maisons, où on les nourrissait de foin et d'avoine et où des valets yahoos étaient employés à lustrer leur poil avec des brosses, à peigner leur crinière, à curer leurs sabots, à leur porter leur nourriture et à leur préparer leur litière. « Je vous comprends très bien, dit mon maître, il est clair, après ce que vous avez dit, que, malgré toute la raison dont les Yahoos prétendent être doués, les Houyhnhnms sont vos maîtres, et je souhaiterais de tout mon cœur que nos Yahoos fussent aussi dociles. » Je priai Son Honneur de bien vouloir me dispenser de poursuivre plus loin, car j'étais certain que le récit qu'il attendait lui serait hautement désagréable. Mais il maintint son ordre : je devais lui révéler le meilleur comme le pire. Je répondis que je lui obéirais. Je reconnus que, chez nous, les Houyhnhnms que nous appelons chevaux étaient les plus nobles et les plus beaux animaux que nous possédions ; ils n'avaient pas leurs pareils pour la force et la rapidité, et quand ils appartenaient à des personnes de qualité, qui voyageaient sur leur dos et les faisaient courir ou tirer leurs carrosses, ils étaient traités avec beaucoup de bonté et de soins, tant qu'ils n'étaient pas malades, ou ne s'abîmaient pas un membre ; mais dans ce cas ils étaient vendus et on leur faisait faire les pires corvées jusqu'à leur mort ; ensuite on les dépouillait de leur peau dont on tirait ce qu'on pouvait, et on abandonnait aux chiens et aux oiseaux de proie leur carcasse. Mais les chevaux de race commune n'étaient pas si privilégiés, car ils avaient pour maîtres des

fermiers, des charretiers et autres gens de basse condition, qui les faisaient travailler très durement et les
nourrissaient fort mal. Je décrivis, aussi bien que je
pouvais, notre façon de monter à cheval, la forme et
l'emploi d'une bride, d'une selle, d'un éperon et d'une
cravache, ainsi que d'un harnais et des roues. J'ajou-
tai que nous fixions des plaques de certaine substance
dure appelée fer sous les pieds des chevaux, pour
éviter que leurs sabots ne souffrissent sur les chemins
pierreux que nous empruntions souvent. Mon maître,
qui avait manifesté plusieurs fois une grande indignation, se demandait comment nous pouvions oser nous
aventurer sur le dos d'un Houyhnhnm, car il était sûr
que le plus faible laquais de sa maison serait capable
de jeter au sol le plus vigoureux des Yahoos, ou alors,
en se couchant par terre et en se roulant sur le dos, de
le broyer sous son poids. Je répliquais que nos chevaux
étaient entraînés, dès l'âge de deux ou trois ans, à
faire le genre de travail que nous attendions d'eux ;
si l'un d'eux se révélait intolérablement vicieux, on
l'employait comme bête de trait ; tant qu'ils étaient
jeunes on les battait sévèrement à chaque écart de
conduite ; les mâles qu'on employait comme monture
ordinaire ou comme bête d'attelage étaient généralement castrés deux ans environ après leur naissance ;
ils perdaient ainsi beaucoup de leur fougue et deve-
naient plus dociles et plus doux ; tous étaient en vérité
sensibles aux récompenses et aux punitions, mais Son
Honneur devait considérer qu'ils n'avaient pas la
moindre trace de raison, exactement comme les Yahoos
dans son pays.

Ce fut au prix d'une multitude de circonlocutions
que je pus donner à mon maître une idée correcte de ce
que je voulais lui dire ; leur langue en effet est assez
pauvre en vocabulaire, car leurs besoins et leurs passions sont moins nombreux que les nôtres. Mais il
m'est impossible de décrire la noble colère où je le mis

quand je lui parlai des traitements barbares que nous infligions à la race des Houyhnhnms, surtout lorsque je dépeignis la castration des chevaux et que j'expliquai son objet, qui était de les empêcher de perpétuer leur race et de les rendre plus serviles. Il me dit que si, par impossible, il existait un pays où seuls les Yahoos seraient doués de raison, ceux-ci devaient fatalement commander aux autres animaux, car la raison finit toujours par l'emporter sur la force brutale. Mais quand il considérait la structure de notre corps, et en particulier du mien, il se disait qu'une créature de notre taille était la plus inapte du monde à faire usage de cette même raison dans les tâches quotidiennes de la vie ; il aimerait donc savoir si les êtres au milieu desquels je vivais me ressemblaient à moi, ou bien aux Yahoos de son pays. Je lui affirmai que j'avais exactement la même allure que tous les individus de mon âge, mais que les sujets plus jeunes, de même que les femelles, étaient plus tendres et délicats ; la peau de ces dernières était d'ordinaire aussi blanche que le lait. Il dit que, bien sûr, je me distinguais des autres Yahoos en ce que j'étais plus propre et moins contrefait, mais, pour ce qui était des avantages réels, ceux-ci étaient, à son avis, bien mieux partagés que moi. Mes ongles ne me servaient à rien, ni ceux des pieds de devant ni ceux des pieds de derrière ; du reste mes pieds de devant ne méritaient pas ce nom, puisqu'il ne m'avait jamais vu m'en servir pour marcher et qu'ils étaient trop délicats pour supporter le contact du sol. Je sortais généralement sans les couvrir, et d'ailleurs l'enveloppe que je leur mettais parfois n'avait ni la forme ni la robustesse de celle que j'avais aux pieds de derrière. Je ne pouvais donc marcher avec sécurité, car, dès que l'un de mes deux pieds de derrière glissait, ma chute était inévitable. Il commença alors à critiquer les autres parties de mon corps : ma figure, qui était toute plate ; mon nez, qui était proéminent ; mes yeux,

placés exactement de face, de sorte que je ne pouvais
regarder de côté sans tourner la tête ; de plus, j'étais
incapable de manger sans porter un de mes pieds de
devant à la bouche, et c'est à cause de cela, c'était pour
répondre à cette nécessité, que la Nature m'avait doté
de tous ces joints. Il ne comprenait pas à quoi pouvaient
servir ces quatre ou cinq divisions et interstices, au
bout de mes pattes de derrière, car celles-ci étaient
trop tendres pour supporter le contact de pierres dures
ou coupantes, et je devais les couvrir de la peau d'un
autre animal ; mon corps avait besoin d'être défendu
contre la chaleur et le froid et j'étais obligé de lui
mettre et de lui ôter chaque jour, au prix d'un travail
long et ennuyeux, une enveloppe protectrice. Enfin,
il avait observé que tous les animaux, dans son pays,
éprouvaient pour les Yahoos une horreur naturelle ;
les plus faibles les évitant, les plus forts les faisant
fuir. De sorte que, même en nous supposant doués de
raison, il ne voyait pas comment il nous était possible
de vaincre cette antipathie que nous faisions naître
naturellement chez toutes les créatures [1], ni par conséquent comment nous pourrions apprivoiser et mettre
à notre service des animaux. Cependant, il ne voulait
pas, disait-il, parler plus longtemps de ce sujet, car il
désirait surtout connaître ma propre histoire : dans
quel pays étais-je né, quel métier avais-je fait, quels événements avais-je connus avant de venir dans leur île ?

Je l'assurai que mon plus cher désir était de le satisfaire en tout point mais que je ne me croyais pas capable de me faire entendre sur un certain nombre de
sujets, qui étaient complètement étrangers à Son Honneur, car je n'avais rien vu dans l'île qui s'en rappro-
chât. Cependant j'allais faire de mon mieux, je tâcherais
de m'exprimer à l'aide de comparaisons, et je lui de-
manderais humblement son assistance quand j'aurais
besoin d'un terme précis. Il eut la bonté de me la
promettre.

« Je suis né, lui dis-je alors, de parents honnêtes,
dans une île appelée Angleterre, qui se trouve très
loin de votre pays, à une distance telle que le plus
fort des valets de Votre Honneur ne saurait la parcourir
pendant toute la durée de la course annuelle du Soleil.
J'ai été formé au métier de médecin, qui consiste à
soigner les plaies et les meurtrissures que font sur le
corps les accidents ou la violence. Mon pays est gouverné par un homme femelle que nous appelons
" Reine [1] ". Je le quittais parfois pour acquérir des
richesses, grâce auxquelles je pouvais vivre et faire
vivre ma famille à mon retour. Lors de mon dernier
voyage, j'étais le chef du navire et j'avais une cinquantaine de Yahoos sous mes ordres, mais un grand
nombre de ceux-ci moururent en mer et je fus obligé
de les remplacer par d'autres que j'avais ramassés
dans plusieurs pays. Notre navire fut deux fois en
péril de sombrer : la première fois au cours d'une grande
tempête, la deuxième fois en donnant contre un récif. »
Là mon maître m'interrompit : « Comment avez-vous
pu, demanda-t-il, persuader des inconnus, venus de
différents pays, de s'aventurer avec vous, après les
pertes que vous aviez subies, et les hasards que vous
aviez courus ? — Ces gens-là, répliquai-je, étaient des
coureurs d'aventures, obligés de fuir le pays de leur
naissance à cause de leur misère ou de leurs crimes.
Certains avaient été ruinés par des procès ; d'autres
avaient dépensé tout leur avoir en beuveries, au jeu
ou avec des femmes ; d'autres encore avaient dû s'enfuir après une trahison — ou bien un meurtre, un vol,
un empoisonnement, une attaque à main armée, un
parjure, un faux, une affaire de fausse monnaie ; ou
alors ils étaient coupables de viol ou de sodomie ; ils
avaient trahi leur bannière ou bien passé à l'ennemi,
et ils étaient pour la plupart des évadés de prison.
Aucun, en tout cas, n'osait retourner dans son pays
natal, par crainte d'être pendu ou d'avoir à mourir de

faim dans une geôle, et voilà pourquoi ils étaient forcés de trouver un moyen de vivre ailleurs. »

Mon maître voulut bien me faire de nombreuses remarques au cours de mon récit. Je me servais de multiples circonlocutions pour lui dépeindre les différents crimes qui avaient obligé la plupart de mes matelots à s'enfuir de leur pays. Mais ce ne fut pas sans plusieurs jours d'efforts que nos entretiens finirent par lui être compréhensibles. Il se trouvait absolument incapable de comprendre la raison et la nécessité de se livrer à ces vices [1]. Pour l'éclairer, j'entrepris de lui donner une idée de ce qu'étaient l'ambition et la cupidité, et des terribles effets que pouvaient avoir la luxure, l'intempérance, la malveillance et l'envie. Je ne pouvais rendre ces notions qu'en citant des cas concrets ou en inventant des exemples. Quand il avait compris il levait les yeux au ciel avec étonnement et indignation, comme quelqu'un dont l'imagination a reçu le choc d'une chose inouïe et insoupçonnée. Pouvoir, administration, guerre, loi, châtiment et mille autres termes n'avaient aucun équivalent dans leur langue ; ce qui rendait presque insurmontable la difficulté de donner à mon maître une idée de ce que je voulais dire. Mais comme il avait une belle intelligence, développée en outre par la méditation et le goût des entretiens, il en arriva à acquérir une connaissance suffisante de ce qu'on peut attendre de la nature humaine, dans ces parties du monde où nous vivons. Il me pria donc de lui donner plus de détails sur ce pays que nous appelons Europe et spécialement sur ma propre patrie.

CHAPITRE V

A la demande de son maître, l'auteur le renseigne sur l'état de l'Angleterre. — Quelles sont les causes des guerres entre les princes de l'Europe. — L'auteur entreprend d'expliquer la Constitution anglaise.

Je présente maintenant au lecteur un extrait des nombreux entretiens que j'eus avec mon maître, en le priant de noter qu'il s'agit seulement d'un résumé des points les plus importants que nous avons abordés en un grand nombre de séances réparties sur plus de deux ans, car Son Honneur me réclamait toujours plus de détails au fur et à mesure de mes progrès dans la langue houyhnhnm. J'exposai à ses yeux aussi complètement que possible la situation de l'Europe. Je parlai aussi bien de commerce et d'industrie que d'art et de sciences, et mes réponses à toutes les questions qu'il me posait quand nous traitions de certains sujets fourniraient matière à une dissertation interminable. Je me contenterai donc ici de donner l'essentiel de ce que nous nous sommes dit sur mon pays, en tâchant de l'ordonner le mieux possible, sans tenir compte de la date ni des circonstances de nos entretiens, mais avec un respect scrupuleux de la vérité. Je crains seulement de ne pouvoir rendre dans toute leur justesse les arguments et les expressions de mon maître ; ses propos ne peuvent que pâtir de mon incompétence comme de leur passage dans notre barbare langue anglaise.

Me soumettant donc à l'ordre de Son Honneur, je lui narrai la Révolution qui eut pour chef le prince d'Orange ; la longue guerre que ce même prince entreprit contre la France, et que son successeur, la reine actuelle, avait fait se rallumer ; dans laquelle les plus grandes puissances de la chrétienté se trouvaient

engagées, et qui durait encore [1]. Je calculai, à sa requête, qu'un million environ de Yahoos avaient dû
être tués au cours de cette guerre, qu'une centaine,
peut-être plus, de villes avaient été prises d'assaut, et
que cinq fois autant de navires avaient été brûlés ou
coulés.

Il me demanda quelles étaient d'habitude les causes
des guerres, et pour quels motifs un pays en attaquait
un autre. Je répondis que ces raisons étaient innombrables, et que j'allais lui en donner quelques-unes,
parmi les plus importantes. Parfois c'était l'ambition
des princes, qui estiment n'avoir jamais assez de terres
ni de sujets sur qui régner. Parfois, la corruption des
ministres, qui engagent leur maître dans une guerre
pour étouffer ou détourner la plainte générale des sujets
contre leur mauvaise administration. Les différences
d'opinion ont coûté des millions de vies ; par exemple :
est-ce que la chair est du pain, ou le pain de la chair [2] ?
Est-ce que le jus de certaines baies est du sang ou du
vin ? Est-ce un vice ou une vertu que de siffler [3] ? Doit-
on baiser tel morceau de bois ou le jeter au feu [4] ?
Quelle couleur convient le mieux à tel vêtement, le
noir, le blanc, le rouge ou le gris ? Doit-il être long ou
court, étroit ou large, sale ou propre [5] ? Et quantité de
questions de ce genre. Or, jamais une guerre n'est aussi
acharnée et sanglante, jamais elle ne dure si longtemps,
que lorsqu'elle a éclaté à propos d'une différence d'opinion, portant le plus souvent sur des vétilles [6].

Quelquefois, si deux princes se querellent, c'est au
sujet d'un troisième : lequel va le dépouiller de ses
domaines, encore qu'aucun d'eux n'y ait droit ?
Quelquefois un prince se prend de querelle avec un
autre, par peur que l'autre ne se prenne de querelle
avec lui. Quelquefois une guerre se déclenche parce
que l'ennemi est trop fort, et quelquefois parce qu'il
est trop faible. Quelquefois nos voisins veulent des
choses que nous possédons, ou possèdent des choses

que nous voulons ; alors nous nous combattons, jusqu'à ce qu'ils nous prennent notre bien, ou nous cèdent
le leur. C'est une cause de guerre fort légitime que de
vouloir envahir un pays dont les populations viennent
d'être décimées par la famine, anéanties par les épidé-
mies ou dressées l'une contre l'autre par la guerre civile.
Il est légitime aussi d'entrer en guerre contre notre
plus proche allié, quand une de ses villes occupe une
position qui nous intéresse, ou qu'une partie de son
territoire arrondirait ou compléterait bien nos posses-
sions. Si un prince envoie une armée dans un pays où
les gens sont pauvres et ignorants, il a parfaitement le
droit d'en mettre la moitié à mort et de réduire le
reste en esclavage, afin de les civiliser et de les arracher à leur barbare façon de vivre. C'est une pratique
digne d'un roi, conforme à l'honneur et d'ailleurs fréquente, que, lorsqu'un roi appelle son voisin au secours
pour repousser une invasion, ledit voisin, une fois
l'envahisseur en fuite, s'empare lui-même du pays
délivré, et mette à mort, emprisonne ou bannisse le
prince qu'il était venu secourir. La parenté par le
sang ou par mariage est une cause suffisante de guerre
entre les princes, et plus leur lien de famille est étroit,
plus forte est leur tendance à la querelle. Les nations
pauvres ont faim, les nations riches sont orgueilleuses.
Et l'orgueil et la faim ne sauraient s'entendre. Voilà
pourquoi le métier de soldat est considéré comme le
plus honorable de tous. Car un soldat est un Yahoo que
l'on paie pour tuer, de sang-froid, le plus qu'il pourra de
ses semblables — lesquels pourtant ne lui ont jamais
fait de mal.

Il existe aussi en Europe une sorte de princes mendiants qui ne sont pas capables de faire la guerre à leur
compte, et qui louent leurs troupes à des nations plus
riches, à tant par jour et par homme ; ils gardent pour
eux-mêmes les trois quarts du prix perçu, et c'est
surtout de cela qu'ils vivent ; ce type de prince

est assez fréquent dans tout le nord de l'Europe [1].

« Ce que vous venez de me dire sur la guerre, repartit mon maître, révèle, bien sûr, de façon admirable, de quels effets est capable la raison que vous prétendez avoir. Il est heureux pourtant que ce soient là des choses plus déshonorantes que réellement dangereuses, et que la Nature vous ait faits totalement incapables de blesser gravement qui que ce soit. Car, avec cette mâchoire qui n'est pas proéminente, vous ne pouvez guère vous mordre, à moins que l'autre ne se laisse faire. Quant à vos griffes, celles des pattes de devant comme celles des pattes de derrière, elles sont si courtes et si molles qu'un seul de nos Yahoos mettrait une douzaine des vôtres en fuite.

« Ainsi donc, quand vous m'avez donné ces chiffres, pour ceux qui avaient été tués au combat, je suis forcé de croire que vous m'avez dit *la-chose-qui-n'est-pas.* » Je ne pus m'empêcher de hocher la tête et de sourire un peu de son ignorance. Et comme je n'étais pas profane en l'art de la guerre, je lui donnai une description des canons, couleuvrines, mousquets, carabines, pistolets, balles, poudre, épées, baïonnettes, sièges, retraites, attaques, fourneaux de mines, contre-mines, bombardements, combats navals ; des bateaux sombrant avec un millier d'hommes à bord ; des morts faits à chaque camp par vingtaines de milliers ; des râles des moribonds ; des membres volant en l'air ; et là-dessus la fumée, le bruit, la confusion, les corps déchiquetés par les sabots des chevaux, la fuite, la poursuite, la victoire, les champs jonchés de cadavres qu'on abandonne aux chiens, aux loups, et aux oiseaux de proie ; les pillages, les rapines, les viols, les incendies, les destructions. Et pour mettre en relief la vaillance de mes chers compatriotes, j'affirmai les avoir vus faire sauter en l'air, d'un seul coup, une centaine d'ennemis lors d'un siège, et autant sur un bateau ; j'avais pu contempler les corps déchiquetés qui pleuvaient du ciel, au grand divertissement de tous les spectateurs. J'allais donner encore d'autres détails quand mon maître m'imposa le silence. « Quiconque, m'assura-t-il, a bien compris la nature des Yahoos n'aura aucune peine à admettre qu'un si vil animal est capable de toutes ces actions que vous avez énumérées, pour peu que sa force et son astuce égalent sa méchanceté. Mais, en même temps qu'elles ont accru mon horreur pour toute cette engeance, je crois que vos paroles ont produit dans mon esprit un trouble auquel j'étais jusqu'ici complètement étranger : ne puis-je penser, qu'à force d'entendre ces mots abominables, mes oreilles vont peut-être les admettre avec moins de détestation ? Car, malgré mon dégoût pour les Yahoos de mon pays, je ne saurais pas plus leur reprocher leurs côtés odieux, que taxer de cruauté un *gnnayh* (sorte d'oiseau de proie[1]) ou blâmer une pierre pointue qui a entaillé mon sabot. Mais puisqu'une créature se prétendant douée de raison peut commettre de telles abominations, il faut craindre que la corruption de cette faculté ne soit pire que l'animalité elle-même. Je crois donc pouvoir affirmer que ce que vous appelez raison n'est en réalité qu'une sorte de qualité naturelle, servant à décupler vos vices. Ainsi l'image que renvoie une eau courante est celle d'un corps grotesque, non pas agrandi seulement, mais encore déformé. »

Il ajouta qu'il ne m'avait que trop entendu parler de guerre, aussi bien pendant cet entretien qu'au cours des précédents. Mais il y avait un point qui le laissait un peu perplexe ; j'avais dit que certains de mes matelots avaient dû quitter leur pays après avoir été ruinés par les hommes de *loi*. Or, je lui avais expliqué déjà le sens de ce mot, et il n'arrivait pas à comprendre comment il se faisait que la loi, conçue pour assurer la protection de tous, servît à la ruine de quelques-uns. Il aimerait avoir quelques renseignements supplé-

mentaires sur ce que j'entendais par loi, et par hommes
de loi, d'après la pratique courante à l'époque dans mon
pays. Car il pensait que la Nature et la Raison étaient
des guides suffisants pour les animaux raisonnables
que nous prétendions être, puisqu'elles nous montraient ce que nous devions faire et ce que nous devions
éviter.

J'assurai Son Honneur que la loi était une science
dans laquelle je n'étais guère versé. Mon expérience se
réduisait à l'utilisation de quelques avocats[1] que j'avais
en vain chargés de réparer certaines injustices qu'on
m'avait faites ; pourtant je m'efforcerais de lui donner
toute satisfaction.

« Il existe chez nous, dis-je, une classe d'hommes
formés dès leur jeunesse à l'art de démontrer, à force
de paroles, que le blanc est noir et que le noir est blanc,
selon les consignes de celui qui les paye. Par rapport à
ce corps de métier, tous les autres hommes sont des
esclaves.

« Par exemple : si mon voisin convoite ma vache,
il paie un avocat pour prouver que je dois la lui livrer.
Je dois en payer un, moi aussi, pour défendre mon
droit, car il serait contraire à toutes les dispositions de
la loi qu'un homme pût parler en son propre nom.
Maintenant, dans un cas semblable, moi, qui suis le
vrai possesseur, je suis doublement désavantagé :
d'abord, comme mon avocat a été entraîné depuis son
berceau à plaider des causes injustes, il est tout à fait
hors de son élément quand il a à défendre le bon droit ;
c'est là un emploi antinaturel de son talent, et il s'en
tire toujours avec maladresse, sinon avec mauvaise
volonté. Ensuite mon avocat sera paralysé par les
précautions à prendre, car il risque d'être blâmé par
les juges ou haï de ses confrères pour avoir porté
atteinte au métier d'homme de loi. Il ne me reste donc
que deux moyens de conserver ma vache : le premier
consiste à donner double paie à l'avocat de mon adver-

saire — qui alors trahira la cause de son client, insi-
nuant que le bon droit est de son côté. L'autre est de
faire présenter par mon avocat ma cause comme injuste, de reconnaître que ma vache est à mon voisin;
si la manœuvre est bien faite, elle obtiendra un jugement favorable.

« Quant aux juges, il faut que Votre Honneur sache
que ce sont des personnes chargées de trancher les
litiges en matière de propriétés, comme de juger les
criminels ; ils se recrutent parmi les avocats les plus
retors, qui sont devenus vieux ou paresseux. Et comme
ils ont été toute leur vie les ennemis de la justice et
de l'équité, ils gardent un tel besoin de favoriser la
fraude, le parjure et l'oppression, que je vis même des
juges refuser de gros pots-de-vin offerts par des plaideurs qui avaient le bon droit pour eux, plutôt que
d'insulter leur corporation en commettant un acte si
opposé à leur caractère et à leur devoir.

« C'est une maxime en cours parmi les avocats, que
tout ce qui a été fait avant eux peut légitimement se
refaire. Ainsi ils prennent bien soin de noter toutes les
décisions qui ont été prises antérieurement contre la
justice naturelle et contre le sens commun. Celles-ci,
qui reçoivent le nom de *précédents jurisprudentiels*,
sont alors présentées aux autorités, pour justifier les
opinions les plus iniques, et les juges ne manquent pas
d'en tenir compte dans leurs verdicts. Quand ils
plaident, ils évitent soigneusement de fournir des arguments favorables à leurs thèses, mais, tout en donnant
de la voix et en gesticulant, ils s'étendent de façon très
ennuyeuse sur mille circonstances qui n'ont rien à voir
avec le sujet. Par exemple, dans le cas que nous citions
tout à l'heure, on ne cherche d'aucune manière à savoir
quel droit a mon adversaire sur ma vache, mais si
celle-ci est rousse ou noire, si ses cornes sont longues
ou courtes, si le champ où je la fais paître est rond ou
carré, si on la trait à la maison ou dehors, à quelle

maladie elle est sujette, et ainsi de suite. Après quoi on consulte les précédents, on renvoie la cause à la suite un certain nombre de fois, et au bout de dix, vingt ou trente ans le verdict est rendu.

« Il est également utile de préciser que ce corps de métier a un jargon et un vocabulaire particuliers qu'aucun autre mortel ne peut comprendre, et dans lequel on rédige les lois, en prenant bien soin de les multiplier, de sorte que les notions mêmes de vérité et de mensonge, de justice et d'injustice se trouvent complètement embrouillées ; on mettra donc trente ans à décider si le champ que m'ont laissé six générations d'ancêtres m'appartient à moi ou à un inconnu qui vit à trois cents milles de là. Quand on juge une personne accusée de crime d'État, on procède de façon bien plus rapide et salutaire : les juges vont s'informer de l'opinion des gens qui sont au pouvoir ; après quoi, ils peuvent facilement pendre ou absoudre le criminel [1], en respectant toutes les formes de la loi. »

Ici mon maître m'interrompit, et déclara trouver bien dommage que des créatures favorisées de si prodigieux dons d'intelligence que ces hommes de loi, à en juger par la description que je lui en avais faite, ne soient pas plutôt encouragées à se faire pour leurs semblables des modèles de sagesse et de science. « Soyez bien persuadé, répliquai-je à Son Honneur, que sur tous les points qui ne sont pas de leur domaine, ils sont dans leur ensemble les êtres les plus ignorants et les plus stupides que l'on puisse trouver chez nous, les plus lamentables dans les rapports humains ; ils sont les ennemis déclarés de toute science et de toute culture, et ils cherchent à dépraver la raison des hommes dans toutes les branches du savoir aussi bien que dans leur spécialité. »

CHAPITRE VI

État de l'Angleterre sous le règne d'Anne Ire (suite). — La Reine
gouverne si bien qu'elle peut se passer de premier ministre. — Description de ce personnage dans certaines Cours d'Europe.

Mon maître n'arrivait absolument pas à comprendre
quels motifs pouvaient bien pousser cette race
d'hommes de loi à se donner tant de tracas, de soucis
et de peine pour fonder une ligue de l'injustice dont le
seul but était de nuire aux animaux de leur espèce ; il
ne voyait pas du tout, non plus, ce que j'entendais
par les « honoraires » qu'ils percevaient. Cela me coûta
beaucoup de travail, car il fallut lui expliquer l'usage
de la monnaie, la matière dont elle était faite, la valeur
des différents métaux. Quand un Yahoo, disais-je, a
réuni une grande quantité de ces substances précieuses,
il est capable d'acquérir tout ce qu'il convoite : les plus
beaux vêtements, les plus superbes demeures, de
grandes étendues de terre, les mets et les boissons les
plus chers, et il n'a qu'à choisir parmi les plus jolies
femelles. Par conséquent, puisque l'argent est à lui
seul capable de faire ces miracles, nos Yahoos pensent
qu'ils n'en posséderont jamais assez, soit pour le
dépenser, soit pour l'accumuler, selon que leur tempérament est porté à la prodigalité ou à l'avarice. Le
riche profite du travail du pauvre et il y a mille pauvres
pour un riche. La masse de notre peuple est forcée de
vivre dans la misère, travaillant tous les jours pour un
maigre salaire, et permettant à quelques-uns de re-
gorger de tout. Je m'étendis beaucoup sur ce sujet et
sur d'autres points très voisins. Mais Son Honneur
n'était pas encore satisfait, car il partait de ce principe
que tous les animaux, et en particulier ceux qui gouvernent les autres, avaient droit à une part des pro-

duits de la terre ; il aimerait donc savoir ce que c'était
que des mets chers, et comment certains d'entre nous
pouvaient en avoir besoin. Je me mis donc à lui énumérer tous ceux qui me venaient à l'esprit, avec les
différentes façons de les préparer, signalant que tout
cela exigeait l'envoi de flottes entières vers chaque
partie du monde, d'où l'on faisait venir certaines liqueurs à boire, certains condiments et d'innombrables
autres produits indispensables. Je l'assurai qu'il fallait
bien faire trois fois le tour du monde pour qu'une
femelle yahoo de la bonne société eût de quoi faire son
petit déjeuner et trouvât une tasse pour le prendre. Il
dit qu'un tel pays devait être bien misérable, puisqu'il
ne pouvait pas produire de quoi nourrir ses habitants.
Mais ce qui lui semblait le plus étonnant, c'était que
ces vastes étendues que je lui avais décrites fussent
entièrement dépourvues d'eau potable, et que les gens
dussent envoyer des navires outre-mer pour trouver
quelque chose à boire. Je répliquai que l'Angleterre [1]
(mon bien-aimé pays natal) produisait, d'après certains calculs, trois fois plus de choses à manger que
ses habitants ne pouvaient en consommer, ainsi que
d'excellentes boissons, qu'on fabriquait avec ·des
graines, ou qu'on tirait des fruits d'un arbre, en les
écrasant, et qu'il y avait la même abondance de tous
les biens nécessaires à la vie. Mais afin de satisfaire la
sensualité et l'intempérance des mâles, et la vanité des
femelles, nous expédiions vers d'autres pays la plus
grande part des produits qui nous sont nécessaires, et
nous y achetions des tas de choses faites pour répandre des maladies, la sottise et le vice parmi nous.
Il en résulte forcément que des foules de gens de chez
nous en soient réduits, pour vivre, à se faire mendiants,
brigands, voleurs, filous, entremetteurs, faux témoins,
parasites, suborneurs, faussaires, tricheurs, aigrefins,
lèche-bottes, faiseurs, électeurs marrons, écrivassiers,
astrologues, empoisonneurs, souteneurs, mouchards,

pamphlétaires, libres penseurs et autres occupations du même genre. Mais j'eus beaucoup de mal à lui faire comprendre chacun de ces termes-là.

Nous ne faisons pas venir, ajoutai-je, du vin des pays étrangers parce que nous manquons d'eau ou d'autres choses à boire, mais parce que cette boisson est un liquide spécial, qui nous rend joyeux en nous faisant perdre la raison ; il dissipe toutes les pensées mélancoliques, fait naître en nos cerveaux des images désordonnées et extravagantes, relève nos espoirs et chasse nos craintes, mais nous prive complètement pour un temps de l'usage de notre raison et nous rend même incapables de nous servir de nos membres ; enfin il nous fait tomber dans un profond sommeil. Il faut reconnaître pourtant qu'on se réveille toujours malade et découragé, et que l'habitude de cette boisson provoque des maladies qui martyrisent et raccourcissent notre vie.

Mais si la grande masse de notre peuple trouve à vivre, c'est que les riches, et aussi les autres, lui achètent des produits de luxe, ou de première nécessité. Ainsi, quand je suis dans mon pays et que je m'y habille de façon décente, je porte sur moi le travail d'une centaine d'artisans. La construction et l'ameublement de ma maison en emploient bien cent autres, et il en faut bien cinq fois autant pour vêtir et parer ma femme.

J'entrepris alors de lui parler d'une autre catégorie de gens, ceux qui gagnent leur pain en soignant les malades, car j'avais déjà eu l'occasion de signaler à Son Honneur que nombre de mes matelots étaient morts de maladie. Mais là, j'eus les pires difficultés à lui faire concevoir les choses que je disais. Il admettait facilement qu'un Houyhnhnm pût se sentir faible et languissant quelques jours avant de mourir, ou alors s'abîmer un membre accidentellement. Mais que la Nature, qui fait toutes choses à la perfection, souffrît

que quelque mal se logeât dans nos corps, voilà qui lui
semblait inimaginable, et il demandait l'explication
d'une si étrange calamité. Je lui dis que nous nous
nourrissions de mille choses dont les effets étaient incon-
ciliables ; que nous mangions sans avoir faim, que nous
buvions sans y être poussés par la soif, que nous passions des nuits entières à boire des liqueurs fortes sans
avaler une bouchée, ce qui nous prédisposait à la mol-
lesse, en échauffant notre corps, et en précipitant ou
empêchant nos digestions [1]. Les femelles yahoos qui se
prostituaient, contractaient certaine maladie provoquant la pourriture des os chez ceux qui avaient connu
leurs étreintes. Ce mal et d'autres encore se transmet-
taient de père en fils, de sorte que nombreux étaient
ceux qui venaient au monde avec tout un écheveau de
maladies. Il serait interminable de donner un catalogue complet de toutes les infirmités du corps humain.
Il devait y en avoir au moins cinq ou six cents, réparties
dans tous les membres et toutes les jointures. En bref,
chaque partie du corps, interne ou externe, avait ses
affections propres. Et pour guérir celles-ci, il y avait
chez nous une classe d'hommes, dont le métier (ou la
prétention) était de soigner ces malades. Comme j'avais
moi-même une certaine formation médicale, j'étais
prêt, par gratitude envers Son Honneur, à lui révéler
tout le mystère des méthodes qu'ils emploient.

Leur axiome fondamental est que toute maladie
provient de la réplétion, d'où ils concluent qu'une
grande évacuation du corps est nécessaire, soit par le
conduit naturel, soit, en remontant, par la bouche. Le
deuxième point consiste à fabriquer, à base d'herbes,
de minéraux, de gommes, d'huiles, de coquillages, de
sels, de jus, d'algues, d'excréments, d'écorces d'arbres,
de serpents, de crapauds, de grenouilles, d'araignées,
d'os, de chair de cadavres humains, d'oiseaux, de bêtes
et de poissons, la mixture la plus abominable, nauséa-
bonde et détestable qu'ils puissent imaginer, afin que

l'estomac la rejette avec dégoût : c'est ce qu'ils
appellent un vomitif. Ou alors, suivant une recette
analogue, mais comportant quelques poisons supplémentaires, ils nous ordonnent d'ingurgiter, soit par en
haut soit par en bas (selon l'humeur du pratiquant),
une médecine tout aussi nocive ou répulsive à l'intestin,
laquelle faisant se relâcher le ventre chasse toutes les
matières vers la sortie : c'est ce qu'on appelle une purge,
ou clystère. La Nature en effet (si l'on en croit les
médecins) ayant réservé l'orifice antéro-supérieur à la
seule intromission de liquides et de solides, mais l'orifice postéro-inférieur à leur éjection, et ces savants,
ayant eu l'idée géniale de voir dans la maladie un
accident qui met la Nature hors de son assiette, il
convient, pour l'y remettre, que le corps soit traité de
façon directement contraire, en interchangeant l'emploi
des deux orifices, c'est-à-dire en faisant entrer de
force les liquides et les solides par l'anus, et provoquant
leur évacuation par la bouche.

Mais, à côté d'affections réelles, nous sommes sujets
à des maladies entièrement imaginaires, pour lesquelles
les médecins ont inventé des cures, imaginaires également. Cependant elles portent des noms différents, et
ont des drogues qui leur sont propres. C'est à ce genre
de maladies que sont sujettes nos femelles yahoos.

Un des dons particulièrement brillants que possède
la tribu des médecins est la sûreté de ses diagnostics [1].
Ils n'en font presque aucun de faux, car ils prédisent
généralement la mort dès que la maladie atteint un
certain degré de gravité, et celle-ci est toujours à leur
portée, si la guérison ne l'est pas. Ainsi, quand un
malade qu'ils ont condamné donne des signes imprévus
d'amélioration, plutôt que de passer pour de faux
prophètes, ils savent, par une dose appropriée, prouver
au monde leur sagacité.

Ce talent les rend d'ailleurs très utiles aux époux et
épouses qui sont las de leur conjoint, aux fils aînés, aux

principaux ministres d'État, et souvent aux princes.

J'avais déjà eu l'occasion de m'entretenir avec mon maître sur l'art du gouvernement en général et, en particulier, sur notre excellente Constitution, qui nous vaut l'envie et l'admiration du monde entier. Mais comme j'avais cette fois-là parlé accidentellement de ministres d'État, il me demanda un peu plus tard de bien définir les Yahoos que je désignais sous cette appellation.

Je lui dis que nous avions un gouverneur femelle, ou reine [1], qui n'a pas d'ambition à satisfaire, et dont la pente naturelle n'est d'aucune façon d'accroître son pouvoir au détriment du prochain, ou au préjudice de ses sujets. Voilà pourquoi, loin de confier un portefeuille à un homme chargé d'exécuter ou de couvrir de sinistres desseins, elle fait tendre toutes ses actions au bien de son peuple et le conduit sous la direction des lois du pays, tout en le maintenant dans les limites qu'elles imposent. Elle va même jusqu'à soumettre la conduite et les actes des responsables de sa politique au contrôle de son Grand Conseil et à leur appliquer les peines prévues par la loi. Elle n'a donc jamais mis sa confiance en aucun de ses sujets, au point de le charger lui seul de toute l'administration de ses affaires. Mais, ajoutai-je, sous le règne de ses prédécesseurs et, de nos jours, dans de nombreuses cours d'Europe, où les princes, à force d'aimer et de rechercher le plaisir, deviennent indolents et frivoles dans leurs propres affaires, on voit intervenir cet administrateur dont je vous ai parlé, sous le nom de Premier, ou principal ministre. On peut faire un portrait encore assez exact de ces personnages, si l'on tient compte pour les juger non seulement de leurs actions, mais encore de ce que disent les lettres, mémoires et écrits qu'ils publient eux-mêmes et dont la bonne foi n'a jamais encore été contestée. Essayons d'en dépeindre un : il s'agit d'un homme [2] complètement

insensible à la joie comme à la peine, à l'amour comme
à la haine, à la pitié comme à la colère, bref, qui ne
possède aucune autre passion qu'un violent désir de
richesse, de pouvoir, de titres. Il se sert donc de sa
parole de toutes les manières possibles, sauf pour révéler sa pensée. Il ne dit jamais une vérité sans vouloir
vous la faire prendre pour un mensonge, ni un mensonge
sans vouloir vous le faire prendre pour une vérité.
Ceux dont il parle le plus mal derrière leur dos sont
sûrement les mieux placés pour obtenir de l'avancement, et chaque fois qu'il se met à faire votre éloge,
soit devant les autres soit à vous-même, vous êtes,
dès ce jour, perdu. Mais ce qui est particulièrement
mauvais signe, c'est de recevoir une promesse, surtout
quand elle est appuyée par un serment. Dans ce cas,
un homme raisonnable n'a plus qu'à se retirer, et à
renoncer à toute espérance.

Il y a trois moyens pour un homme d'arriver à être
principal ministre. Le premier est de mettre habilement
en jeu une femme [1], une fille ou une sœur ; le second est
de trahir son prédécesseur ou de saper sa position ; le
troisième est de montrer, dans les grandes assemblées,
un zèle furieux contre les corruptions de la Cour. Mais
un prince avisé choisira plutôt son premier ministre
parmi ceux qui usent de ce troisième moyen, car c'est
cette sorte de zélateurs qui se montrent toujours les
plus obséquieux, les plus servilement dévoués aux
volontés et aux passions de leur maître. Comme ces
ministres disposent de tous les postes à pourvoir, ils
se maintiennent au gouvernement en achetant la majorité d'un Sénat, ou Grand Conseil, ou aussi grâce à un
expédient appelé Acte d'indemnité (j'expliquai à mon
maître en quoi il consistait) ; ils se dispensent ainsi
d'avoir à rendre des comptes, et se retirent de la vie
publique, chargés des dépouilles de la nation [2].

Le palais d'un principal ministre est une pépinière
de politiciens comme lui : les pages, les laquais, les

portiers, suivant l'exemple de leur maître, deviennent
des ministres d'État, chacun dans son département,
et s'efforcent d'exceller en ces trois matières principales : insolence, mensonge, corruption. Ainsi chacun
d'eux vit-il au milieu d'une cour subalterne, et leurs
courtisans sont des personnes d'un rang très élevé ;
parfois même, à force de dextérité et d'impudence,
ils arrivent d'étape en étape à succéder à leur propre
seigneur.

Celui-ci est généralement dominé par une ancienne
catin déchue ou par un valet favori, qui sont le canal
par où passent toutes les faveurs, et peuvent être, au
sens propre, appelés gouvernants en dernier ressort du
Royaume.

Un jour mon maître m'ayant entendu parler de la
noblesse de mon pays, eut la bonté de me faire un
compliment que je ne saurais prétendre mériter : il
se disait convaincu que j'étais de naissance noble [1], car
j'étais beaucoup mieux proportionné, j'avais bien
meilleure mine et je me montrais plus propre que les
Yahoos de son pays, bien que je parusse moins bien
partagé quant à la force et l'agilité, probablement à
cause de mon genre de vie qui était différent de celui
de ces bêtes. En outre, non seulement j'étais doué de
parole, mais je paraissais avoir quelques rudiments
de raison, à un degré qui me faisait passer pour un
prodige dans le cercle de ses relations. Il me fit remarquer que, pour les Houyhnhnms, les blancs, les alezans
et les gris fer n'avaient pas les formes harmonieuses des
bais, des gris pommelé et des noirs, et qu'ils ne naissaient pas non plus avec autant de dons de l'esprit ni
de capacités à les faire valoir ; ainsi donc ils restaient
toute leur vie dans l'état de domestiques, sans aspirer
jamais à des alliances en dehors de leur race, qui sem-
bleraient monstrueuses et antinaturelles.

J'exprimai à Son Honneur mes humbles remerciements pour la bonne opinion qu'il daignait avoir de

moi ; je lui affirmai en même temps que ma naissance
était tout à fait commune, mes parents étant des gens
simples et honnêtes, qui avaient tout juste pu m'assurer
une éducation convenable. Quant à la noblesse, elle
n'était pas chez nous conforme à l'idée qu'il en avait.
Nos jeunes aristocrates sont élevés dès leur enfance
dans l'oisiveté et le luxe ; dès qu'ils sont assez grands,
ils épuisent toutes leurs forces et contractent d'odieuses
maladies avec des femelles ignobles. Et quand ils ont
perdu presque toute leur fortune, ils épousent, uniquement pour des raisons d'intérêt, une femme de naissance obscure, de caractère désagréable et de santé
fragile qu'ils détestent et qu'ils méprisent. Les fruits
qui naissent de pareilles unions sont, d'habitude, des
enfants scrofuleux, rachitiques et difformes, de telle
sorte que la famille s'éteindrait normalement au bout
de trois générations, si la femme ne prenait pas sur
elle de recruter un géniteur vigoureux parmi ses domestiques ou ses voisins, afin d'améliorer et de perpétuer la race. Ainsi, c'est un corps faible et languissant,
c'est un aspect squelettique, c'est un teint jaune qui
sont la marque d'un sang noble, et un air sain et robuste fait si mauvais effet chez un homme de qualité
que tout le monde conclut que son vrai père a dû être
un valet de pied ou un cocher. Les imperfections du
caractère vont de pair avec celles du corps : tout en lui
n'est que tristesse, sottise, sensualité, ignorance, caprice
et orgueil.

Sans le consentement de ce corps illustre, aucune
loi ne peut être promulguée, rejetée ou modifiée. Et
ce sont les nobles également qui décident sans appel
du sort de tous nos biens.

CHAPITRE VII

Grand amour de l'auteur pour son pays natal. — Réflexions que son
exposé de la Constitution et de l'administration anglaises inspire à
son maître. — Les analogies et comparaisons qu'il lui suggère. —
Réflexions de son maître sur la nature humaine.

Le lecteur se demandera peut-être pourquoi je
m'étais permis de dépeindre si crûment ma propre
espèce aux yeux d'une race de mortels bien assez dis-
posée à prendre les hommes en mépris, du fait de leur
ressemblance presque parfaite avec les Yahoos. Mais
j'avouerai franchement que les nombreuses vertus de
ces excellents quadrupèdes, mises en balance avec la
dépravation humaine, m'avaient si largement ouvert
les yeux, m'avaient tellement développé l'entendement, que je commençais à voir les actions et les passions de l'homme sous un jour bien différent [1]. Je ne
croyais plus que l'honneur de ma race méritât d'être
ménagé. D'ailleurs, c'eût été chose impossible, en face
d'une personne de jugement aussi pénétrant que mon
maître, qui tous les jours me signalait chez moi mille
défauts dont je n'avais aucunement conscience, et qui
parmi nous ne seraient pas même comptés comme de
simples imperfections. De même, j'avais, à son contact,
conçu une haine extrême de toute fausseté ou insincé-
rité, et la vérité m'apparaissait comme un bien si dési-
rable, que j'étais résolu à tout lui sacrifier.

Que le lecteur me pardonne mon extrême franchise :
je lui avouerai que j'avais encore un motif bien plus
puissant de raconter les choses sans scrupules. Au bout
d'un an à peine de séjour dans cette île, j'avais conçu
un tel amour et une telle vénération pour ses habitants,
que je pris la ferme résolution de ne jamais retourner
chez les hommes, et de passer le reste de mes jours
parmi ces admirables Houyhnhnms, dans la contem-

plation et la pratique de toutes les vertus. Car, là-bas, je ne pouvais avoir ni l'exemple ni la tentation du vice. Mais telle était la volonté du Sort, mon ennemi implacable : je ne devais pas avoir tant de bonheur en partage. Pourtant il m'est de quelque consolation de penser qu'en tout ce que j'ai dit de mes compatriotes, j'ai cherché à excuser leurs défauts autant qu'on pouvait le faire devant un observateur aussi rigoureux. Sur chaque point, je présentais d'eux un tableau aussi favorable que le sujet le permettait. Est-il possible, en effet, qu'on soit absolument sans parti pris ni partialité, quand on parle du pays natal ?

J'ai relaté, en substance, plusieurs des conversations que j'eus avec mon maître durant une partie du temps où j'avais l'honneur d'être à son service. Mais par souci de brièveté, j'en omets beaucoup plus que je n'en dis.

Quand j'eus répondu à toutes les questions de mon maître et que sa curiosité parut satisfaite entièrement, il m'envoya chercher certain matin, et me pria de m'asseoir à quelque distance de lui (honneur qu'il ne m'avait jamais accordé jusque-là). Il me dit avoir sérieusement réfléchi à toutes mes histoires, et à tout ce qu'elles lui révélaient de moi-même et de mon pays. Il nous considérait comme une sorte d'animaux, qui avaient reçu en partage, il ignorait par quel accident, quelques bribes de raison : mais nous utilisions celle-ci uniquement comme moyen d'aggraver notre dépravation naturelle et d'acquérir de nouveaux vices que la Nature ne nous avait pas donnés. Nous faisions exprès de nous dépouiller des quelques heureuses qualités qu'elle nous avait accordées, et nous avions parfaitement réussi à multiplier nos besoins primitifs, de sorte que nous passions toute notre vie à faire des efforts inutiles pour les satisfaire d'une façon ou d'une autre. Quant à moi personnellement, il était manifeste que je n'avais ni la force ni l'agilité des Yahoos communs :

je marchais comme un impotent sur mes seuls pieds
de derrière, j'avais su rendre mes griffes inutilisables,
tant comme outil que comme arme, et supprimer le
poil de mon menton, dont le rôle était de me préserver
du soleil et des intempéries. Enfin je ne pouvais ni
courir vite ni grimper aux arbres comme mes frères
(c'est le nom qu'il leur donnait), les Yahoos de ce pays.

Quant à nos institutions politiques et judiciaires,
elles étaient sans conteste le fruit de notre lamentable
manque de raison et par conséquent de vertu, car il
n'est besoin que de raison pour gouverner une créature
rationnelle, mais nous ne pouvions même pas, en bonne
logique, prétendre à cette qualité, à en juger d'après
le portrait que j'avais fait de mon peuple. Ce portrait
d'ailleurs je l'avais de toute évidence retouché par
partialité en laissant beaucoup de points dans l'ombre
et en disant souvent « la chose-qui-n'est-pas ».

Ce qui le confirmait surtout dans cette opinion,
c'était d'avoir observé que cette même ressemblance
qui existait entre tous les détails de mon corps et de
celui des Yahoos (exception faite de mon manque de
force, de vitesse et d'activité, de la faiblesse de mes
griffes et de quelques autres points où la nature n'avait
rien à voir), on la retrouvait encore plus frappante,
d'après le tableau que j'avais brossé de nos mœurs,
nos coutumes et nos occupations, dans les traits de nos
caractères. C'est un fait connu, me disait-il, que les
Yahoos se haïssent entre eux, bien plus qu'ils ne
haïssent aucune autre race d'animaux, et l'on admet
généralement que cette haine naît de la hideur de leurs
formes, que tous peuvent voir chez leurs semblables,
mais non pas en eux-mêmes. Voilà pourquoi j'ai commencé à trouver raisonnable votre façon de couvrir
votre corps, et d'avoir ainsi un moyen de vous cacher
les uns aux autres une grande partie de vos difformités, dont la vue est à peine tolérable. Mais je pense
maintenant que je me suis trompé, et que la cause des

querelles qui naissent entre ces animaux chez nous, est la même que pour vos dissensions, telles que vous me les avez décrites. Car, disait-il, si vous jetez à un groupe de cinq Yahoos une part de viande suffisante pour cinquante, au lieu de la manger en paix, ils se prendront aux cheveux, chacun d'eux exigeant de l'avoir toute pour lui seul. C'est pourquoi il y avait toujours un valet pour les surveiller, quand on leur portait à manger dehors, et ceux qu'on élevait à la maison étaient attachés à une certaine distance les uns des autres. Quand une vache mourait de vieillesse ou d'accident, avant qu'un Houyhnhnm eût pu la mettre de côté pour ses propres Yahoos, ceux du voisinage se précipitaient en bandes pour s'en emparer, et il s'ensuivait d'ordinaire une bataille pareille à celles que j'avais décrites : on recevait dans les deux camps de terribles coups de griffes, mais les blessures étaient rarement mortelles, car les combattants ne disposent pas des instruments mortifères que nous avions inventés. D'autres fois, des batailles semblables se livrent entre les Yahoos de plusieurs villages voisins, sans aucune raison apparente. Les habitants d'un quartier guettent toutes les occasions d'assaillir à l'improviste ceux du quartier voisin. Mais s'il se trouve que leur plan d'attaque échoue, ils retournent à la maison, et, faute d'ennemis, ils se livrent entre eux à ce que j'appelle une guerre civile.

Dans certains terrains de ce pays, on trouve une sorte de pierres brillantes de différentes couleurs, dont les Yahoos sont passionnément amateurs. Or ces pierres sont parfois à demi enterrées, et ils passent des journées à creuser autour avec leurs ongles pour pouvoir les extraire, et les emporter ensuite dans leur chenil où ils en cachent des tas entiers, mais non sans jeter à la ronde des regards soupçonneux, par crainte que leurs camarades ne découvrent leur trésor. Mon maître m'affirma n'avoir jamais découvert jusque-là la raison de cet appétit antinaturel, ni l'intérêt que ces pierres pouvaient avoir pour un Yahoo, mais il commençait à se dire que cette passion avait son principe dans l'avarice que j'attribuais aux hommes. Il avait fait un jour l'expérience de retirer un de ces tas de pierres de l'endroit où un Yahoo l'avait enterré. On vit alors le sordide animal, dépossédé de son trésor, ameuter par ses gémissements tout le troupeau autour de lui. Il se mettait tantôt à hurler lamentablement, tantôt à mordre et à griffer les autres. Puis il commença à dépérir, refusant de manger, de dormir et de travailler, jusqu'à ce que mon maître eut fait reporter en secret, par un valet, les pierres dans le même trou, en les recouvrant de terre comme avant. Et quand le Yahoo les eut retrouvées, il retrouva également son entrain et sa bonne humeur ; mais il prit quand même la peine d'aller cacher ses pierres dans un endroit plus sûr. Depuis ce moment-là il n'a pas cessé d'être une bête très utile.

Mon maître m'affirma aussi par la suite, et je l'avais d'ailleurs remarqué moi-même, que c'est sur les terrains où ces pierres brillantes abondent qu'avaient lieu les batailles les plus acharnées et les plus fréquentes, à cause des continuelles incursions qu'y faisaient les Yahoos du voisinage.

On voyait très souvent, ajoutait-il, lorsque deux Yahoos avaient découvert une de ces pierres dans un champ, et en venaient aux mains pour trancher de son attribution, un troisième profiter de la situation, et s'en emparer à la barbe des autres. Mon maître tenait absolument à retrouver dans ces péripéties l'image de nos procès, et je me gardais bien de le détromper, par égard pour notre réputation, car cette façon de conclure une affaire était en fin de compte plus équitable que le verdict de bien des tribunaux. En effet, le plaignant et le défendeur yahoos ne perdaient rien autre que leur pierre, tandis que les tribunaux d'arbitrage ne renvoient jamais les deux parties sans les avoir dépouillées jusqu'aux os.

Mon maître, poursuivant ces considérations, m'assura que rien ne rendait les Yahoos plus répugnants que leur façon d'engloutir indifféremment et parfois pêle-mêle, tout ce qu'ils trouvaient sur leur chemin, herbe, racines, baies, charognes d'animaux, et c'était un aspect de leur nature que de préférer ce dont ils s'étaient emparés, bien loin de la maison, par force et par ruse, à la bonne nourriture qu'on leur servait. Si leur proie était volumineuse, ils en mangeaient presque au point d'en crever, après quoi leur instinct leur faisait trouver certaines racines qui leur procuraient une évacuation complète.

Il existait aussi une autre sorte de racines, très juteuses, mais plutôt rares et difficiles à découvrir, que les Yahoos recherchaient avec avidité et suçaient avec un extrême délice. Elles produisaient sur eux le même effet que sur nous le vin, et les poussaient aussi bien à s'embrasser qu'à se déchirer les uns les autres ; ils se mettaient à vociférer, grimacer, jacasser, faire des cabrioles et des culbutes, puis finalement s'écroulaient endormis dans la boue. Or, j'avais remarqué moi-même que les Yahoos étaient les seuls animaux de ce pays à tomber quelquefois malades. Leurs maladies sont loin d'être aussi nombreuses que celles qui affectent les chevaux chez nous, et elles ne viennent jamais des mauvais traitements, mais uniquement de la malpropreté et de la gloutonnerie de ces ignobles bêtes. La langue du pays ne connaît d'ailleurs qu'un terme général qui englobe toutes ces maladies et rappelle le nom de l'animal lui-même. C'est le mot *Hnea Yahoo*, ou mal des Yahoos, et le traitement prescrit consiste à introduire de force dans la gorge du Yahoo un mélange fait de ses excréments et de son urine. J'ai souvent entendu dire que cette médication avait d'excellents effets. Je me permets, dans l'intérêt géné-

ral, de la recommander à mes compatriotes, comme
une admirable formule contre toutes les maladies
causées par la réplétion.

Sur les chapitres du savoir, de la politique, des arts
et manufactures, etc., mon maître reconnut qu'il ne
voyait guère de ressemblance entre les Yahoos de son
pays et ceux du nôtre. Car son unique intention était
d'observer les points' communs de nos natures. Il
avait pourtant entendu rapporter par des Houyhnhnms à l'esprit observateur que dans la plupart des
troupeaux il y avait une sorte de chef yahoo (de
même que dans nos parcs il y a généralement un
daim qui conduit et dirige la harde) qui était toujours
le plus mal bâti, et le plus malfaisant de tous. Le
meneur avait généralement un favori aussi semblable
à lui-même qu'il pouvait le découvrir, dont la charge
était de lécher les pieds et le postérieur de son maître,
et de conduire les femelles yahoos à son chenil ; il
recevait pour sa peine, de temps en temps, un bout
de viande d'âne. Le favori est haï par le reste du troupeau, et par conséquent, pour être en sécurité, il reste
toujours aux côtés du chef. Il conserve d'habitude
ses fonctions jusqu'à ce qu'on trouve à le remplacer
par un de plus méchant que lui, et, à peine est-il déchu
qu'il voit venir en corps, conduits par son successeur
en personne, tous les Yahoos du quartier, jeunes et
vieux, mâles et femelles, qui le recouvrent des pieds à la
tête de leurs excréments. Serait-il possible, dans les
Cours de nos rois, de faire subir ce traitement aux
favoris et aux ministres ? Mon maître me laissait le
soin d'en décider. Je n'osai pas répondre à cette cruelle
insinuation qui mettait l'entendement des hommes
bien plus bas que la sagacité des chiens de meute,
puisque ceux-ci ont assez de cervelle pour distinguer
et suivre la voix du plus compétent d'entre eux, sans
jamais faire la moindre erreur.

Mon maître me signala aussi chez les Yahoos cer-

tains traits remarquables, dont il ne m'avait guère
entendu faire mention dans ma description des hommes : ces animaux ont, comme toutes les bêtes, les
femelles en commun. Mais la grande différence est que
la femelle yahoo accepte le mâle même quand elle est
pleine, et que les mâles se battent avec les femelles
aussi férocement qu'entre eux. Ces deux pratiques
sont la marque d'une bestialité si abominable, qu'aucune créature vivante n'est jamais tombée si bas.

Une autre chose qui l'avait frappé chez les Yahoos,
était leur étrange goût pour la saleté et l'ordure, alors
que tous les autres animaux paraissent éprouver un
amour naturel pour la propreté. Les deux premières
accusations, je préférais les laisser passer sans y répondre, car je n'avais vraiment pas un mot à dire pour la
défense de ma propre espèce, dont j'aurais pourtant
été très heureux de me charger. Quant à la troisième,
j'aurais certainement fait absoudre la race humaine
du reproche de singularité en la matière, s'il y avait eu
des cochons dans le pays (mais pour mon malheur
il n'y en avait pas). Car si ce quadrupède peut être
considéré comme plus sympathique que les Yahoos,
je ne puis en toute justice prétendre qu'il ait plus
d'hygiène et Son Honneur eût certainement été de mon
avis s'il avait connu sa répugnante façon de manger,
et son habitude de se vautrer et de dormir dans la boue.

Mon maître me cita encore un trait particulier, que
ses valets avaient découvert chez plusieurs Yahoos,
et qui lui paraissait incompréhensible. Il arrive, dit-il,
qu'un Yahoo prenne une sorte de crise : il va se coucher dans un coin, et se met à gémir, à grogner et à
envoyer promener tous ceux qui s'approchent de lui,
bien qu'il s'agisse toujours d'un sujet jeune et vigoureux, ne manquant ni de nourriture ni d'eau. Or, les
valets n'arrivent jamais à deviner ce qui peut l'affliger
ainsi. Le seul remède qu'ils aient découvert, est de le
soumettre à un dur travail, ce qui le fait infaillible-

ment rentrer en lui-même. A cela non plus, je ne répon
dis rien, ne voulant pas prendre parti contre mon
espèce, pourtant, je reconnaissais là les symptômes
du spleen, ce mal qui n'affecte que les paresseux, les
luxurieux et les riches, et que je me ferais fort de guérir,
si je pouvais soumettre ses victimes au traitement en
question.

Mon maître avait souvent remarqué, aussi, une
femelle yahoo embusquée derrière un talus ou un buis-
son à guetter les jeunes mâles passant par la route. Elle
se montrait au moment voulu, puis se recachait avec
mille gestes et grimaces ridicules ; on pouvait noter
qu'à cette occasion, elle dégageait une odeur abominable. Et quand l'un des mâles s'avançait, elle se
retirait lentement, en regardant souvent derrière elle,
et en se donnant des airs effrayés, puis elle s'enfuyait
vers un endroit propice où elle savait que le mâle
allait la rejoindre. D'autres fois, quand une inconnue
venait se mêler à un groupe de femelles yahoos, trois
ou quatre d'entre elles se rassemblaient autour d'elle,
l'observaient en détail, jacassant, grimaçant, la reni-
flant de haut en bas, et en fin de compte se détournaient
d'elle, avec des mines exprimant le mépris et le dédain.
Il est possible que mon maître ait apporté quelques
retouches à ces tableaux, qu'il me faisait d'après ses
propres observations, ou d'après ce qu'on lui avait
conté. Pourtant je ne pouvais me dire sans étonnement, et sans beaucoup de peine, que la lubricité, la
coquetterie, la jalousie et la médisance se retrouvent
toujours, même à l'état d'ébauche, dans l'instinct
féminin [1]. Je m'attendais, à tout moment, que mon
maître accusât les Yahoos des deux sexes d'avoir
de ces goûts contre nature qui sont si communs parmi
nous. Mais il me semble que la Nature n'a pas été
une éducatrice assez experte, et que ces plaisirs raffi-
nés soient un produit de l'Art et de la Raison dans
cette partie-ci du globe.

CHAPITRE VIII

Observations personnelles de l'auteur sur les mœurs des Yahoos. —
Grandes vertus des Houyhnhnms. — Éducation et formation de
leur jeunesse. — Leur Assemblée générale.

Comme j'avais de bonnes raisons de penser que ma
connaissance de la nature humaine dépassait celle
que mon maître pouvait avoir, il m'était facile de me
reconnaître, moi et mes compatriotes, dans le portrait
qu'il avait tracé des Yahoos et je pensais que je pourrais faire quelques découvertes supplémentaires, si je
me mettais à les observer moi-même. C'est pourquoi je priai plusieurs fois mon maître de me laisser
aller au milieu du troupeau de Yahoos qu'on rencontrait dans le voisinage et il me le permit chaque fois
fort aimablement, étant bien convaincu que la répugnance que j'éprouvais pour ces bêtes m'empêcherait
toujours d'être corrompu par elles. Son Honneur me
donnait toujours pour garde du corps un de ses valets,
un robuste cheval de bât alezan, fort honnête et de
bon caractère, car, sans sa protection, je n'aurais
pas osé courir ces aventures. J'ai déjà, d'ailleurs,
raconté au lecteur comment j'avais été empuanti par
ces abominables animaux, le jour même de mon arrivée. Dans la suite, il m'était arrivé deux ou trois fois
d'échapper de justesse à leurs griffes, alors que je me
promenais seul et sans mon sabre. J'avais quelque
raison de croire qu'ils me prenaient pour un de leurs
congénères, et je faisais le nécessaire pour les en
convaincre, allant jusqu'à retrousser mes manches,
et leur montrer mes bras et mon torse nus quand mon
protecteur était avec moi. A ce moment-là, ils s'approchaient autant qu'ils l'osaient, et imitaient mes gestes
à la façon des singes, mais avec toujours des manifes-

tations de haine. C'est de la même façon qu'un corbeau apprivoisé, affublé d'un bonnet et de chaussettes, est toujours persécuté par les corbeaux sauvages, s'il reprend contact avec eux.

Les Yahoos sont, dès leur enfance, prodigieusement agiles. Il m'était arrivé pourtant d'en attraper une fois un tout jeune, un mâle âgé de trois ans, et j'entrepris, en lui prodiguant toutes sortes de caresses, de le faire tenir en repos. Mais ce mauvais petit gnome se mit à hurler, à griffer et à mordre avec une telle violence, que je fus obligé de le lâcher. Il était grand temps, d'ailleurs, car toute une troupe d'adultes était accourue au bruit ; constatant, pourtant, que le babouin n'avait pas de mal (il avait détalé à toutes jambes) et que mon brave alezan était là, ils n'osèrent pas s'aventurer trop près de nous. J'avais observé que la chair du jeune animal avait une odeur très forte, une puanteur qui rappelait celle de la belette, ou bien du renard, mais en beaucoup plus infect. J'oubliais un autre détail (mais peut-être le lecteur me pardonnerait-il si je renonçais à le donner) : pendant que je tenais dans mes mains la sale petite bête, elle couvrit tous mes habits de ses excréments, une horrible matière, jaune et liquide. La chance voulut qu'il y eût un ruisseau à proximité, où je pus me nettoyer tant bien que mal ; mais je n'osai pas me présenter à mon maître avant de m'être largement aéré.

D'après ce que j'ai pu découvrir, les Yahoos sont des animaux absolument réfractaires au dressage ; on ne peut, au mieux, les utiliser qu'à tirer ou à porter des fardeaux. Mais je crois personnellement que cette incapacité vient surtout de leurs dispositions perverses et rétives. Car ils sont sournois, méchants, traîtres et vindicatifs. Ils sont forts et résistants, mais couards par nature, ce qui les rend insolents, abjects et cruels. C'est un fait établi que ceux qui ont le poil roux[1], chez un sexe comme chez l'autre, sont plus libidineux et plus mauvais que les autres, qu'ils surpassent également beaucoup en vigueur et en vitalité.

Les Houyhnhnms mettent les Yahoos de la ferme dans des cabanes, non loin de la maison du maître, mais le reste est envoyé aux champs. Là, ils fouillent la terre à la recherche de racines, ils mangent certaines espèces d'herbes et vont à la recherche des cadavres d'animaux ; ou bien ils attrapent des belettes ou des *luhimuhs* (sorte de rat des champs) qu'ils dévorent gloutonnement. Ils savent d'instinct creuser de leurs ongles des trous profonds au flanc des terrains en pente, où ils vont loger seuls. On reconnaît les terriers des femelles à ce qu'ils sont plus grands : ils peuvent contenir deux ou trois petits [1].

Ils nagent dès l'enfance comme des grenouilles, et peuvent rester longtemps sous l'eau, où ils attrapent souvent des poissons que les femelles rapportent à leurs petits. A ce propos, j'espère que le lecteur voudra bien me pardonner le récit d'une aventure scabreuse.

Un jour, comme j'étais sorti en compagnie de mon protecteur, le cheval de bât alezan, et que la chaleur était accablante, je le priai de me laisser prendre un bain dans une rivière qui passait près de là. Il y consentit, et je me mis nu comme un ver ; puis j'entrai doucement dans l'eau. Or, il se trouvait qu'une jeune femelle yahoo se tenait cachée sur une rive, épiant toute la scène. Enflammée de désir (selon ce que nous pensâmes, le cheval et moi), elle accourut à toute allure et sauta dans l'eau à moins de cinq yards de l'endroit où je me baignais. Je n'ai jamais eu dans ma vie une peur si terrible. Le cheval était en train de paître à quelque distance et ne soupçonnait aucun danger. La femelle m'enlaça de façon écœurante. Je me mis à hurler de toutes mes forces et le petit alezan accourut au galop. Elle lâcha prise alors non sans un violent dépit, et sauta sur la rive opposée où elle resta à regarder et à gémir, tout le temps que je remettais mes vêtements.

Cette histoire enchanta mon maître et sa famille, mais j'en étais moi-même très humilié. Car il m'était impossible désormais de nier que je fusse un Yahoo, de corps comme de visage, puisque j'attirais leurs femelles comme un de leurs congénères. Et pourtant le poil de la bête en question n'était pas de couleur rousse (ce qui aurait pu excuser un certain dérèglement de ses appétits), mais noir comme l'ébène, et son aspect d'ensemble n'était pas si hideux que chez les êtres de sa race ; car elle ne devait pas, je pense, avoir plus de onze ans [1].

Puisque j'ai bien passé trois ans dans ce pays, le lecteur doit s'attendre que je lui donne, comme tous les voyageurs, une description des mœurs et coutumes de ses habitants, ce qui était d'ailleurs le principal sujet de mon étude.

Comme ces nobles Houyhnhnms ont reçu en partage une disposition naturelle à toutes les vertus, et n'ont aucune notion, aucune idée, de ce que peut être le mal dans une créature rationnelle, leur grand principe est qu'il faut cultiver la raison et se laisser entièrement gouverner par elle. Et la raison n'est pas chez eux matière à controverse, comme chez nous, où les hommes peuvent défendre de façon plausible les deux côtés d'une thèse : elle s'impose immédiatement, et fait naître la conviction, comme elle devrait le faire toujours, si elle n'était pas troublée, obscurcie, ou effacée par la passion et l'intérêt. Je me souviens de l'extrême difficulté que j'eus à faire comprendre à mon maître le sens du mot *opinion* et de l'expression *point controversé*, car la raison enseigne à affirmer ou à nier uniquement ce dont on est certain ; or, on ne peut l'être que pour ce qui ne dépasse pas notre connaissance. C'est ainsi que les controverses, les chicanes, les disputes et l'acharnement à soutenir des opinions

fausses ou douteuses sont des maux inconnus chez les
Houyhnhnms. De la même façon, chaque fois que je
lui expliquais le « système » d'un de nos philosophes,
il se moquait de moi : si je me piquais d'être sage,
qu'avais-je à m'encombrer des conjectures d'autrui,
surtout dans un domaine où les connaissances ne servent à rien, même quand elles sont sûres. En cela il
était entièrement d'accord avec les idées de Socrate,
telles que Platon nous les expose [1] ; et l'on ne saurait,
je crois, rendre un plus bel hommage au prince des
philosophes. J'ai souvent pensé, plus tard, aux ravages
qu'une telle doctrine ferait dans les bibliothèques
d'Europe et combien de chemins vers la gloire se fer-
meraient à cause d'elle dans l'univers des lettrés.

L'une des grandes qualités des Houyhnhnms, c'est
qu'ils sont affectueux et charitables, et non pas seulement pour quelques individus, mais pour leur race tout
entière. Ainsi, un inconnu, venu de l'autre bout du
pays, est reçu aussi bien que le voisin le plus proche,
et, où qu'il aille, il est toujours comme chez lui. Ils ont
un sens très profond de la dignité et de la courtoisie,
mais ils ignorent absolument ce qu'est le formalisme.
Ils n'ont pas de tendresse pour leurs poulains ou leurs
pouliches, mais le soin qu'ils mettent à bien les éduquer procède exclusivement des exigences de leur raison. Et j'observai que mon maître avait autant d'affection pour les enfants de ses voisins que pour les siens
propres. Ils affirment que la Nature leur enseigne
l'amour de leur espèce tout entière, et quand ils font
des distinctions de personnes, c'est uniquement par
raison et à cause d'un degré supérieur de vertu.

Quand une mère houyhnhnm a mis au monde un
enfant de chaque sexe, elle cesse d'avoir des rapports
avec son époux, sauf si, par accident, ils en ont perdu
un, ce qui arrive très rarement ; mais dans ce cas le
couple se rapproche de nouveau. Si le même accident
arrive à une personne dont l'épouse a passé l'âge d'avoir

des enfants, un autre couple lui donne un de ses poulains, et reprend la vie commune jusqu'à ce qu'une
naissance soit annoncée. Ces précautions sont nécessaires pour empêcher le pays d'être accablé sous le
nombre de ses habitants. Mais la race des Houyhnhnms
inférieurs n'est pas soumise sur ce point à des règles
aussi strictes. On leur laisse mettre au monde trois
individus de chaque sexe, pour être domestiques dans
les familles nobles.

En affaire de mariage on tient surtout compte des
couleurs : il faut éviter que la descendance ait le pelage
mêlé et disgracieux. On apprécie surtout la force chez
le mâle et la beauté chez la femelle, non qu'on en fasse
une question d'amour, mais pour préserver la race de
la dégénérescence. Car, quand il se trouve que c'est la
femelle qui est particulièrement forte, on recherchera
plutôt la beauté chez le mâle. Cour, amour, cadeaux,
douaires, contrats, sont des notions étrangères à leur
pensée et il n'y a pas dans leur langue de termes cor-
respondants. Le jeune couple se forme et s'unit simplement parce que les parents et les amis en ont décidé
ainsi. C'est là quelque chose qu'on voit faire tous les
jours et que l'on considère comme indispensable à un
être raisonnable. On n'a jamais entendu parler d'une
rupture du lien conjugal, pas plus que d'un autre
manquement à la chasteté. Et les ménages passent
leur vie dans une amitié et une bienveillance mutuelles
pareilles à celles qu'ils éprouvent pour tout être de leur
race qu'ils croisent sur leur chemin, sans jalousie ni
tendresse, sans querelles ni insatisfaction.

L'éducation qu'ils donnent à la jeunesse des deux
sexes est admirable, et mérite grandement que nous
l'imitions : personne n'a le droit de goûter un grain
d'avoine avant d'avoir dix-huit ans révolus. De même
pour le lait, qu'on n'accorde que très rarement. L'été,
les jeunes chevaux vont paître pendant deux heures
le matin, et autant dans la soirée, horaire qui est aussi

celui des parents. Mais les domestiques n'ont droit qu'à la moitié de ce temps, et une grande partie de l'herbe est transportée à la maison, où ils pourront la manger pendant les heures creuses de leur journée. La sobriété, le goût du travail, de l'exercice et de la propreté sont les vertus qu'on inculque aux jeunes sujets, d'un sexe comme de l'autre. Mon maître jugeait monstrueuse notre façon de donner aux femelles une éducation différente de celle des mâles [1], sauf quelques notions supplémentaires d'art ménager, car, disait-il très justement, la moitié des populations humaines n'était bonne qu'à mettre des enfants au monde, et que ce fût justement ces incapables qui eussent la charge d'éduquer les enfants était une preuve de plus que nous étions dépourvus de raison.

Les Houyhnhnms font acquérir aux jeunes sujets la force, la rapidité et la résistance, en les entraînant à des courses de montée et de descente sur des pentes raides [2], ou sur des terrains durs et rocailleux. Et quand ils sont tout en sueur, on les fait plonger la tête la première dans un étang ou une rivière. Quatre fois par an la jeunesse de certains districts se réunit pour montrer ses talents à la course et au saut, ainsi qu'à certaines épreuves de force et d'agilité. Le vainqueur de la compétition reçoit en hommage un chant composé à sa louange. Au cours de ces festivités, on voit pénétrer sur le terrain, conduit par des serviteurs, un groupe de Yahoos chargés de foin, d'avoine et de lait afin que les Houyhnhnms puissent se restaurer, puis on remmène les bêtes sans délai, pour qu'elles n'incommodent pas l'assemblée.

Tous les quatre ans, à l'équinoxe de printemps, se tient l'Assemblée plénière des représentants de la nation. Ils se réunissent dans une plaine située à vingt milles environ de notre résidence et délibèrent pendant cinq ou six jours, s'informant de la situation de tous les districts ainsi que de leurs ressources. Y avait-il abondance ou pénurie de foin ou d'avoine, de vaches ou de Yahoos? Et si l'on signale une disette (ce qui arrive rarement), on décide immédiatement et à l'unanimité d'y remédier par une contribution. C'est à cette occasion que les familles s'arrangent entre elles pour les questions d'enfants. Par exemple : si un Houyhnhnm a deux mâles il en échange un avec quelqu'un qui a deux femelles [1], et si un enfant est mort d'accident quand sa mère a passé l'âge de la fécondité, on décide quelle famille du voisinage va en procréer un pour compenser cette perte.

CHAPITRE IX

Grand débat à l'Assemblée générale des Houyhnhnms. — Le savoir chez les Houyhnhnms. — Leurs bâtiments. — Leurs rites funéraires. — Les insuffisances de leur langue.

Une de ces grandes Assemblées eut lieu pendant mon séjour dans l'île, et quelques mois avant mon départ. Mon maître y prit part comme représentant de notre région. On y remit en question un vieux problème, à vrai dire le seul problème qui se fût jamais posé au pays. Mon maître me fit à son retour un récit très détaillé des débats.

La question à trancher était celle-ci : les Yahoos doivent-ils être exterminés et disparaître de la surface de la terre [2]? Un des députés, partisan du *oui*, présenta plusieurs arguments de grande force et de grand poids. Les Yahoos, assura-t-il, n'étaient pas seulement les plus sales, les plus laids, les plus dégoûtants de tous les animaux que la Nature ait produits, ils étaient par-dessus le marché les plus rétifs, inéducables, mauvais et malfaisants. Ils venaient téter en

cachette les vaches des Houyhnhnms, tuer et dévorer
leurs chats, piétiner les champs d'avoine et les prés
à moins d'être sous une surveillance constante, et ils
étaient capables de mille autres méfaits. Il cita une
tradition généralement admise, selon laquelle les
Yahoos n'avaient pas toujours vécu dans le pays,
mais que, il y avait de cela des siècles, un couple de ces
bêtes était apparu au sommet d'une montagne, sans
qu'on sût si elles étaient nées de boue et de limon
chauffés par le soleil, ou bien de l'écume et de la vase
marines. Elles s'étaient reproduites et en peu de temps
leur descendance fut assez nombreuse pour envahir
et infester tout le pays. Les Houyhnhnms, pour se
soustraire à cette calamité, organisèrent une battue
générale, et finirent par capturer tout le troupeau.
On extermina les sujets les plus vieux, et chaque Houyhnhnm conserva un couple de jeunes ; on mit donc
les Yahoos en chenil et on les dressa aussi bien qu'on
peut dresser un animal si naturellement sauvage. On
s'en servait depuis comme bêtes de trait ou de somme.
Il y avait apparemment beaucoup de vrai dans cette
tradition. Les créatures en question ne pouvaient pas
être des *Ylnhniamshy* (ou aborigènes du pays), étant
donné la haine violente que leur portaient les Houyhnhnms aussi bien que les autres animaux, haine
qu'ils méritaient largement pour toute leur malfaisance,
mais qui n'aurait pu croître à ce point s'ils avaient
été aborigènes, car alors ils auraient été exterminés
depuis longtemps. Les habitants, conclut l'orateur,
s'étant mis en tête d'utiliser les Yahoos, avaient
imprudemment [1] négligé l'élevage des ânes, qui sont
de jolies bêtes, faciles à élever, douces et obéissantes,
sans odeur désagréable, suffisamment dures au travail
bien qu'inférieures en agilité ; et si leurs braiments
étaient déplaisants, ils étaient pourtant bien préféra-
bles aux horribles hurlements des Yahoos.

Plusieurs autres députés prirent la parole pour

défendre ce point de vue. Puis mon propre maître
proposa à l'Assemblée un expédient dont je lui avais
suggéré l'idée. Il croyait lui aussi, disait-il, à la tradition mentionnée par l'honorable membre qui avait
parlé avant lui. Mais il affirmait que ces deux Yahoos
légendaires, qu'on avait vus les premiers dans le pays,
avaient été amenés d'outre-mer. Étant descendus sur
la côte, et s'y trouvant abandonnés par leurs compagnons, ils s'étaient retirés sur cette montagne, où
ils se mirent à dégénérer, et devinrent au cours des
siècles bien plus sauvages que leurs congénères vivant
au pays d'où sortit le premier couple. Ce qui le faisait
parler ainsi, c'est qu'il possédait un extraordinaire
Yahoo (il parlait de moi) que presque tous connais-
saient de réputation et que beaucoup avaient vu eux-
mêmes. Il leur raconta ensuite comment il m'avait
découvert. Mon corps, disait-il, était recouvert
tout entier d'une matière artificielle faite de la peau
et des poils d'autres animaux ; je parlais une langue
qui m'était propre et j'avais parfaitement appris à
parler la leur ; je lui avais narré les aventures qui
m'avaient conduit dans leur pays ; il avait constaté,
en me voyant sans enveloppe, que j'étais en tout
point un véritable Yahoo, bien que j'eusse la peau plus
blanche et moins velue, et que mes griffes fussent plus
courtes. Il dit ensuite comment j'avais essayé de lui
faire croire que dans mon pays, ainsi qu'en d'autres,
les Yahoos se conduisaient en animaux doués d'autorité et de raison, et tenaient les Houyhnhnms en esclavage ; il avait observé en moi tous les caractères d'un
Yahoo, avec simplement des manières un peu plus
policées, qui me venaient de ma lueur de raison — je
restais cependant aussi inférieur aux Houyhnhnms
que les Yahoos du pays étaient inférieurs à moi. Il
signala qu'entre autres choses, j'avais parlé de la
coutume que nous avions de châtrer les Houyhnhnms
quand ils sont jeunes, afin de les rendre plus dociles.

L'opération était facile et sans danger, et l'on n'avait pas à rougir de s'inspirer de la sagesse des animaux, puisque la fourmi nous enseigne à être actifs, et l'hirondelle à construire des logements (je traduis par hirondelle le mot « *lyhannh* » qui désigne en réalité un oiseau beaucoup plus gros). Ce procédé pouvait être appliqué aux Yahoos de ce pays, ce qui permettrait d'en finir avec la race au bout d'une ou deux générations, sans avoir à faire de carnage. En attendant, les Houyhnhnms seraient invités à pratiquer l'élevage des ânes qui sont des animaux plus intéressants, et qui offrent en particulier l'avantage de travailler dès leur cinquième année, tandis que les Yahoos ne sont pas utilisables avant douze ans.

Ce fut tout ce que mon maître jugea bon de me révéler sur la délibération du Grand Conseil, préférant me cacher un détail qui me concernait et dont j'allais bientôt sentir tous les effets, comme le lecteur l'apprendra en temps utile. Mais je puis dire que tous les malheurs que j'eus plus tard dans ma vie remontent à ce jour-là.

Les Houyhnhnms n'ont pas de textes écrits : tout leur savoir repose sur la tradition orale. Mais il y a peu d'événements notoires chez un peuple si bien uni, naturellement porté à une vie vertueuse, entièrement gouverné par la raison et sans aucun contact avec les autres nations du monde. Les données de leur Histoire se conservent donc sans que leur mémoire en soit accablée. J'ai déjà signalé qu'ils ne sont sujets à aucune maladie ; ils n'ont donc pas besoin de médecin. Pourtant ils ont d'excellents remèdes à base de plantes pour guérir les meurtrissures qu'ils peuvent se faire accidentellement, au paturon ou à la fourchette, en marchant sur une pierre pointue, ainsi que les contusions ou blessures à d'autres parties du corps.

Ils mesurent le temps d'après les révolutions du Soleil et de la Lune, mais ignorent la subdivision en

semaines ; ils ont une bonne connaissance du mouvement de ces deux astres et s'expliquent le phénomène
des éclipses, mais là s'arrête toute leur science astrono-
mique.

En poésie, il faut bien reconnaître qu'ils dépassent
tous les mortels. La justesse de leurs comparaisons, la
précision et l'exactitude de leurs descriptions sont, à la
lettre, inimitables. Tout cela se retrouve dans leurs
poèmes qui célèbrent le plus souvent en style sublime
l'Amitié et la Fraternité, ou bien chantent les louanges
des vainqueurs aux courses et des champions de gym-
nastique. Les maisons qu'ils construisent, bien que
rustiques et simples, ne sont pas désagréables à habi-
ter ; elles protègent de façon très ingénieuse contre
les rigueurs du froid et de la chaleur. Il pousse là-bas
certain type d'arbres qui perdent leurs racines à quarante ans et tombent au premier orage. Ils ont le tronc
très droit, et une fois taillés en pointe comme des pieux
à l'aide d'une pierre tranchante (car les Houyhnhnms
ignorent l'usage du fer), on les plante dans le sol verticalement à vingt pouces les uns des autres, et on bouche
les interstices par un clayonnage de paille et parfois
d'osier. Le toit est fait de la même manière, ainsi que
les portes.

Les Houyhnhnms se servent du creux situé entre le
paturon et le sabot de la patte de devant, à la façon
d'une main humaine et avec une habileté qui me semblait incroyable au début. J'ai vu une jument blanche
faisant partie de notre maisonnée enfiler une aiguille
(que je lui avais prêtée à dessein) à l'aide de cette
articulation. Ils traient leurs vaches, récoltent leur
avoine, et font tous les travaux manuels de la même
manière. Ils ont une espèce de silex dur qu'ils polissent
contre d'autres pierres, et dont ils tirent leurs instruments de travail ; ils disposent ainsi de coins, de
haches et de marteaux. Avec d'autres outils faits du
même silex, ils coupent le foin et moissonnent l'avoine

qui, là-bas, pousse naturellement dans certains terrains. Les Yahoos s'attellent aux chars qui mènent les
gerbes à la ferme, et là elles sont foulées par les domestiques, sous des huttes couvertes. Le grain recueilli
est alors mis dans des magasins. Ils disposent de
récipients d'un type primitif faits d'argile et de bois.
L'argile est séchée au soleil.

A moins d'être victimes d'accidents, ils ne meurent
que de vieillesse ; on les enterre dans les lieux les plus
retirés qui se puissent trouver, et leurs amis, pas plus
que leurs parents, n'éprouvent ni joie ni peine de leur
départ. Ceux qui meurent n'expriment pas le moindre
regret d'avoir à quitter ce monde, exactement comme
quelqu'un qui doit rentrer chez lui après une visite
chez un voisin [1]. Je me souviens qu'une fois mon maître avait invité un ami et les siens à venir le voir pour
une affaire de quelque importance : le jour fixé, son
épouse arriva avec ses deux enfants très en retard. Elle
s'excusa de deux choses : d'abord de l'absence de son
mari, à qui le matin même il était arrivé de *lhnuwnh*.
Ce mot est extrêmement expressif dans leur langue,
mais n'est pas facile à rendre en anglais. Il signifie « se
retirer chez sa première mère ». Ensuite elle s'excusa
de son retard. La raison en était que, son mari étant
mort dans la matinée, elle avait passé beaucoup de
temps à discuter avec ses domestiques de l'endroit
le plus convenable pour y déposer son corps. J'observai
qu'elle faisait preuve d'autant de gaieté que les
autres convives. Elle mourut elle-même trois mois plus
tard.

Ils atteignent généralement l'âge de soixante-dix ou
soixante-quinze ans. Très rarement celui de quatre-
vingts. Quelques semaines avant leur mort, ils sentent
leurs forces s'en aller peu à peu, mais sans aucune
souffrance. Ils reçoivent pendant cette période de
nombreuses visites d'amis, car ils ont plus de peine et
de difficultés à sortir. Néanmoins, une dizaine de jours

avant leur mort, dont ils calculent presque toujours la date sans erreur, ils vont rendre les visites que leur ont faites les plus proches voisins, se déplaçant dans des traîneaux très pratiques, attelés de Yahoos. Ce n'est pas seulement dans ce cas-là qu'ils emploient le véhicule en question, mais aussi quand ils sont devenus vieux, quand ils ont de longs trajets à faire et quand ils se sont blessés à une patte. Lorsqu'ils sont donc sur le point de mourir, les Houyhnhnms vont rendre à leurs amis la visite traditionnelle et prennent congé d'eux courtoisement, comme s'ils s'en allaient dans une province éloignée où ils auraient l'intention de passer le reste de leurs jours.

Il est peut-être inutile de faire remarquer que les Houyhnhnms n'ont pas dans leur langue de mots pour exprimer l'idée de mal, sauf ceux que leur suggèrent les laideurs physiques et morales des Yahoos. Ainsi quand ils veulent parler de la sottise d'un laquais, de l'étourderie d'un enfant, d'une pierre aiguë qui les a blessés au pied, d'une longue période de temps désagréable ou hors de saison, ils disent tous ces mots suivis de l'épithète *yahoo*. Par exemple : *Hhnm yahoo*, *Whnaholm yahoo*, *Ynlhmndwihlma yahoo*, et une maison inconfortable : *Ynholmhnmrolnw yahoo*. Je pourrais m'étendre plus longuement, et avec beaucoup de plaisir, sur les mœurs et les vertus de cet excellent peuple, mais comme j'ai l'intention de publier sous peu un volume consacré exclusivement à ce sujet, j'invite le lecteur à s'y reporter. Je vais maintenant poursuivre ma triste histoire jusqu'à son dénouement catastrophique.

CHAPITRE X

Train de vie et félicité de l'auteur chez les Houyhnhnms. — Les grands progrès en vertu qu'il fit à leur contact. — Leurs sujets de conversation. — L'auteur est prévenu par son maître qu'il doit quitter le pays. — Il s'évanouit de douleur, mais il se soumet. — Il trouve le moyen de fabriquer une pirogue, avec l'aide d'un domestique de son maître, et se hasarde à prendre la mer.

Je menais donc une petite vie tranquille, qui satisfaisait entièrement mon cœur. Mon maître m'avait fait construire un logis à six yards environ de la maison principale ; j'en avais revêtu les murs et garni le sol avec de la glaise, et j'avais tapissé le tout avec des nattes de joncs qui étaient mon œuvre et mon idée. J'avais broyé du chanvre, qui pousse là-bas à l'état naturel, et confectionné une sorte de matelas que j'avais bourré avec des plumes. Celles-ci provenaient d'oiseaux que je prenais au lacet avec des poils de Yahoos et qui étaient excellents à manger. J'avais fabriqué deux chaises à l'aide de mon couteau, mais le cheval de bât alezan me secondait pour le plus gros et le plus dur du travail. Quand mes vêtements furent tombés en loques, je m'en fis d'autres en peau de lapin, mais j'employais aussi la fourrure d'une autre bête de même taille, appelée *Nnuhnoh*, jolie, toute couverte d'un fin duvet, et j'en tirai en particulier d'excellentes chaussettes. Je ressemelais mes souliers avec une plaque de bois coupée dans un arbre et fixée à l'empeigne, mais quand celle-ci fut usée à son tour je la remplaçai avec du cuir de Yahoo, séché au soleil. Je trouvais souvent du miel dans les arbres creux, je le faisais fondre dans l'eau et le mangeais sur mon pain. Nul n'a jamais si bien compris la vérité de ces deux axiomes : *la Nature se satisfait de peu* et *la nécessité est mère de l'invention*. Mon corps jouissait d'une

santé parfaite, mon esprit d'une aussi parfaite tranquillité. Je ne connaissais ni la trahison ou l'incons-
tance d'un ami, ni les attaques d'un ennemi secret ou
déclaré. Je n'avais à corrompre personne, à faire ni le
lèche-bottes ni le maquereau pour obtenir la faveur
d'un grand ou de son mignon ; je n'avais pas besoin
d'un rempart contre la fraude ou l'oppression ; il n'y
avait dans le pays ni médecin pour ruiner ma santé,
ni homme de loi pour piller ma fortune ; pas non
plus de mouchards, pour espionner mes paroles et
mes actions ni pour m'accuser faussement moyennant
salaire ; et pas de railleurs, de bêcheurs, de mauvaises
langues, de vide-goussets, de brigands, de cambrioleurs, d'avocats, d'entremetteuses, de bouffons, de
joueurs professionnels, de politiciens, de beaux esprits,
de neurasthéniques, de discoureurs, d'ergoteurs, de
ravisseurs, de meurtriers, de voleurs, de savantasses ;
pas de chefs ni de membres d'un parti ou d'une faction ;
personne pour encourager les autres au vice, par la
séduction ou par l'exemple, pas de cachots, de haches,
de gibets, de poteaux de torture, ou de piloris, de
boutiquiers ou d'artisans malhonnêtes, pas d'orgueil,
de vanité, ni d'affectation, pas de fats, de hâbleurs,
d'ivrognes, de filles sur les trottoirs, ni de vérole ; pas
d'épouses criardes, libidineuses, dépensières ; pas de
pédants stupides et orgueilleux ; pas de compagnons
importuns, arrogants, querelleurs, bruyants, forts en
gueule, vains, prétentieux, mal embouchés ; pas de
gredins sortis du ruisseau, grâce à leurs vices, ni de
nobles tombés au même ruisseau à cause de leurs
vertus ; pas de seigneurs ni de violoneux, pas de juges
ni de maîtres à danser.

J'eus plusieurs fois l'avantage d'être présenté à des
Houyhnhnms qui venaient voir mon maître ou dî-
naient avec lui. Son Honneur avait alors la bonté de
me garder au salon et de me laisser suivre la conversation. Souvent, ses amis ou lui-même daignaient me

poser des questions et écoutaient ma réponse. J'eus quelquefois aussi l'honneur d'accompagner mon maître en visite. Je ne pris jamais la liberté de parler le premier, j'attendais qu'on m'interrogeât, et même alors je regrettais intérieurement d'avoir à répondre, car c'était du temps perdu pour mon propre avancement. Mais je me complaisais infiniment à mon rôle d'humble auditeur, au long de pareilles conversations, où rien ne se disait qui ne fût plein de sens ; où tout s'exprimait en le moins de mots possible et en les termes les plus frappants, où (comme je l'ai déjà dit) on observait la plus grande décence, mais sans aucune espèce de ton cérémonieux ; où personne ne parlait sans y prendre du plaisir ou en donner à ses interlocuteurs ; où l'on ne se coupait jamais la parole, où l'on n'était pas ennuyeux, ni trop ardent, ni porté à contredire. On pense là-bas qu'un petit temps de silence, dans un groupe, donne du charme à la conversation. Et je trouvai cette idée juste, car pendant que la causerie s'interrompait un peu, de nouvelles idées venaient à l'esprit des interlocuteurs, et l'entretien repartait avec animation. Leurs sujets favoris sont l'amitié et les actes charitables, la discipline et l'épargne, quelquefois aussi les phénomènes naturels qu'ils avaient vus, ou les anciennes traditions, les limites extrêmes de la Vertu, les règles infaillibles de la Raison, ou bien les décisions à prendre lors de la prochaine Assemblée ; souvent aussi les nombreux mérites de la poésie. Je puis ajouter, sans fausse modestie, que ma présence fournit souvent matière à discussion ; elle était pour mon maître l'occasion de conter à ses amis mon histoire et celle de mon pays, sujets que les autres traitaient avec intérêt, mais de façon peu flatteuse pour le genre humain. Je me garderai donc de répéter ce qu'ils en disaient. Qu'on me permette seulement d'observer que, à ma grande admiration, Son Honneur paraissait connaître la nature des Yahoos beaucoup

mieux que moi-même. Il énumérait nos vices et nos
folies, et en découvrait beaucoup, dont je ne lui avais
jamais parlé, simplement en imaginant ce que pourrait être la physionomie morale d'un Yahoo de son
pays, s'il se trouvait doué de quelque trace de raison.
Pour finir, il montrait avec trop de justesse combien
une créature pareille devait être vile et misérable.

J'avoue sans honte que, parmi mes maigres connaissances, les seules qui aient de l'intérêt sont celles que
j'ai acquises à l'école de mon maître et à l'écoute de
ses propos ou de ceux de ses amis ; j'éprouvais plus
de fierté à les entendre que si j'avais présidé les plus
nobles et les plus sages assemblées de l'Europe. J'admirais la force, la beauté, la rapidité de ceux qui vivaient
là-bas, et une telle constellation de vertus chez des
êtres si admirables m'inspirait la plus grande vénération. Au début, certes, je n'avais pas éprouvé cette
crainte révérencielle que les Yahoos et les autres animaux éprouvaient naturellement à leur endroit. Mais
celle-ci s'imposa à moi peu à peu, et bien plus vite que
je ne l'eusse pensé, mais non sans se mêler d'affection
et de reconnaissance respectueuses, pour la bonté avec
laquelle ils daignaient me distinguer du reste de mon
espèce.

Quand je pensais à ma famille, à mes amis, à mes
compatriotes et à la race humaine en général, je les
voyais tels qu'ils étaient en réalité, c'est-à-dire comme
des Yahoos, dans leur forme comme dans leurs dispositions morales, peut-être un peu plus civilisés et
doués de parole, mais ne se servant de leur raison que
pour accroître et multiplier ces vices dont leurs frères
de ce pays-là n'avaient reçu que la part inhérente à
leur nature. Quand il m'arrivait d'apercevoir le reflet
de mon personnage dans un lac ou une fontaine, je
détournais la face avec horreur, et avec de la haine
pour moi-même. Je supportais plus facilement la vue
d'un Yahoo ordinaire que la mienne propre. A force

de vivre avec les Houyhnhnms, et de les contempler
avec ravissement, je me mis à imiter leur démarche
et leurs gestes, ce qui est devenu maintenant une habitude chez moi. Mes amis me disent sans ménagement
que je trotte comme un cheval, mais je prends la
remarque comme un grand compliment. Et quand je
parle, j'ai tendance, il faut bien le reconnaître, à prendre la voix et l'accent des Houyhnhnms ; pourtant je
ne suis blessé d'aucune manière si l'on me moque à
ce sujet.

Je vivais donc en pleine félicité, et me considérais
comme établi en elle pour toute ma vie, quand, un
beau matin, mon maître me fit appeler un peu plus
tôt qu'à l'accoutumée. Je vis à son attitude qu'il
n'était pas très à son aise et ne savait comment aborder son sujet. Après un bref silence, il me dit qu'il
ignorait quel effet allaient me faire ses paroles, mais
que, lors de la dernière Assemblée, comme on traitait
de la question des Yahoos, les députés s'étaient déclarés
choqués de ce qu'il élevât chez lui un Yahoo (il parlait
de moi) plus comme un Houyhnhnm que comme une
bête. On le voyait souvent causer avec moi, comme s'il
gagnait en ma compagnie, ou qu'il y prît plaisir ; or
un tel comportement n'était conforme ni à la Raison
ni à la Nature, et n'avait pas de précédent chez eux.
L'Assemblée, donc, l'avait « exhorté », soit à me traiter comme un autre sujet de mon espèce, soit à me
faire retourner à la nage dans le pays d'où je venais.
La première de ces solutions avait été rejetée catégo-
riquement par tous les Houyhnhnms qui avaient eu
l'occasion de me voir chez lui ou chez eux. Car, affir-
maient-ils, il était fort à craindre que, profitant de ces
bribes de raison que j'avais en plus des dispositions
perverses de ma race, je n'entreprisse de pousser le
troupeau à la révolte : si je l'emmenais prendre position
dans les bois et les montagnes du pays, nous pourrions
en descendre chaque nuit pour enlever du bétail, étant

par nature des animaux de rapine et ennemis de tout travail.

Mon maître ajouta que tous les jours les Houyhnhnms du voisinage l'adjuraient de donner suite aux exhortations de l'Assemblée, et qu'il ne pouvait tarder davantage. Il ne pensait pas qu'il me fût possible de gagner une terre à la nage ; il souhaitait donc me voir fabriquer un de ces véhicules tels que je lui en avais décrit, et qui me transporterait sur la mer ; je pouvais compter, pour ce travail, sur l'aide de ses propres domestiques, comme de ceux de ses voisins. Il conclut que, pour sa part, il eût été heureux de pouvoir me garder, ma vie durant, à son service, car il avait constaté que, grâce à mes efforts pour imiter les Houyhnhnms et dans la mesure où me le permettait ma nature inférieure, je m'étais corrigé de quelques défauts et de certaines mauvaises habitudes.

Je dois faire ici remarquer au lecteur qu'un décret de l'Assemblée générale est appelé dans leur langue *Hnhloayn*, mot que l'on peut rendre plus ou moins bien par « exhortation ». Car l'idée ne leur vient pas qu'un être doué de raison doive être forcé à quelque chose. Tout au plus on l'avise, ou on l'exhorte, car personne ne peut désobéir à la Raison sans renoncer à son titre de créature rationnelle.

Les paroles de mon maître me plongèrent dans le pire des deuils et des désespoirs. Incapable de supporter la douleur qu'il me causait, je tombai évanoui à ses pieds. Quand je revins à moi, il me dit qu'il m'avait cru mort (car on ignore là-bas ces faiblesses de notre nature). Je répondis d'une voix faible que la mort eût été un trop grand bonheur. « Bien que je ne puisse blâmer les exhortations de l'Assemblée, ajoutai-je, ni l'impatience de vos amis, je pense pourtant qu'il n'était pas incompatible avec la Raison de montrer un peu moins de rigueur. Je ne puis faire plus d'une lieue à la nage et la terre la plus voisine de la vôtre

doit se trouver au moins à cent lieues d'ici. Beaucoup
des matériaux nécessaires à la construction d'une
petite embarcation qui puisse me porter sont complètement inconnus dans le pays. Pourtant, par obéissance,
et pour montrer à Votre Honneur ma gratitude, je
vais entreprendre cette tâche ; bien que je la considère
comme impossible, et que je me croie par conséquent
condamné à périr en mer. Mais la certitude d'une mort
prochaine et brutale est encore à mes yeux le moindre
des maux. Car, en supposant que je sorte vivant de
cette terrible aventure, comment puis-je envisager
sans frémir la perspective de finir ma vie parmi les
Yahoos et de retomber dans ma dépravation, faute de
modèles à suivre pour me garder dans le sentier de la
vertu ? » Mais je savais trop bien, hélas ! que toutes
les décisions des sages Houyhnhnms sont fondées sur
des raisons assez solides pour ne pas être ébranlées
par les arguments du misérable Yahoo que j'étais.
J'exprimai à mon maître tous mes remerciements
pour m'avoir promis que ses serviteurs m'aideraient à
construire mon bateau. Après lui avoir demandé un
délai raisonnable pour faire un travail si ardu, je lui
dis que je tâcherais de sauver ma pauvre vie, et que je
gardais l'espoir, une fois rentré en Angleterre, d'être
de quelque utilité à mes semblables en célébrant la
gloire des fameux Houyhnhnms et en proposant leurs
vertus à l'imitation des hommes.

Mon maître me répondit en quelques mots très
aimables, m'accorda un délai de deux mois pour terminer mon bateau et dit au petit cheval de bât alezan,
mon camarade (nous sommes si loin maintenant que je
puis bien l'appeler ainsi), de se tenir à ma disposition.
J'avais dit en effet à mon maître que je n'avais pas
besoin d'autres auxiliaires, et je pouvais compter sur
l'affection de celui-là.

Mon premier soin fut de me rendre, en sa compagnie, à
cette partie de la côte où mon équipage mutiné avait dé-

cidé de m'abandonner. Je gravis une hauteur et, regardant de tous côtés vers le large, je crus apercevoir une île au nord-est. Je tirai ma lorgnette, et je la distinguai alors nettement, distante d'environ cinq lieues, à ce qu'il paraissait. Aux yeux du petit alezan elle n'était qu'un nuage bleuâtre, car il ne concevait pas qu'il pût y avoir d'autre pays que le sien, et son regard n'avait pas la précision du nôtre ; car, pour voir loin en mer, il faut être marin.

Une fois cette île découverte, je ne cherchai pas plus loin : je résolus d'en faire, si possible, ma première terre d'exil. La Fortune déciderait du reste.

Je rentrai à la maison, où je tins conseil avec le petit alezan. Puis nous nous dirigeâmes vers un bosquet des environs, et nous y coupâmes, moi avec mon couteau, et lui avec une lame de silex très ingénieusement montée, à la manière du pays, sur un manche de bois, un certain nombre de branches de chêne, de la grosseur d'une canne de ville, et quelques pièces plus fortes. Mais je ne veux pas ennuyer le lecteur par un exposé détaillé de mes méthodes artisanales. Contentons-nous de dire qu'en six semaines, avec l'aide du cheval de bât qui se chargeait du travail le plus dur, je pus construire un bateau qui ressemblait, en bien plus grand, à une pirogue indienne, et recouvert de peaux de Yahoos, très bien cousues ensemble avec des fils de chanvre de ma propre fabrication. Ma voile était en cuir de ce même animal, mais j'avais choisi pour elle les sujets les plus jeunes que j'eusse trouvés, car la peau des vieux était trop raide et trop épaisse. Je me pourvus aussi de quatre avirons et je fis des provisions de viande de lapin et de volailles que je mis à bouillir. Je pris deux récipients, l'un de lait, l'autre d'eau.

J'essayai ma pirogue sur un grand étang, pas loin de chez mon maître ; puis j'y fis les retouches nécessaires, calfatant tous les trous de sa coque avec du suif de Yahoo, jusqu'à la rendre étanche et capable de me

porter, moi et ma cargaison. Quand j'y eus mis la
dernière main, je la fis conduire avec précaution vers
la mer, sur un chariot attelé de Yahoos et mené par le
petit cheval alezan, plus un autre domestique. Lorsque
tout fut prêt, et que vint le jour de mon départ, je pris
congé de mon maître, de son épouse et de toute sa
maison, les yeux noyés de larmes et le cœur brisé de
chagrin [1]. Mais Son Honneur, par curiosité et peut-
être (si je puis parler sans vanité) en partie par sympathie pour moi, avait résolu d'assister à mon embarquement. Il vint accompagné d'un groupe de ses voisins.
Je dus attendre une heure que la marée fût haute,
puis, voyant que par chance le vent soufflait vers
l'île où je voulais me rendre, je pris pour la dernière
fois congé de mon maître. Mais au moment où j'allais
me prosterner pour baiser son sabot, il me fit l'honneur de le lever doucement jusqu'à ma bouche. Je
n'ignore pas que ce dernier détail m'a fait taxer d'im-
posture. Mes détracteurs se refusent à croire qu'une
personne si illustre se soit abaissée à accorder une telle
marque de distinction à un être aussi insignifiant que
moi. Je n'oublie pas, certes, avec quelle complaisance
certains voyageurs se vantent des faveurs extraordinaires qu'ils auraient reçues. Mais si ces censeurs
avaient une meilleure connaissance du caractère noble
et courtois des Houyhnhnms, ils changeraient vite
d'opinion.

Je présentai mes respects aux autres Houyhnhnms
qui accompagnaient Son Honneur ; puis, montant
dans ma pirogue, je m'éloignai du rivage.

CHAPITRE XI

Une traversée périlleuse. — L'auteur arrive en Nouvelle-Hollande, espérant pouvoir s'y fixer. — Il est blessé d'une flèche par les indigènes. — Il est pris et embarqué de force sur un navire portugais. — Extrême amabilité du capitaine. — L'auteur arrive en Angleterre.

J'entrepris cette traversée sans espoir le quinze février, à neuf heures du matin. Le vent était très favorable. Je commençai pourtant par me servir de mes rames. Mais considérant que je serais vite épuisé, et que le vent pouvait changer, je me risquai à hisser ma petite voile. Ainsi, avec l'aide de la marée, je tenais une vitesse que j'estimais à une lieue et demie par heure. Mon maître et ses amis demeurèrent sur la grève jusqu'à ce que je fusse presque hors de vue, et j'entendais souvent le petit cheval de bât alezan (qui m'avait toujours aimé) me crier de loin : *Hnuy illa nyha maiah Yahoo* : « Prends bien garde à toi, gentil Yahoo. »

Mon intention était, si possible, de découvrir une petite île déserte, mais offrant assez de ressources pour que j'y vécusse de mon travail, ce qui eût été pour moi un plus grand bonheur que d'être premier ministre dans la plus raffinée des cours d'Europe ; tant l'idée de retourner vivre dans une société composée de Yahoos et gouvernée par eux me paraissait horrible. Car dans la solitude telle que je la désirais, je pourrais au moins me complaire en mes souvenirs, et repenser avec délices aux vertus de ces inimitables Houyhnhnms, sans m'exposer à m'enliser dans les vices et les dépravations propres à mon espèce.

Le lecteur se rappelle peut-être ce que j'ai raconté de la mutinerie de mon équipage qui m'avait enfermé dans ma cabine. J'y étais demeuré plusieurs semaines sans savoir quelle course suivait mon navire et, quand je

fus conduit à terre, les marins m'avaient juré leurs
grands dieux — à tort ou à raison — qu'ils ne savaient
pas dans quelle partie du monde nous étions. Pourtant, j'estimais alors que nous nous trouvions à environ dix degrés au sud du cap de Bonne-Espérance,
soit à quarante-cinq degrés de latitude sud, à en juger
par certains mots que j'avais pu saisir d'une de leurs
conversations, et qui me donnait à penser que j'étais
au sud-est de Madagascar, où ils se dirigeaient. Et,
bien qu'il n'y eût là que des conjectures, je résolus de
faire route vers l'est, dans l'espoir d'atteindre la côte
sud-ouest de la Nouvelle-Hollande [1], ou peut-être
une île conforme à ce que je désirais, à l'ouest de cette
terre. Le vent soufflait en plein de l'ouest, et, vers six
heures du soir, je calculai que j'avais parcouru au
moins dix-huit lieues en direction de l'est ; j'aperçus
un petit îlot à une demi-lieue de là, et je l'atteignis
sans tarder. Ce n'était guère qu'un rocher, avec une
seule crique en forme d'arche, creusée naturellement
par la force des tempêtes. J'y mis ma pirogue à l'abri
et, escaladant une partie du rocher, je découvris
nettement une terre à l'est s'étendant du nord vers le
sud. Je passai la nuit couché dans ma pirogue, et repre-
nant mon voyage le lendemain dès l'aube, j'arrivai en
six heures à la pointe sud-est [2] de la Nouvelle-Hollande, ce qui me confirma dans une opinion que j'avais
depuis longtemps, à savoir que les cartes et documents
situent ce pays au moins trois degrés trop à l'est. Je
communiquai cette idée, voilà déjà bien des années,
à mon estimable ami M. Herman Moll [3], en lui donnant
mes arguments, mais il a préféré suivre d'autres
auteurs.

Je ne vis pas d'habitants à l'endroit où je débarquai ; et comme j'étais sans armes, je n'avais pas l'intention de m'aventurer à l'intérieur du pays. Je trouvai quelques coquillages sur la plage, et les mangeai
crus, n'osant pas faire de feu dans la crainte d'être

découvert par un indigène. Trois jours durant je ne me
nourris que d'huîtres et de patelles pour épargner mes
provisions, et j'eus la chance de trouver un ruisseau
d'une eau excellente, qui me réconforta beaucoup.

Le quatrième jour, au petit matin, je m'aventurai
un peu trop loin, et j'aperçus vingt ou trente indigènes
sur une hauteur, à cinq cents yards de moi tout au plus.
Ils étaient entièrement nus, hommes, femmes et enfants,
autour d'un feu, je pense, puisqu'il y avait de la fumée.
L'un d'eux me découvrit et me signala aux autres ;
cinq d'entre eux s'avancèrent alors vers moi, laissant
femmes et enfants autour du feu. Je m'enfuis vers la
côte, de toute la vitesse de mes jambes, et sautant dans
ma pirogue, je m'éloignai du bord. Mais les sauvages,
voyant que je battais en retraite, s'étaient lancés à
ma poursuite, et avant que je pusse être à une distance
suffisante, ils me lancèrent une flèche, qui me fit une
profonde blessure sur la face intérieure du genou gauche (j'en garderai toute ma vie la cicatrice). Je craignais que la flèche ne fût empoisonnée, et m'étant mis,
à force de rames, hors de l'atteinte de leurs dards (la
mer était calme), je parvins à sucer la plaie et à la pan-
ser tant bien que mal.

Je ne savais quel parti prendre. Je n'osais pas
retourner à mon point de débarquement, et me main-
tenais cap au nord. Je devais avancer à la rame car le
vent, bien que très modéré, était devenu contraire et
soufflait du nord-est. J'étais en train de chercher un
mouillage convenable quand j'aperçus en direction
nord-nord-est une voile qui grandissait à chaque instant. Je me demandais si j'allais l'attendre ou non,
mais en fin de compte ce fut mon aversion pour la race
yahoo qui l'emporta, et, virant de bord, je mis à la
voile, sans cesser de ramer, direction plein sud. Je
retournai à cette même crique où je m'étais embarqué
le matin, préférant encore m'aventurer chez les sauvages que de vivre avec les Yahoos d'Europe. J'ame-

nai ma pirogue le plus près possible de la côte et m'en
fus me cacher derrière une pierre, au bord du petit
ruisseau, qui, je l'ai déjà dit, avait une eau excellente.

Le bateau vint à moins d'une demi-lieue de cette
crique, et envoya sa chaloupe chargée de récipients
pour s'approvisionner en eau douce (car l'endroit
paraissait être des plus connus). Mais je ne vis pas
l'embarcation avant qu'elle ne fût tout près de la
côte, et il était trop tard pour chercher une autre
cachette. Les marins, en débarquant, aperçurent ma
pirogue et l'examinèrent sous toutes ses coutures ; ils
conclurent sans mal que son propriétaire ne pouvait
être loin. Quatre d'entre eux, bien armés, fouillèrent
tous les recoins et tous les creux, jusqu'à ce qu'ils
m'eurent découvert, couché derrière ma pierre et la
face contre le sol. Ils contemplèrent avec ébahissement mon accoutrement bizarre, ma veste faite en
peau, mes chaussures à semelles de bois, mes bas de
fourrure ; ils en conclurent pourtant que je n'étais pas
un indigène du pays, puisque ceux-ci vont tout nus.
Un des marins me dit en portugais de me relever et me
demanda qui j'étais. Je comprends très bien cette langue, et, me dressant sur mes pieds, je dis que j'étais un
pauvre Yahoo condamné à l'exil par les Houyhnhnms,
mais je les priai de me laisser repartir. Ils s'étonnèrent de m'entendre répondre en leur langue et virent
bien à mon aspect que je devais être Européen. Ils
n'arrivaient pourtant pas à comprendre ce que j'entendais par Yahoo et Houyhnhnms et en même temps
ils se mettaient à rire, à cause de mon étrange façon
de parler, qui leur rappelait un hennissement de cheval. Je n'arrêtais pas de trembler, tant de peur que
de dégoût ; je leur redemandai de me laisser partir et
amorçai un mouvement pour me rapprocher de ma
pirogue, mais ils mirent la main sur moi, réclamant
que je leur dise de quel pays j'étais, d'où je venais, et
me posant cent autres questions. Je leur dis que j'étais

né en Angleterre, d'où je m'étais embarqué, il y avait
environ cinq ans, et qu'alors nos deux pays se trouvaient
être en paix. J'espérais donc qu'ils ne me traiteraient
pas en ennemi, puisque je ne leur voulais aucun mal
et n'étais qu'un pauvre Yahoo cherchant quelque lieu
désert où passer le reste de sa misérable vie.

Quand ils s'étaient mis à parler, j'avais eu l'impression d'assister au plus extraordinaire prodige de la
nature, car cela me paraissait aussi monstrueux que
d'entendre parler un chien ou une vache en Angleterre ou bien un Yahoo chez les Houyhnhnms. Ces
braves Portugais s'étonnaient également de mes
étranges vêtements, et de ma bizarre façon d'articuler
les mots, bien qu'ils me comprissent fort bien. Ils me
parlèrent avec beaucoup d'humanité et me dirent que
leur capitaine me ramènerait gratis à Lisbonne, d'où
je pourrais rentrer dans mon pays : deux des matelots
allaient revenir à bord, pour faire leur rapport au
capitaine et recevoir ses ordres. En attendant, si je
ne voulais pas faire le serment solennel de ne pas
m'enfuir, on me garderait ligoté. Je jugeai préférable
d'accepter leur proposition. Ils auraient tout voulu
savoir de mon aventure, mais je leur donnai bien peu
de satisfaction, et ils pensèrent que tous mes malheurs
avait affaibli ma raison. Au bout de deux heures, la
chaloupe qui avait transporté les récipients d'eau
revint avec l'ordre du capitaine qu'on m'amenât à
bord. Je leur demandai à genoux de me laisser libre,
mais tout fut vain, et ces hommes, m'ayant lié de
cordes, me hissèrent sur la chaloupe, d'où l'on me
conduisit sur le navire, puis à la cabine du capitaine.

Celui-ci s'appelait Pedro de Mendez. C'était un
homme très courtois et très généreux ; il m'invita à
lui parler un peu de moi, et me demanda ce que je
voulais manger ou boire ; il voulait, ajouta-t-il, que
je sois traité aussi bien que lui-même et me dit tant
de choses aimables, que je fus tout surpris de voir un

Yahoo aussi bien élevé. Je demeurais cependant triste
et muet. Son odeur et celle de ses hommes me faisaient
presque défaillir. Je réclamai enfin à manger les vivres
que j'avais dans ma pirogue. Mais il me fit servir un
poulet avec un excellent vin puis m'envoya me coucher
dans une cabine très propre. Je ne voulus pas me
dévêtir et m'étendis sur le lit. Au bout d'une demi-
heure, je sortis à pas de loup, pensant que l'équipage
était en train de dîner. J'atteignis le bastingage et
m'apprêtai à sauter dans la mer pour m'échapper coûte
que coûte à la nage, plutôt que de rester au milieu
des Yahoos. Mais un des matelots m'en empêcha
et le capitaine, averti, me fit enchaîner dans ma
cabine.

Après dîner, Don Pedro vint me trouver et me
demanda la raison de mon acte de désespoir ; il m'assura n'avoir pas d'autre intention que de me rendre
tous les services possibles, et parla de manière si
émouvante que je consentis enfin à le traiter comme un
animal doué de quelque raison. Je lui racontai mon
voyage dans les très grandes lignes : la mutinerie de
mon propre équipage, le pays où l'on m'avait aban-
donné sur une côte, mes cinq ans de séjour là-bas.
Tout cela lui fit l'effet d'être des rêveries et des visions,
ce qui m'offensa beaucoup, car j'avais complètement
perdu la faculté de mentir, si particulière aux Yahoos
dans tous les pays où ils ont l'autorité, et, par conséquent, j'avais oublié la défiance envers un congénère.
Je lui demandai s'il était fréquent, dans son pays, de
dire « la chose-qui-n'est-pas ». Je lui affirmai que
j'avais presque oublié ce qu'on entendait par le mot
fausseté, et que si j'avais vécu mille ans chez les
Houyhnhnms, je n'aurais jamais entendu même le
dernier des valets dire un mensonge. Il pouvait me
croire ou non, cela m'était bien égal. Pourtant comme
je lui savais gré de ses bontés, je voulais bien lui
pardonner cette infirmité de sa nature et répondre

à toutes les objections qu'il lui plairait de me faire. Il aurait donc tôt fait de découvrir la vérité.

Le capitaine, qui était fort intelligent, après avoir essayé maintes fois de m'amener à me contredire dans mes récits, finit par se faire une meilleure opinion de ma véracité, d'autant plus que, selon son propre aveu, il avait rencontré le capitaine d'un petit navire hollandais qui prétendait avoir débarqué, avec cinq hommes d'équipage, sur une île, ou peut-être un continent, au sud de la Nouvelle-Hollande, afin de s'y ravitailler en eau fraîche, et y avoir vu un cheval poussant devant lui un groupe d'animaux exactement semblables à ceux que j'avais décrits sous le nom de Yahoos, plus un certain nombre de détails que mon commandant de bord disait avoir oubliés car il avait pensé alors que tout cela n'était que fables. Mais il ajouta que [1], puisque je professais un attachement si inviolable à la bonne foi, je devais lui donner ma parole d'honneur de ne pas lui fausser compagnie ni d'attenter à ma vie pendant toute la traversée, sinon il me garderait enchaîné jusqu'à Lisbonne. Je lui fis la promesse qu'il exigeait, mais, en même temps, je lui affirmai que j'aimerais mieux endurer les pires souffrances que de retourner vivre chez les Yahoos.

La traversée se fit sans incident notable. Par gratitude envers le capitaine j'acceptai plusieurs fois son invitation pressente à venir à sa table, et je tâchai de dissimuler mon antipathie pour le genre humain, qui éclatait cependant souvent, mais qu'il avait l'obligeance de ne pas remarquer. Je passais pourtant la plus grande partie du jour enfermé volontairement dans ma cabine, pour n'avoir jamais à rencontrer un membre de l'équipage. Le capitaine m'avait souvent engagé à me défaire de mon costume de sauvage et s'offrait à me prêter le meilleur de ses complets. Mais je ne pus jamais m'y résigner, car l'idée d'avoir sur moi quelque chose qui avait couvert un Yahoo me remplissait d'horreur. Je lui demandai simplement de me prêter deux chemises propres, et le fait qu'on les eût lavées depuis qu'il les avait portées me faisait penser qu'elles allaient moins me salir, mais j'en changeais tous les deux jours et les lavais moi-même.

Nous arrivâmes à Lisbonne [1] le cinq novembre mil sept cent quinze. Au moment de débarquer, le capitaine m'obligea à me couvrir de son manteau, sinon j'aurais fait s'attrouper la canaille. Il me fit conduire sous son propre toit, et, sur mes instances, il me donna une chambre sur le jardin, au dernier étage de la maison. Je le conjurai de ne révéler à personne ce que je lui avais dit des Houyhnhnms, car la moindre indiscrétion aurait suffi, non seulement à faire venir les gens en foule, mais probablement aussi à me mettre en danger d'être jeté en prison, ou brûlé par l'Inquisition. Le capitaine parvint à me faire accepter qu'on me fît un habit neuf, mais je n'aurais pu souffrir que le tailleur prît mes mesures ; pourtant, comme Don Pedro était à peu près de ma taille, ceux qu'on me fit m'allèrent assez bien. Il me fournit aussi d'autres articles indispensables, tous absolument neufs, mais je les laissai s'aérer vingt-quatre heures avant de m'en servir.

Le capitaine n'était pas marié et n'avait pas plus de trois domestiques, dont aucun ne fut admis à servir à notre table ; il se conduisait lui-même avec tant de gentillesse, jointe à tant de compréhension humaine, que j'en arrivai vraiment à supporter sa compagnie. Il fit tant que je me décidai à regarder par la fenêtre donnant sur le jardin ; puis, par degrés, je fus amené à une autre fenêtre, d'où je jetai un coup d'œil sur la rue, mais je retirai vite la tête avec épouvante ; au bout d'une semaine, il était parvenu à m'entraîner jusqu'à la porte. Je remarquai que ma terreur disparaissait peu à peu, mais ma haine et mon mépris ne faisaient que croître. Enfin, je m'enhardis à l'accompagner dans la rue, mais je gardais mon nez soigneusement bouché avec des plantes aromatiques ou bien du tabac. Au bout de dix jours, Don Pedro, à qui j'avais parlé brièvement de ma situation de famille, me dit que mon honneur et ma conscience exigeaient mon retour dans mon pays natal : ma place était chez moi, avec ma femme et mes enfants. Il ajouta qu'il y avait au port un navire anglais prêt à appareiller et qu'il me donnerait lui-même tout le nécessaire. Il est sans intérêt de répéter ses arguments et mes objections ; il m'assurait en tout cas que je ne trouverais nulle part cette île déserte dont je rêvais, mais que dans ma propre maison, dont j'étais le maître, je pourrais mener une vie aussi recluse qu'il me plairait.

Je finis par céder, pensant qu'il n'y avait pas de meilleure solution. Je quittai Lisbonne le vingt-quatre novembre à bord d'un marchand anglais, dont je ne m'inquiétai pas de connaître le capitaine. Don Pedro m'accompagna jusqu'au bateau, et me prêta vingt livres. Il me dit gentiment adieu et m'embrassa en me quittant, ce que je dus supporter du mieux que je pus. Pendant cette dernière traversée, je n'eus aucun contact, ni avec le capitaine ni avec aucun des hommes : je me disais malade et m'enfermais dans ma cabine. Le cinq décembre mil sept cent quinze nous jetions l'ancre aux Downs, vers neuf heures du matin, et, à trois heures de l'après-midi, j'arrivai à ma maison de Redriff.

Ma femme et mes enfants m'accueillirent avec beaucoup de surprise et de joie, car ils croyaient vraiment que j'étais mort, mais je dois avouer que je ne ressentais à leur vue que haine, dégoût et mépris, surtout quand je considérais combien ils m'étaient proches. Car j'avais beau m'être contraint, depuis mon triste exil du pays des Houyhnhnms, à supporter la vue des Yahoos et la présence de Don Pedro de Mendez, ma mémoire et mon imagination restaient emplies

des vertus et des idées de ces nobles Houyhnhnms.
Et quand il me fallut penser qu'en m'accouplant avec
un individu de l'espèce yahoo j'en avais procréé
d'autres, je fus comme assommé de honte, de confusion et d'horreur. A peine avais-je franchi la porte de
chez moi, que ma femme me prit dans ses bras et me
donna un baiser. Alors, moi, qui n'avais plus senti
pendant des mois le contact de cet odieux animal, je
tombai en syncope pendant plus d'une heure. Au
moment où j'écris, je suis déjà en Angleterre depuis
cinq ans. Pendant la première année je ne pouvais
supporter la présence de ma femme et de mes enfants :
leur seule odeur m'était intolérable ; je pouvais
encore bien moins souffrir qu'ils prissent leurs repas
dans la même pièce que moi. Même aujourd'hui,
ils ne s'aviseraient pas de toucher à mon pain ou de
boire dans mon verre, et je n'ai jamais consenti à
ce qu'on me tienne par la main. Ma première dépense
fut l'achat d'une paire de jeunes étalons, que j'élève
dans une belle écurie. Après eux, c'est le palefrenier
qui est mon favori, car je me plais dans l'odeur cheva-
line qu'il dégage. Mes chevaux ne me comprennent pas
trop mal. Je viens parler avec eux au moins quatre
heures par jour. Ils ne connaissent ni la bride ni la
selle ; ils me portent beaucoup d'amitié et sont entre
eux d'excellents camarades.

CHAPITRE XII

Véracité de l'auteur. — Dans quel dessein il a publié cet ouvrage. —
Remontrance aux voyageurs qui trahissent la vérité. — L'auteur se
défend de toute perfide arrière-pensée. — Réponse à une objection.
— Exposé d'une méthode de colonisation. — Éloge de son pays
natal. — Défense des droits de la Couronne sur les terres dont a
parlé l'auteur. — En quoi il serait difficile de les conquérir. — L'auteur prend pour la dernière fois congé de son lecteur ; il dit comment
il entend vivre à l'avenir, donne un bon conseil et conclut.

Je t'ai donc, ami lecteur, donné un récit fidèle des
voyages que je fis pendant seize ans et plus de sept
mois, et je me suis toujours plus soucié de vérité que
de fioritures. J'aurais pu, sans doute, comme tant
d'autres, chercher à t'étonner par des histoires absurdes
et incroyables, mais j'ai préféré m'en tenir à des faits
bien réels, contés dans la manière et le style le plus
simples. Car mon propos était surtout de t'informer et
non de te distraire.

Il nous est bien facile, à nous qui revenons de lointains voyages, de pays rarement visités par les Anglais
ou d'autres Européens, de donner des descriptions
fantaisistes d'animaux merveilleux, tant marins
que terrestres. Pourtant, le premier dessein d'un voyageur doit être de rendre les hommes plus sages et
meilleurs, de nourrir leur intelligence par les exemples
bons ou mauvais qu'ils ont découverts en pays étrangers.

Je souhaite de tout cœur qu'une loi soit promulguée,
obligeant tout voyageur désireux de pouvoir publier
un récit de ses aventures, à certifier par un serment
solennel fait devant le lord-maire, que tout ce qu'il a
l'intention d'imprimer est, à sa connaissance, absolument vrai ; car alors le monde cesserait d'être abusé
comme il l'est de façon courante, par certains écriveurs,

qui, pour que leurs œuvres aient plus de succès auprès
du public, imposent au lecteur trop confiant les fables
les plus grossières. J'ai lu dans ma jeunesse, avec
beaucoup de plaisir, plusieurs livres de voyages, mais
comme j'ai pu depuis, ayant moi-même parcouru la
plupart des régions du globe, infliger des démentis,
fondés sur mes propres observations, à bien des
affirmations fantaisistes, j'en ai conçu beaucoup d'hos-
tilité pour ce genre littéraire et pas mal d'indignation
contre ces façons d'abuser la crédulité des hommes.
Voilà pourquoi, puisque mes amis ont la bonté de
croire que mes pauvres efforts ne seraient pas complètement inutiles à mon pays, je me suis imposé à moi-
même, bien résolu à l'observer, cette maxime qu'il
faut s'en tenir strictement à la vérité ; et certes rien
ne détourne autant de moi la tentation de m'en
écarter que de rappeler à mon esprit les enseignements
et les exemples de mon noble maître et des autres
illustres Houyhnhnms, dont j'ai eu si longtemps l'honneur d'être un humble disciple.

Nec si miserum Fortuna Sinonem
Finxit, vanum etiam, mendacemque improba finget [1].

Je sais le peu de retentissement que sont appelés à
avoir les récits n'exigeant ni talent, ni science, ni
même d'autres mérites qu'une bonne mémoire et un
journal exact. Je sais également que les auteurs de
Voyages comme les lexicographes finissent par être
ensevelis sous le poids et la masse de ceux qui, venant
après eux, occupent tout naturellement le dessus de
la pile. Et il est fort à prévoir que d'autres voyageurs,
qui s'en iront après moi visiter les pays décrits dans
cet ouvrage, sauront, en signalant mes erreurs — s'il
y en a — et en découvrant bien des choses qui m'ont
échappé, me faire passer de mode et s'installer à ma
place, de sorte que le monde oubliera même que j'ai

écrit un livre. Ceci sans doute serait une pensée trop
mortifiante si j'écrivais pour la gloire, mais comme je
ne cherche pas autre chose que le bien public, je ne
puis d'aucune manière être désappointé. Quel homme,
en effet, pourrait lire les pages que je consacre aux
vertus des glorieux Houyhnhnms sans éprouver de la
honte pour ses propres vices, sans les trouver indignes
d'un être doué de raison et de responsabilité civique ?
Je ne parlerai pas de ces nations lointaines que régentent des Yahoos et dont les Brobdingnagiens sont les
moins corrompus, car nous aurions tout à gagner à
observer leurs maximes de morale et de politique. Mais
je ne veux pas aller plus avant, et je laisse mon judicieux lecteur faire ses propres réflexions, et prendre
ses résolutions pratiques.

Ce n'est pas une mince satisfaction pour moi que
de présenter un ouvrage absolument au-dessus de
toute critique. Car quelle objection pourrait-on faire
à un auteur qui ne relate que des faits réels et intéressant des pays si lointains, où nous n'avons aucun
intérêt commercial ni diplomatique ? J'ai pris grand
soin d'éviter les reproches que les auteurs de *Voyages*
ne sont que trop sujets à encourir. De plus, je ne suis
pas le moins du monde lié à un parti, mais j'écris sans
passion, sans préjugés, sans malveillance envers aucun
homme ni aucun groupe d'hommes. J'écris pour la
plus noble des causes : pour informer et instruire
l'Humanité, sur laquelle je puis prétendre, sans manquer à l'humilité, avoir quelque supériorité, puisque
j'ai eu l'avantage de fréquenter pendant si longtemps
ces êtres absolument parfaits que sont les Houyhnhnms. J'écris sans le moindre esprit de lucre ou de
gloire. Je ne supporterais pas qu'il m'échappât un
seul mot pouvant être pris en mauvaise part, ou
risquant d'offenser si peu que ce soit la personne la
plus susceptible. De sorte que, je l'espère, je puis en
toute justice me proclamer un auteur totalement

irréprochable, contre lequel les hordes de répondeurs, considérateurs, observateurs, ruminateurs, découvreurs et critiqueurs seront toujours incapables de trouver matière à exercer leurs talents.

J'avoue m'être fait dire tout bas que j'étais tenu en conscience, en tant que sujet anglais, de présenter dès mon arrivée en Angleterre un mémoire à un ministre d'État, étant donné que toute terre, quelle qu'elle soit, découverte par un sujet du roi, est propriété de la Couronne. Mais je ne suis pas sûr que nos conquêtes dans les pays dont j'ai parlé doivent se faire aussi facilement que celles de Ferdinando Cortez, qui avait devant lui des Américains nus. Les Lilliputiens, je pense, ne valent guère qu'on finance pour eux une expédition maritime et militaire, et je me demande s'il serait prudent et sans danger de s'attaquer aux Brobdingnagiens, ou si une armée anglaise serait à son aise avec une île volant au-dessus de sa tête. Les Houyhnhnms, certes, ne me semblent pas très bien préparés à la guerre, une science à laquelle ils sont complètement étrangers ; je les crois, en particulier, mal défendus contre les projectiles. Pourtant, si j'étais ministre d'État, je ne prendrais jamais le risque de les attaquer : leur intelligence, leur cohésion, leur ignorance complète de la peur et leur patriotisme suppléeraient largement à leur ignorance de l'art de la guerre. Imaginez une charge menée par vingt mille d'entre eux, pénétrant au cœur d'une armée européenne, jetant le désordre dans ses rangs, renversant ses voitures, réduisant en bouillie le visage des hommes de guerre, sous le choc terrible des ruades lancées à pleins sabots. Car ils mériteraient sûrement qu'on dise d'eux ce qu'on disait d'Auguste : *Recalcitrat undique tutus* [1]. Mais laissons ces projets d'asservir une nation magnanime. Je souhaite plutôt qu'elle trouve le moyen, et qu'il lui vienne l'idée d'envoyer assez de ses sujets pour civiliser

l'Europe, en nous enseignant les notions fondamentales
d'honneur, justice, bonne foi, tempérance, esprit
civique, force d'âme, chasteté, dévouement, philanthro-
pie, fidélité. Ce sont là des vertus dont le nom est
encore vivant dans la plupart des langues humaines,
et on peut le rencontrer chez les auteurs modernes
aussi bien que dans les classiques ; les quelques lec-
tures que j'en ai faites me permettent d'en témoigner.

Mais un autre motif me retenait d'offrir à Sa Majesté
mes découvertes pour agrandir ses domaines : à dire
vrai, j'avais conçu quelques scrupules sur la façon
qu'ont les princes de pratiquer, à cette occasion, la
justice distributive. Par exemple : un navire pirate
est poussé par la tempête sans savoir où il va ; à la fin,
un mousse grimpé sur le mât de vigie découvre une
terre ; les hommes débarquent, attirés par le pillage.
Ils voient un peuple inoffensif qui les reçoit avec bonté :
ils donnent au pays un nouveau nom, en prennent
officiellement possession, au nom du roi ; dressent sur
le sol une planche pourrie ou une pierre en mémoire
du fait ; assassinent deux ou trois douzaines d'indigènes, et en emmènent une paire comme échantillon ;
puis ils retournent dans leur pays et obtiennent leur
pardon. Voilà l'origine d'une nouvelle annexion, faite
légitimement selon le « Droit divin ». A la première
occasion, on envoie des navires ; les indigènes sont
déportés ou exterminés, leurs princes torturés, jusqu'à
ce qu'ils révèlent où est caché leur or ; pleine licence est
donnée à tous les actes de cruauté et de luxure ; la terre
fume du sang de ses habitants, et cette odieuse troupe
de bouchers, employée à une si pieuse entreprise, c'est
une expédition coloniale moderne, envoyée pour
convertir et civiliser un peuple idolâtre et barbare.

Mais cette description, je l'avoue, ne s'applique
d'aucune manière à la nation britannique, qui peut
servir d'exemple au monde entier, pour la sagesse, la

prudence, et la justice qu'elle montre en fondant ses
colonies, pour la générosité avec laquelle elle y déve-
loppe la religion et la culture ; pour l'heureux choix
qu'elle fait de pasteurs pieux et compétents chargés
d'y propager le christianisme ; pour le souci qu'elle a
de n'envoyer dans les nouvelles provinces que des
sujets de la mère patrie vivant dignement et connus
comme tels ; pour les grands scrupules qu'elle a en
matière de justice, ne nommant aux postes adminis-
tratifs, dans toutes ses colonies, que des fonctionnaires
de la plus haute compétence, entièrement étrangers à la
corruption ; et, comme couronne à ce bel édifice, pour
sa façon d'envoyer toujours les gouverneurs les plus
consciencieux et les plus vertueux, qui n'ont pas d'autre but que le bonheur des populations qu'ils régentent
et l'honneur du roi, leur maître.

Mais comme ces pays que j'ai décrits paraissent
n'avoir aucun désir d'être conquis, ni de connaître
l'esclavage, le meurtre et la déportation qui vont de
pair avec la colonisation ; comme, d'autre part, ils
n'abondent ni en or, ni en argent, ni en sucre, ni en
tabac, j'ai eu, en toute modestie, l'idée qu'ils n'étaient
en aucun cas dignes de notre zèle, de notre vaillance,
de notre intérêt. Pourtant, si les personnes compéten-
tes en la matière jugent bon d'être d'un autre avis, je
me déclare prêt à garantir dans les formes officielles
et sur convocation, que, dans la mesure où l'on peut
se fier aux déclarations des indigènes, aucun Européen n'a jamais visité ces pays avant moi [1] ; à moins
que l'on ne me cherche noise au sujet des deux Yahoos
légendaires qui auraient apparu, il y a bien des siècles,
sur une montagne de la Houyhnhnmlande et dont
certains pensent qu'ils ont fondé la race de ces animaux ;
il n'est pas impossible, d'ailleurs, que ces fondateurs
justement aient été des Anglais : j'ai eu l'occasion
de le penser en examinant les linéaments du visage,
encore qu'à peine reconnaissables, de leur postérité.

Mais jusqu'à quel point cette constatation peut servir de base à une revendication territoriale, je laisse aux spécialistes de droit colonial de le déterminer [1].

Quant à une prise de possession officielle au nom de mon souverain, je n'ai jamais eu l'idée de la faire ; et, si je l'avais eue, étant donné ma situation particulière, j'aurais probablement, pour des raisons de prudence et de sécurité personnelle, décidé de renvoyer mon projet à une meilleure occasion.

Ayant ainsi répondu au seul reproche que je pouvais encourir en tant que voyageur, je prends ici congé pour la dernière fois de mon aimable lecteur et je retourne aux plaisirs de la méditation dans mon petit jardin de Redriff ; à mes efforts pour mettre en pratique ces leçons de vertu que j'ai prises chez les Houyhnhnms et pour éduquer les Yahoos de ma maison dans les limites de l'éducabilité de cet animal ; à la fréquente contemplation de mon personnage dans une glace, en vue de me rendre petit à petit supportable l'aspect d'une créature humaine, et enfin à mes lamentations sur la nature des Houyhnhnms de mon pays, qui ne sont que des bêtes, mais que je traite toujours avec respect, en souvenir de mon noble maître, de sa famille, de ses amis, de toute la race des Houyhnhnms, à laquelle nos chevaux, malgré leur intelligence dégénérée, ont l'honneur de ressembler trait pour trait.

La semaine dernière, j'ai pour la première fois permis à ma femme de dîner avec moi, assise à l'autre bout d'une longue table, et de répondre avec une extrême brièveté aux quelques questions que je lui posais. Pourtant l'odeur des Yahoos continue à m'être très désagréable et je garde en permanence le nez bouché avec des feuilles de rue, de lavande et de tabac. Et, bien que ce soit dur pour un homme d'un certain âge de modifier ses habitudes, je ne suis pourtant pas sans garder quelque espoir qu'un jour je pourrai supporter à mes côtés un de mes frères yahoos, sans la crainte que m'inspirent encore ses dents et ses griffes.

Ma réconciliation avec la race des Yahoos, dans son ensemble, présenterait moins de difficultés si ceux-ci se contentaient d'avoir les vices et de faire les folies à quoi ils sont destinés par nature. Je ne me sens nullement indisposé à la vue d'un homme de loi, d'un coupe-bourse, d'un colonel, d'un bouffon, d'un lord, d'un maître d'armes, d'un politicien, d'un souteneur, d'un médecin, d'un mouchard, d'un suborneur, d'un avocat, d'un traître, et de leurs consorts : ils ne sont que des phénomènes normaux et dans l'ordre des choses. Mais c'est quand je vois ce magma de difformités et de malfaçons, tant morales que physiques, se combiner avec l'orgueil, que mon impatience éclate. Jamais je ne pourrai admettre qu'un tel animal et un tel vice arrivent à coexister. Les sages et vertueux Houyhnhnms, qui avaient au plus haut degré toutes les perfections pouvant embellir une créature raisonnable, n'avaient pas un mot dans leur langue pour désigner ce vice. Ils n'avaient d'ailleurs aucun terme pour exprimer ce qui est mal, excepté ceux qui décrivaient les tares odieuses de leurs Yahoos ; mais entre celles-ci ils n'avaient pas su distinguer l'orgueil, en connaisseurs insuffisants de la nature humaine telle qu'elle se laisse voir dans les autres pays où cet animal est le maître. Mais moi, qui avais plus d'expérience, je sus bien le reconnaître chez les Yahoos non civilisés.

Les Houyhnhnms, eux, vivant sous le gouvernement de la Raison, ne sont pas plus orgueilleux des heureuses qualités de leur nature, que je ne saurais, moi, me vanter de n'avoir pas perdu un bras ou une jambe ; car aucun homme de bon sens ne saurait plastronner parce qu'il possède des membres, encore qu'il serait très malheureux d'en être privé. Si j'insiste quelque peu là-dessus, c'est à cause du désir où je suis de me rendre la société d'un Yahoo anglais quelque peu supportable. C'est pourquoi j'avertis tous ceux qui auraient quelque trace de ce vice absurde de ne pas avoir l'audace de paraître devant moi.

FIN DE LA QUATRIÈME PARTIE

LETTRE DU CAPITAINE GULLIVER
A SON COUSIN SYMPSON [1]

J'espère que vous serez disposé à reconnaître publiquement, chaque fois qu'on vous en priera, que, accédant à vos instances et à vos prières, je vous avais remis pour publication un manuscrit décousu et non corrigé de mes « Voyages », étant entendu que nous engagerions un étudiant de l'une des deux Universités pour en ordonner le plan et en revoir le style, comme mon cousin Dampier l'avait fait, sur mes conseils, pour son livre intitulé *Un voyage autour du monde*. Mais je ne me rappelle pas vous avoir laissé le droit de retoucher mon texte, ni surtout d'y rajouter quoi que ce soit. Je vous écris donc pour désavouer toutes les additions qui vous sont dues, en particulier certain paragraphe relatif à Sa Majesté, feu la Reine Anne, de pieuse et glorieuse mémoire, contraire aux sentiments de respect et d'estime que je lui ai toujours portés plus qu'à aucun autre mortel. Mais vous-même, ou votre interpolateur, vous auriez dû considérer qu'il n'était pas conforme à mes goûts ni à la bienséance de faire l'éloge d'un animal de notre type devant mon maître houyhnhum. Et, de plus, le fait est faux ; car, à ma connaissance, et j'ai justement vécu en Angleterre pendant une partie du règne de S. M. la Reine, elle a bel et bien gouverné avec un principal ministre, deux même, l'un après l'autre [2] : le premier fut Lord Godolphin et le second le comte d'Oxford ; de sorte que vous m'avez fait dire « la chose-qui-n'est-pas ». De la même façon, dans la description de l'Académie des planificateurs, et dans plusieurs passages de mes discours à mon maître houyhnhnm, vous avez omis de mentionner des circonstances essentielles, vous leur avez ôté de l'importance, ou vous les avez dénaturées de telle façon que j'ai du mal à reconnaître mon propre ouvrage. Lorsque je vous en avais, quelque temps avant, touché un mot dans une de mes lettres, vous avez eu l'obligeance de me dire que vous aviez peur d'être blessant, que les gens au pouvoir étaient très stricts dans leur surveillance de la Presse, et qu'ils savaient non seulement interpréter, mais encore punir tout ce qui ressemblait à un sous-entendu (c'est là, je crois, le mot que vous employâtes). Mais, je vous en prie, comment se fait-il que des paroles vieilles de plusieurs années et prononcées dans un Royaume situé à plus de cinq mille lieues d'ici puissent être appliquées à l'un quelconque des Yahoos dont on dit qu'ils régentent actuellement la horde ; d'autant plus que je parlais sans envisager ni craindre d'avoir le malheur de retourner parmi eux. N'est-ce pas moi qui ai des raisons de me plaindre, alors que je vois d'authentiques Yahoos tirés par des Houyhnhnms dans un véhicule, comme si ces derniers étaient des bêtes et les premiers des êtres doués de raison ? Et certes, c'était avant tout pour fuir un spectacle si monstrueux et abominable que j'ai choisi de me retirer ici.

C'est là tout ce que j'avais à vous dire au sujet de vous-même et de la confiance que j'avais en vous.

Ce que je veux dire en second lieu, c'est que je regrette d'avoir eu la sottise de me laisser convaincre par vos adjurations et votre mauvaise logique (la vôtre et celle de plusieurs autres), et d'autoriser, à mon corps défendant, la publication de ces *Voyages*. Rappelez-vous, je vous en prie, cette objection que je faisais toujours, quand vous me répétiez votre argument

du Bien public : les Yahoos sont une race d'animaux
qu'il n'est pas possible d'amender, ni par préceptes ni
par l'exemple. Et l'événement m'a donné raison, car
au lieu de voir un coup d'arrêt donné à tous les abus
et à toutes les corruptions, au moins dans la limite
étroite de cette île, comme j'étais en droit de l'espérer,
constatez qu'au bout de plus de six mois, je n'entends
dire nulle part que mon livre ait produit un seul des
effets que j'attendais. Je vous avais prié de me signaler par lettre le jour où s'éteindrait l'esprit de parti
et de faction ; où l'on verrait des juges compétents et
incorruptibles, des plaideurs honnêtes et modérés,
ayant quelques bribes de bon sens ; des pyramides de
codes brûlant haut et clair dans Smithfield ; l'éducation
des jeunes nobles entièrement transformée, les médecins en exil ; les cours et les antichambres de ministres
influents dégagées et balayées à fond ; le talent, le
mérite et le savoir récompensés ; les écrivailleurs en
prose et en vers condamnés à ne manger que leurs
buvards de coton et ne s'abreuver que d'encre. Telles
étaient les réformes et mille autres encore, sur lesquelles
je comptais, avec votre encouragement ; et, de fait,
elles étaient la conséquence normale des principes
énoncés dans mon livre. Il est indéniable, d'autre
part, que sept mois étaient un délai bien suffisant
pour corriger tous les vices et toutes les folies à quoi
les Yahoos sont sujets, si du moins leur nature avait
eu les moindres dispositions à la vertu ou à la sagesse.
Mais aucune de vos lettres n'est venue combler mes
espoirs. Bien au contraire, vous ne faites chaque
semaine que charger votre courrier de libelles, clefs,
réflexions, mémoires, secondes parties, dans lesquels
je me vois accusé de nuire à la réputation d'importantes personnalités politiques ; de salir la nature
humaine (car ils osent encore lui donner ce nom) et
d'insulter le sexe féminin. Je constate d'ailleurs que ces
barbouilleurs de papier ne sont pas d'accord entre eux,

car les uns refusent d'admettre que je sois l'auteur des
Voyages et d'autres m'attribuent des livres que je n'ai
pas le moins du monde écrits.

Il s'avère également que votre imprimeur a été assez
négligent pour confondre les années et pour se tromper
dans les dates de mes différentes traversées et de mes
retours ; il n'a jamais donné le vrai millésime, ni le
vrai mois, ni même le jour du mois. Or j'entends dire
que le manuscrit original a été entièrement détruit
depuis la publication de mon livre, et je n'en ai pas
gardé de copie. Pourtant, je vous envoie certaines
corrections que je vous prie d'insérer, s'il arrive qu'il
se fasse une deuxième édition. Je ne puis pas d'ailleurs
les garantir absolument, et je laisserai à l'intelligence
du lecteur et à sa bonne foi le soin d'en tenir compte
à son gré.

On m'a signalé que certains Yahoos de mer ont
trouvé des fautes dans mon vocabulaire maritime ; ils
me reprochent d'user souvent de termes impropres ou
qui ne s'emploient plus. Je n'y puis rien : au cours de
mes premières traversées, dans ma jeunesse, j'ai été
formé par des vétérans de la marine et j'ai appris à
parler comme eux. Mais j'ai constaté depuis que les
Yahoos de mer sont aussi entichés de néologismes que
leurs congénères de terre ferme. Ceux-ci changent
toutes les années de vocabulaire et ils poussent la
manie si loin que je me rappelle avoir eu, à chaque
retour au pays, de grandes difficultés pour comprendre
les gens ; je remarque aussi, chaque fois qu'un Yahoo
vient, par curiosité, me voir chez moi, en débarquant
de Londres, que nous ne sommes ni l'un ni l'autre
capables de nous exposer nos idées de façon intelli-
gible.

Si les reproches des Yahoos pouvaient m'affecter
de quelque manière, j'aurais bien sujet de me plaindre
que certains d'entre eux aient l'audace de penser que
mon livre de *Voyages* n'est qu'une fiction née de mon

propre cerveau, et aillent même jusqu'à insinuer que les Houyhnhnms et les Yahoos n'ont pas plus de réalité que les habitants d'Utopie.

Je dois d'abord faire remarquer qu'en ce qui concerne les gens de Lilliput, de Brobdingrag [1] (car telle est la vraie orthographe du mot et non *Brobdingnag*, qui est une faute) et de Laputa, je n'ai jamais entendu aucun Yahoo prétendre qu'ils n'existassent point, ni que les faits mentionnés dans mon livre fussent mensongers, car la vérité éclate évidemment aux yeux du lecteur. Or, est-ce que l'histoire de mes Houyhnhnms et de mes Yahoos paraît moins plausible à qui voit tant de milliers de ces derniers exister dans cette cité même et ne différer de leurs frères de Houyhnhnmlande que par leur façon d'émettre un baragouin et de ne pas aller nus ? J'ai écrit pour les corriger et non pour leur faire plaisir. Les louanges conjointes de tous leurs congénères ne m'auraient pas fait plus d'effet que le hennissement des deux Houyhnhnms dégénérés que j'ai dans mon écurie. Car ceux-ci, tout dégénérés qu'ils sont, me paraissent encore capables de me donner des exemples de vertu entièrement purifiée de tout vice.

Est-ce que ces misérables animaux vont oser croire que je suis tombé moi-même assez bas pour protester de ma véracité ? Tout Yahoo que je suis, c'est un fait bien connu dans toute la Houyhnhnmlande, que, grâce aux leçons et aux exemples de mon illustre maître, j'ai pu en l'espace de deux ans (mais non sans mal je l'avoue) me débarrasser de cette infernale habitude de mentir, louvoyer, tromper et user d'équivoques, qui est si enracinée dans l'âme de tous mes congénères, spécialement en Europe.

J'aurais d'autres plaintes à vous adresser, à cette occasion fâcheuse ; mais je ne veux ni prendre cette peine ni vous ennuyer plus longtemps. Je dis en toute franchise que, depuis mon retour définitif, certaines dépravations de ma nature yahoo ont reparu au contact de mes semblables, et en particulier à celui, inévitable, de ma famille. Sinon, je n'aurais jamais été assez absurde pour faire le projet de réformer la race yahoo dans ce Royaume. Mais j'en ai fini à jamais avec tous ces plans chimériques.

LETTRE DE SWIFT
A L'ABBÉ DES FONTAINES [1]
(en français)

Il y a plus d'un mois que j'ay reçûe vôtre lettre du
4 de Juillet, Monsieur ; mais l'exemplaire de la seconde
edition de vôtre ouvrage ne m'a pas été encore remis.
J'ay lû la preface de la premiere ; et vous me permettrez
de vous dire, que j'ay été fort surpris d'y voir, qu'en
me donnant pour patrie un pais, dans lequel je ne
suis pas né [2], vous ayez trouvé a propos de m'attribuer
un livre qui porte le nom de son auteur, qui a eu
le malheur de deplaire a quelques uns de nos ministres,
et que je n'ay jamais avoué. Cette plainte que je fais
de vôtre conduite a mon egard, ne m'empeche pas de
vous rendre justice. Les traducteurs donnent pour la
plupart des louanges excessives aux ouvrages qu'ils
traduisent, et s'imaginent peut-etre, que leur réputation depend en quelque façon de celle des auteurs,
qu'ils ont choisis. Mais vous avez senti vos forces, qui
vous mettent au-dessus de pareilles precautions. Capable de corriger un mauvais livre, entreprise plus difficile, que celle d'en composer un bon, vous n'avez pas
craint, de donner au public la traduction d'un ouvrage,
que vous assurez etre plein de polisonneries, de sottises, de puerilites, etc. Nous convenons icy, que le
goût des nations n'est pas toujours le meme. Mais
nous sommes portes a croire, que le bon goût est le
même par tout, ou il y a des gens d'esprit, de jugement
et de scavoir. Si donc les livres du sieur Gulliver ne

sont calcules que pour les isles Britanniques, ce voyageur doit passer pour un tres pitoyable ecrivain. Les memes vices et les memes folies regnent par tout ; du moins dans tous les pais civilisés de l'Europe : et l'auteur que n'ecrit que pour une ville, une province, un royaume ou meme un siecle merite si peu d'être traduit, qu'il ne merite pas d'etre lû.

Les partisans de ce Gulliver qui ne laissent pas d'etre en fort grand nombre chez nous, soutiennent, que son livre durera autant que notre langage, parce qu'il ne tire pas son merite de certaines modes ou manieres de penser et de parler, mais d'une suite d'observations sur les imperfections, les folies et les vices de l'homme. Vous jugez bien, que les gens, dont je viens de vous parler, n'approuvent pas fort votre critique ; et vous serez sans doute surpris de scavoir, qu'ils regardent ce chirurgien de vaisseau, comme un auteur grave, qui ne sort jamais de son serieux, qui n'emprunte aucun fard, que ne se pique point d'avoir de l'esprit, et qui se contente de communiquer au public, dans une narration simple et naive, les avantures, qui lui sont arrivées, et les choses qu'il a vû ou entendu dire pendant ses voyages.

Quant à l'article qui regarde my Lord Carteret, sans m'informer d'ou vous tirez vos memoires, je vous diray, que vous n'avez ecrit que la moitié de la vérité ; et que ce Drapier, ou réel ou supposé, a sauvé l'Irlande en mettant toute la nation contre un projet, qui devoit enrichir au depense du public un certain nombre de particuliers.

Plusieurs accidens, qui sont arrivé, m'empêcheront de faire le voyage de la France presentement, et je ne suis plus assez jeune pour me flatter de retrouver un autre occasion. Je scais, que j'ay perds beaucoup, et je suis tres sensible a cette perte. L'unique consolation, qui me reste, c'est de songer, que j'en supporteray mieux le pais, au quel la fortune m'a condamné.

Dossier

CHRONOLOGIE

1600 — Naissance à Dublin de sir John Temple, père réel de Swift. Sa famille est l'une des plus brillantes de l'armorial anglo-irlandais, et ses descendants seront les Palmerston.

1630 — Naissance, dans une famille de bouchers de Wigston Magna (Leicestershire), d'Abigaïl Erick, mère de Swift.

1640 — Naissance à Goodrich (Herefordshire) de Jonathan Swift *senior*, père « officiel » de l'écrivain, fils de Thomas Swift, clergyman originaire du Yorkshire et père d'une famille très nombreuse.

1664 — *Juin.* Mariage secret, par dispense spéciale, de Jonathan Swift *senior* et d'Abigaïl Erick. L'acte a lieu « dans le diocèse de Dublin ».

1667 — *30 novembre.* Naissance à Dublin ou dans les environs (?) de Jonathan Swift. Sa mère retournera peu après à Leicester.

1668 — Swift est envoyé en nourrice à Whitehaven, en Angleterre.
Vers 1671. Faisant l'admiration de tous par sa précocité, il est ramené à Dublin (où vit sir John Temple). Son oncle, Godwin Swift, le prend en pension.

1674 — Swift est mis en pension à Kilkenny College, le « Eton d'Irlande ».

1677 — Mort de sir John Temple. Les études de Swift sont payées officiellement par Godwin Swift, dont les dix-sept enfants n'iront pas eux-mêmes au collège. On pense que l'argent vient en réalité de John Temple fils, « *Solicitor General* ».

1681 — Naissance à Richmond (Surrey) de Hester Johnson, la future Stella. Elle est plus que probablement la fille naturelle de William Temple, et, par conséquent, la nièce de Swift.

1682 — *24 avril.* Swift est immatriculé à Trinity College, l'Université de Dublin.

1686 — Swift est reçu bachelier, sans doute « speciali gratia », c'est-à-dire avec indulgence.

1688 — *14 février.* Naissance d'Esther Vanhomrigh, la future Vanessa.
5 novembre. Début de la Révolution.

1689 — *Février.* Swift va se réfugier chez sa mère à Leicester.
Juin. Swift entre au service de sir William Temple, probablement à Sheen, comme secrétaire.
Été. Il s'installe avec lui à Moor Park, près de Farnham (Surrey), et y rencontre Stella, familière du château.

1690 — *Juin.* Swift retourne en Irlande, mais ne peut y obtenir de poste.

1692 — *Juin-juillet.* Séjour à Oxford ; Swift obtient à Oxford le grade de Maître ès Arts.

1695 — *Janvier.* Swift est ordonné prêtre en Irlande. Il reçoit la prébende de Kilroot, près de Belfast.
Fin de l'année. Swift retourne à Moor Park. Il y vit plus comme un hôte que comme un secrétaire.

1696-1698 — Swift se fixe au service de Temple, l'accompagnant à Londres. Début de son intimité avec Stella.

1699 — *27 janvier.* Mort de sir William Temple.
Août. Swift retourne en Irlande comme chapelain et secrétaire de lord Berkeley, un des trois lords-justice.

1700-1701 — Nommé curé de Laracor (diocèse de Meath), il s'installe dans le pays et y fait venir sa nièce Stella. Il passe son doctorat en théologie.

1702 — Avènement de la reine Anne. L'Angleterre est en guerre contre Louis XIV.

1704 — Publication (anonyme) du *Conte du Tonneau*, dont les persiflages antireligieux scandalisent la reine Anne ; dans le même volume paraît *La Bataille des Livres*, sur la querelle des Anciens et des Modernes.

1707 — Première mission politique de Swift : il est chargé par l'archevêque de Dublin d'obtenir l'extension à l'Église d'Irlande de la *rémission des annates* ou « Acte de Bonté » de la reine Anne.

1708-1709 — Swift s'installe à Londres et fréquente assidû-ment les milieux whigs. Mais on lui refuse coup sur coup deux évêchés, Waterford et Cork. Sa mission à propos des *Annates* échoue complètement. Sur le plan littéraire, il obtient un grand succès comique avec les écrits de *Bicker-staff*, prédictions bouffonnes d'un pseudo-astrologue.

1709 — *Juin.* Swift publie une *Apologie du conte du Tonneau* et retourne à Dublin.

1710 — *Octobre.* Swift abandonne le parti whig qui a perdu les élections et se fait présenter à Harley, chef des tories, qui veut terminer la guerre.
Novembre. Swift devient rédacteur de l'*Examiner*, l'heb-domadaire tory ; il en rédigera trente-trois numéros. Début de son amitié avec Saint-John, ministre tory des Affaires étrangères.

1711 — Swift poursuit une brillante carrière de pamphlétaire à Londres ; il envoie à sa nièce, à Dublin, les lettres qui constituent le *Journal à Stella*. Il devient intime de la famille Vanhomrigh ; il a sa chambre chez eux, et guide dans ses études la fille aînée Esther (Vanessa).
26 avril. Swift surmené s'installe à Chelsea ; il y aura sa résidence jusqu'en juillet.
Fin mai. Harley devient comte d'Oxford, et lord-trésorier. Il obtient par l'entremise de Swift l'extension à l'Irlande de l'« Acte de Bonté ». Fondation du Brother's Club, qui réunit douze personnalités anti-whigs, dont Swift.
27 novembre. Parution de la grande œuvre politique de Swift, *La Conduite des alliés*, qui tirera à 11 000 exem-plaires et cherche à préparer l'opinion anglaise à la conclu-sion d'une paix avec Louis XIV

1712 — Swift est presque officiellement fiancé à Vanessa. Il essaie vainement de se faire attribuer une riche prébende par Oxford (le doyenné de Wells).
Fin mars. Attaque de zona ; deux mois de maladie. Swift, accaparé par la famille de sa fiancée, interrompt le *Journal à Stella*, et renvoie son valet irlandais.

Juillet-août. L'armistice franco-anglais entre en vigueur.
Août. Swift fait un court voyage à Londres, chez les Vanhomrigh (on peut supposer que Vanessa devient sa maîtresse à ce moment-là). Il met en chantier son travail historique, *Les Quatre Dernières Années de la Reine Anne.* Il commence à rédiger *Cadenus et Vanessa,* poème racontant ses amours avec sa jeune élève.

1713 — *Début avril.* La paix est signée à Utrecht.
23 avril. Swift est nommé doyen de Saint-Patrick, à Dublin.
25 juin. Mal reçu par les Dublinois en majorité whigs, Swift se réfugie à Laracor ; il voit à peine Stella.
Oxford et Bolingbroke sont pratiquement brouillés. Swift s'embarque pour l'Angleterre afin de sauver l'unité du parti tory.

1714 — *10 février.* Mort de la mère de Vanessa ; il est probable que Swift et Vanessa vivent maritalement.
Mai. La tendance Bolingbroke (rallié aux Jacobites) l'emporte sur la tendance Oxford (dynastique) : Swift se voit refuser la place d'historiographe.
31 mai. Il quitte Londres en toute hâte. Vanessa change d'appartement ; elle est enceinte (?).
27 juillet. Oxford est remplacé par Bolingbroke à la tête des Affaires.
1er août. Mort de la reine Anne.
4 août. Entrée triomphale de Marlborough dans Londres. Des pamphlets très insultants pour Swift commencent à paraître. Il s'enfuit à Dublin où il tombe gravement malade.
Vers l'automne. Vanessa met au monde son fils, connu plus tard sous le nom de Bryan McLoghlin (?).
4 novembre. Elle part pour l'Irlande avec sa sœur Mary. Elle résidera tantôt à Dublin, Turnstile Alley, tantôt à Cellbridge.

1715-1720 — Années d'inactivité pour Swift ; il écrit très peu. Ses amis tories sont dispersés, Oxford en prison, Bolingbroke en exil.
Sa vie privée est partagée entre sa liaison avec Vanessa et ses affectueuses relations avec sa nièce Stella.

1721 — Swift commence la rédaction de son *Gulliver;* Vanessa est mêlée intimement à la création.

1722 — *12 juillet.* Début de l' « Affaire Wood » qui permettra à Swift de reconquérir une certaine notoriété politique (en Irlande) par la publication des *Lettres du Drapier.*

1723 — *Avril* (?). Le grand drame de la vie privée de Swift : Vanessa écrit à Stella.
Elle refait son testament dont Swift est totalement exclu. Il se rend à Cellbridge, où éclate une scène de rupture très violente.
2 juin. Mort de Vanessa.
3 juin. Swift s'enfuit de Dublin et va passer plusieurs mois dans le sud-ouest de l'Irlande.
Octobre. Réconciliation entre Swift et Stella, qui rentre à Dublin avec sa compagne.

1724 — *De février à décembre.* Publication des cinq premières *Lettres du Drapier,* tracts exigeant la suppression du privilège obtenu par Wood de frapper une monnaie de cuivre.

1725 — *Avril-octobre.* Séjour de Swift à Quilca ; il y recopie et complète son *Gulliver.*
19 août. Le privilège de Wood est rapporté.
26 août. La ville de Dublin célèbre la victoire du « Drapier ».

1726 — *Début mars.* Swift s'embarque pour l'Angleterre après douze ans d'exil irlandais.
Il arrive à Londres ; Pope le fait recevoir dans la Franc-Maçonnerie.
Il est présenté chez le prince de Galles à Leicester House et devient un des intimes de Mrs. Howard, maîtresse du prince de Galles.
11 août. L'éditeur Motte achète 200 livres le manuscrit de *Gulliver.*
15 août. Swift part pour l'Irlande.
28 octobre. Parution des deux volumes de *Gulliver.*
5 novembre. La première édition de l'œuvre est enlevée.
Novembre-décembre. Ford s'installe chez Swift à Dublin et l'aide à corriger la première édition.

1727 — *Janvier.* Première édition française de *Gulliver.*
Juin. Swift rencontre Voltaire qui l'engage à visiter Paris.
11 juin. Mort du roi ; la princesse de Galles devient la reine Caroline.

Le maintien de Walpole au pouvoir enlève à Swift tout espoir d'un poste dans l'Église d'Angleterre.

Fin août. Swift, qui souffre de graves vertiges, est prévenu que Stella est très malade.

18 septembre. Il quitte Londres, mais des vents contraires lui font perdre huit jours dans le port de Holyhead, où il écrit le *Journal de Holyhead.*

1728 — *28 janvier.* Mort de Stella.

Juin. Swift se rend à Market Hill, chez sir Arthur Acheson ; il se lie très intimement avec lady Acheson, à qui il dédiera de nombreux poèmes.

1729 — Swift partage sa vie entre Dublin et Market Hill ; il achète dans le voisinage le terrain où il projette de faire construire son château : Drapier's Hill.

Fin octobre. Modeste proposition au sujet des enfants pauvres, le plus célèbre des tracts irlandais, le premier chef-d'œuvre de l'humour noir.

1730 — Les écrits de Swift se font de plus en plus scatologiques.

1731 — Swift écrit surtout des poèmes, dont un fort long : *Vers sur la mort du Dr. Swift.* Son mauvais caractère fait naître plusieurs incidents, dont l'un avec les héritiers du maréchal de Schomberg.

1732-1734 — Longue polémique entre Swift et les Dissidents irlandais, au sujet du *Sacramental Test.* Le peuple de Dublin prend passionnément parti pour lui.

1735 — Première rédaction du testament de Swift.

1737 — Deuxième rédaction du testament.

Fin août. Swift est à l'article de la mort.

1740 — Dernière rédaction du testament. Swift devient sourd.

1742 — *28 janvier.* Swift désigne le Vice-Doyen Wyme comme son remplaçant à la tête du Chapitre de Saint-Patrick.

12 août. Swift est déclaré officiellement incapable.

1742-1745 — Il vit dans une apathie complète.

1745 — *19 octobre.* Mort de Swift.

22 octobre. Il est enterré dans la cathédrale St. Patrick.

J. P.

NOTICE

Le problème des sources de Gulliver a été maintes fois traité par la critique swiftienne. Voici, groupés selon l'époque et le genre, les différents emprunts que l'on a distingués dans les *Voyages*, qui ne sont peut-être pas tous directs, mais qui impliquent souvent une simple transmission à travers une tradition écrite ou même orale.

a) *Emprunts faits à l'Antiquité.*

Homère, *Iliade* : chevaux doués de parole et de raisonnement (ch. XVII et XIX : Xanthos et Balios).

Lucien, *Histoire véritable* (cf. Folio nº 415). Les Yahoos de Gulliver peuvent rappeler aussi à la fois les Bucéphales de Lucien (hommes féroces à tête de taureau) et ses Asinicrurae (ὀνοσκελεῖς), femmes à jambes et sabots d'âne qui tuent leurs hôtes humains.

Solin, *Polyhistor seu de mirabilibus orbis*. Churton Collins signale des réminiscences du chapitre XLV dans la conception des Houyhnhnms.

Philostrate. *Imagines* (εἰκόνες). La scène du réveil d'Hercule au pays des Pygmées a été vraisemblablement utilisée par Swift dans sa description du réveil de Gulliver entre les mains des Lilliputiens. On pourrait encore ajouter ici *Les Oiseaux* d'Aristophane, dont la ville de Néphélococcygie, la cité des nuages et des coucous « bâtie entre ciel et terre », a fort bien pu suggérer à Swift l'idée primordiale de son île volante, Laputa.

b) *Éléments orientaux.*

Mille et Une Nuits (traduction de Galland), en particulier,
Histoire de Simbad le Marin (les singes qui s'emparent du
navire de Simbad ressemblent à plusieurs égards aux Yahoos ;
l'aimant qui attire les vaisseaux dans l'histoire de Simbad
peut avoir inspiré l'aimant de l'île flottante de Laputa) ; et
Histoire d'Hâssam-al-Basri (l'aventure de Gulliver à la cour
de Brobdingnag : Gulliver entre les mains de Glumdalclitch,
est tout à fait comparable à celle de Hâssam entre les mains
de la princesse Géante).

A ces éléments relevant de la tradition orientale écrite, on
peut ajouter quelques traits gullivériens vraisemblablement
inspirés par des contes transmis oralement à l'époque de Swift.
Parmi ces contes, l'histoire japonaise de *Wasobiyoé*, qui ne fut
publiée qu'après *Gulliver* (1774) mais que de nombreuses
générations avaient déjà dû se transmettre de bouche à oreille,
peut fort bien, ainsi que le suppose Eddy, avoir atteint Swift
« par le canal » de la Hollande et de Moor Park. La ressemblance
entre le *Gulliver* anglais et le *Gulliver* japonais porte à la fois
sur les Brobdingnagiens et les Struldbruggs.

c) *Rabelais et les écrivains de la Renaissance.*

Rabelais, qui était un des auteurs favoris de Swift, a laissé
son empreinte dans *Gulliver*. Peut-être Swift doit-il à l'auteur
de *Pantagruel* et de *Gargantua* la conception générale du
« bon géant », du géant « débonnaire ». On trouve en outre
dans Lilliput un épisode rabelaisien transposé (Gulliver étei-
gnant l'incendie du palais impérial par le procédé de Gargantua). La description de l'Académie de Lagado est toute pleine
de réminiscences des chapitres XXI et XXII du *Cinquième
Livre* (Comment la Royne passait temps après disner — Comment les officiers de la Quinte diversement s'exercent).

d) *Cyrano de Bergerac : Voyages aux États de la Lune et aux États du Soleil.*

C'est là le modèle que Swift a le plus souvent et le plus largement imité, tant au point de vue philosophique qu'au point

de vue imaginatif. Même conception générale du livre et même gradation : 1° L'homme parmi les homoncules ou les géants ; 2° L'homme parmi les bêtes. Mêmes procédés pour introduire les discussions philosophiques au milieu du thème narratif (récits du voyageur à ses hôtes, — réponse de l'hôte que les choses humaines surprennent ou scandalisent). Même procédé d'alternance entre les interprétations idéalisées et les interprétations satiriques. Même construction systématique de la satire. Chez Cyrano de Bergerac, comme chez Swift, les bêtes ont la prééminence sur les hommes.

En outre, nombreuses ressemblances de détails, nombreux emprunts précis. Parmi ces traits identiques, un des plus frappants est celui de la mise en accusation et de la condamnation à mort du voyageur, dont l'intérêt dramatique est considérable.

e) *Voyages philosophiques et autre littérature contemporaine.*

Foigny, auteur de *La Terre australe inconnue* (1676), a laissé quelques traces dans *Gulliver*. Les rapprochements de détails et d'expressions sont sur ce point assez probants (l'écriture des Sévarambes et celle des Lilliputiens ; même détail sur l'emploi des porcs pour le labour dans *Jacques Sadeur* et dans *Lagado*) et quelques analogies générales plus frappantes encore (mélancolie des vieillards australiens de Foigny et misère des Struldbruggs, félicité philosophique des Sévarambes et sérénité des Houyhnhnms).

A Frémont d'Ablancourt, neveu de Perrot d'Ablancourt traducteur de Lucien, et auteur d'une *Suite aux Histoires vraies*, Swift doit beaucoup pour la construction générale de son livre et sa distribution en quatre parties symétriques. Il y a là une découverte capitale, que fit en 1921 le critique américain A. W. Eddy. Swift en effet signale dans le *Journal à Stella* (partie non manuscrite) qu'il a acheté un Lucien en français. C'est cette édition qui contient, après l'œuvre de l'auteur alexandrin, une description de l' « Isle des Magiciens » et des récits de voyages dans l' « Isle des Pygmées », au pays des Géants et dans une contrée où des animaux sages et vertueux régentent des hommes semblables à des bêtes.

Il faudrait enfin ajouter le nom de Samuel Sturmy, auteur

de *Compleat Mariner* (1669). que Swift plagia très évidemment pour sa tempête de Brobdingnag (le seul plagiat véritable qu'il ait commis).

Mais Swift opère la fusion de toutes ces données disparates et Firth (*The Political Significance of « Gulliver's Travels »*, Londres, 1919) a excellemment démontré le caractère personnel de chacune des parties des *Voyages* : *Lilliput* nous révèle ce que l'auteur a découvert de la politique ; *Lagado*, ses contacts avec les hommes de science ; *Brobdingnag, Luggnagg, les Houyhnhnms*, un aspect différent de sa connaissance « humaine ».

La genèse des *Voyages* fut longue : une bonne dizaine d'années. Et si elle remplit une période creuse dans la vie publique de l'auteur (celle du repli en Irlande après la crise dynastique de 1714), elle coïncide avec un temps de plénitude sentimentale. Dans sa vie privée, Swift, à sa manière, entre 1715 et 1723, était certainement heureux. Auprès de Stella, il trouvait la claire amitié, familiale et fidèle aux souvenirs de jeunesse ; une atmosphère aussi de dignité et de vertu, contribuant sans nul doute à purifier ses moyens d'expression, à chasser l'obscénité des univers qu'il créait, à proclamer des idéals moraux. Mais celle qui comptait le plus, pourtant, dans sa vie affective, était alors Vanessa : nous savons, grâce aux recoupements méthodiques faits par S. Le Brocquy (*Cadenus. A reassessment in the light of new evidence of relationship between Swift, Stella and Vanessa*, Dublin, 1962), qu'elle lui apporta pendant ces années un amour plein de compréhension, une volonté attentive à participer avec intelligence à la création de son œuvre. Et, de fait, on devine, en regardant bien, sous les fresques gullivériennes, bien des traits d'une sensibilité surtout féminine : la vie dans les différentes cours n'est pas celle que décrit un pamphlétaire politique ; le rôle des dames, les travers masculins, cent détails concrets dans les tenues et les attitudes semblent avoir été vus par la brillante héritière londonienne des années 1710-1714. Et Swift aurait-il campé avec tant de verve les silhouettes de ses pédants, sans avoir écouté les souvenirs d'enfance de la petite « Heskin », fille du lord-maire Bartholomew Vanhomrigh, l'un des fondateurs de l'Académie de Dublin ? Il n'est jusqu'à la satire des hommes de loi dont la virulence ne s'explique par l'âpreté des batailles juridiques livrées par Vanessa, menacée de perdre tous ses biens (Swift lui-même n'avait ni fortune ni procès). Et comment ne pas être frappé par cet emploi massif de mots étrangers dans les langues imaginaires ? Vanessa était polyglotte.

Gulliver demande surtout à être commenté par les autres œuvres de Swift. Sa création la plus originale, sinon la plus littéraire, celle des langues imaginaires, gagne en particulier à être confrontée avec le « petit langage » du *Journal à Stella*, dont le British Museum nous a conservé un bon nombre de manuscrits. Les ouvrages politiques écrits à la même période permettent de comprendre plus aisément les intrigues qui se nouent à la cour des cinq souverains dépeints dans les *Voyages*, ainsi que les idées sur le gouvernement exposées tout au long du livre. De nombreux pamphlets, les écrits de Bickerstaff et surtout de Scriblerus peuvent être considérés comme des « sources », au même titre que les œuvres d'autres auteurs. Le *Conte du Tonneau* fournit pour sa part des concordances riches, elles aussi, d'enseignement (cf. l'épisode des fous de Bedlam, frappante préfiguration des savants lagadiens et des Yahoos).

Aussi bien, les contemporains de Swift ne s'y étaient pas trompés. Malgré les précautions, plus burlesques qu'efficaces d'ailleurs, pour faire croire en l'existence de certain chirurgien de marine, le public, dès la parution des *Voyages*, reconnut la griffe et le génie du Doyen. Et ce fut cette impossibilité de garder l'anonymat qui contraignit l'auteur à remanier plusieurs fois son texte sur des points particulièrement exposés. Ses éditeurs successifs l'invitaient d'ailleurs à se montrer prudent.

Il se pose donc des problèmes textuels. De l'avis général, la meilleure édition de *Gulliver* est celle de Faulkner (1735). La première édition, celle de Motte (1726), fourmille d'erreurs, et avait indigné Swift. Elle comprend pourtant de nombreux passages qui ont été édulcorés par la suite et que nous avons rétablis avec toute leur virulence première, chaque fois qu'il y avait dualité. De même nous avons adopté le récit de la révolte de Lindalino (III, 3) que Faulkner n'avait pas osé publier et qui était demeuré manuscrit dans un exemplaire interfolié appartenant à Charles Ford. Mention était faite pourtant de l'inclure dans l'édition de 1735. Le texte, écrit de la main de Ford, probablement sous la dictée de Swift, se trouve actuellement au musée de Kensington. Il a été édité pour la première fois par Temple Scott en 1909.

NOTE SUR LES PROCÉDÉS SWIFTIENS
DE CRÉATION LINGUISTIQUE
dans
LES « VOYAGES DE GULLIVER »

Swift a clairement manifesté, durant toute sa vie, un amour du verbe et un goût profond de l'invention linguistique. Dans son *Journal à Stella*, écrit entre 1711 et 1714, il s'est plu à déformer les mots pour les rendre incompréhensibles à tous, sauf à sa correspondante ou à quelques initiés. Il a analysé avec soin les langues rabelaisiennes, en particulier le lanternois, dont il a réutilisé les procédés. Dans son *Gulliver*, il a inclus cent trente-quatre termes inconnus, forgés par lui, et répartis en quatre-vingt-douze phrases, groupes de mots ou mots isolés. Nous avons découvert, dans les différents idiomes gulivériens, une dizaine de procédés originaux de création linguistique, qui en permettent le déchiffrement.

Premier procédé (d'origine rabelaisienne) : l'hybridation. L'opération consiste à fabriquer des mots à l'aide d'éléments empruntés à des langues différentes. L'exemple type est le « lanternois » : *Delmeupplistrincq...* « donne-moi, s'il te plaît, à boire », composé d'une forme espagnole suivie d'une forme anglaise et d'une forme allemande. Swift a certainement identifié et adopté ce procédé.

Il a puisé dans l'anglais (*slum*), l'allemand (*f-luft*), le français (*blef*), le latin (*nol-l-e*), le grec (γον-), l'espagnol, auxquels il a emprunté de nombreux radicaux, ou des mots, en majorité monosyllabiques.

Deuxième procédé : la marqueterie, qui consiste à fabriquer des mots en collant les syllabes découpées dans des mots plurisyllabiques. L'exemple type, dans l'œuvre de Swift, est extra-gullivérien, c'est le mot *Vanessa*, où se trouvent réunis un fragment du nom Vanhomrigh et un fragment du prénom Hester.

Troisième procédé (d'origine rabelaisienne) : à l'échelon de la phrase, ce puzzle s'appelle le sabir. En mettant bout à bout des mots qui viennent de langues diverses ou qui sont eux-mêmes composites, on arrive à composer des textes, dont le plus long chez Swift n'a que dix mots, alors que ceux de Rabelais dépassent la cinquantaine. Le second passage en luggnaggien (de sept mots) contient par exemple cinq éléments allemands, trois français, un anglais, un latin, un espagnol.

Un quatrième procédé, éminemment rabelaisien aussi, mais dont Swift nous a donné un magnifique exemple dans le *Journal à Stella*, est celui du saupoudrage. De même qu'en lanternois *brelan* est devenu *brledand*, dans la communication secrète que Swift fait à ses correspondantes, le texte *Help him to draw up the representation* se transforme en *hoenlnp ihainm italoi dsroanws ubpl tohne sroeqporaensiepnotlastoiqobn*. Mais alors que Rabelais choisissait avec soin ses éléments adventices pour donner à l'ensemble une allure cohérente parodiant une langue bien déterminée (lanternois : allemand ; antipodien : sémitique ; utopien : limousin), Swift paraît s'être moins préoccupé de création linguistique que de camouflage. Il a surtout pratiqué le saupoudrage consonantique : il a « surconsonantisé » ses mots. A l'aide de quels éléments ? Il convient, malgré tout, de distinguer ici le dialecte des Houyhnhnms de tous les autres. Swift a mis dans la bouche de ses chevaux un idiome chevalin, à l'aide principalement des éléments consonantiques *h* et *hn*. Le nom même de la tribu fournit le meilleur exemple, puisqu'il est le mot *homme* chevalinisé. Mais la présence dans le vocabulaire de la Houyhnhnmlande de nombreux *lh*, *y* et *w* prouve peut-être que Swift a cherché à parodier l'orthographe irlandaise. Un mot comme *Ynlhmndwihlma* a une allure celtique assez réjouissante. Pour les autres idiomes gullivériens, Swift a suivi assez servilement le procédé de fabrication du lanternois. Il a rajouté beaucoup de *l* et de *r* (et peut-être aussi des *s* initiaux ?) et il nous avertit du caractère adventice de ces lettres quand il nous donne pour équivalentes dans le nom de la capitale de Luggnagg la syllabe *-dubb* et la syllabe *-drib*.

Cinquième procédé, d'origine lanternoise, comme le précédent, dont il n'est peut-être que l'effet, celui de la métathèse. Pour intercaler des éléments consonantiques adventices, il est nécessaire de déplacer quelque peu les consonnes primitives du mot : de même que chez Rabelais *bretan* devient *brledand*, nous avons chez Swift, par exemple, *orgul* qui devient *lorbrulg*. En règle générale, toutes les syllabes contenant une liquide peuvent avoir été l'objet d'une interversion de leurs éléments.

Le sixième procédé, qui utilise la même technique, mais de façon plus radicale, est celui de l'anagramme. Il ne paraît pas qu'Alcofribas Nasier (François Rabelais) l'ait utilisé dans ses langues, mais Swift, à l'exemple des pamphlétaires de son époque, s'en sert très largement. Il en fait d'ailleurs l'apologie devant l'académie de Lagado et il nous en donne deux exemples indubitables : *Tribnia/Britain* et *Langden/England*, comme pous nous inviter à en chercher d'autres. Citons *Nardac/canard* et *Bolgolam/Malbolog.*

Un septième procédé, celui de la substitution consonantique (le plus souvent celle du *r* par le *l*, ou vice versa), a été utilisé par Rabelais (exemple : *ringuam albar* [*as*] pour *linguam arab*[*um*]). Mais on doit pourtant le considérer comme swiftien, car il est la base même du « little language », où l'on trouve vingt-deux équivalences *r/l* et trente-neuf équivalences *l/r*. (Exemples dans *Stella* : *letter/rettle ;* dans *Gulliver* : *Marlborog/Malbolog.*)

Le huitième procédé, également utilisé dans le « petit langage » du *Journal à Stella*, c'est celui de la dévocalisation. Si *Podefar* s'écrit *Pdfr* et si *Puppet* s'écrit *Ppt*, c'est que Swift semble attacher plus d'importance aux consonnes qu'aux voyelles. Dans les langues gullivériennes les premières sont près de deux fois et demie plus nombreuses que les secondes. Et Swift nous donne un exemple des libertés qu'il prend avec l'élément vocalique des syllabes quand il présente comme équivalents les sons *Traldrag* et *Trildrog*. Le *u* bref est la voyelle la plus utilisée ; elle semble être l'équivalent du *e* muet français. (*Stella* : *possibur/possible ; lilliputien* : *hurgo/hergo* (?) ; *Balmuff/Balmeff.*)

Rapprochons ce procédé d'un neuvième, utilisé par Swift et ses amis sous le nom de *Pun* et que nous nommerons l'à-peu-près. Celui-ci consiste à écrire des phrases ayant un sens dans une langue, à l'aide de mots d'une autre langue. Tous les hel-

lénistes français connaissent l'à-peu-près franco-grec : Οὐκ
ἔλαϐον πόλιν, ἀλλὰ γαρ, etc. Swift nous en donne un anglo-grec
dans le *Journal à Stella : Hack at Tom Poley's/Hecatompolis*, et
il a écrit des pages entières d'anglo-latin avec l'aide de son
ami Sheridan. Il nous fournit de même du franco-lilliputien
avec *Hé qu'il n'a de gueule/Hekinahdegul*, et du franco-houyh-
nhnm avec *Hnuy illa nyha*.

Citons pour terminer un dixième procédé. Nous l'appelle-
rons « l'inanité sonore ». Quand on pense que la syllabe *glum*
se rencontre dans des mots aussi différents que *burglum* « feu »,
clumglum « marquis », *glumgluff*, « unité de mesure », *Glumdalclitch*, le nom d'une fillette, on se demande s'il faut lui chercher
un sens, et si elle n'est pas là pour faire du bruit, élément de
« saupoudrage » un peu consistant. On peut en dire autant de
-dub, qui paraît venir de *rub a dub dub* « rantanplan » ; Swift
lui donne pour équivalent *-drib*, de son assez creux, lui aussi.

A l'aide de cette dizaine de clefs, valables pour cinq ou six
langues, on pourrait avoir l'illusion qu'on va ouvrir toutes
les portes. Nous nous en sommes bien gardés pourtant. Nous
avons laissé en blanc de nombreux mots, chaque fois que les
solutions trouvées cadraient mal avec le contexte. Nous pensons que dans les problèmes de ce genre le danger consiste
non pas à en deviner trop peu, mais bien à en imaginer trop.

GLOSSAIRE
DES LANGUES GULLIVÉRIENNES
(*Li* : Lilliput ; *B* : Brobdingnag ;
La : Tout le troisième *Voyage* ; *H* : Houyhnhnms)

BALMUFF (*Li*) : Nom propre : Le Grand Justicier de Lilliput.
— En admettant l'équivalence phonétique *u* final/*e* muet
(comme dans le *Journal à Stella* : *possibur*/*possible*), on
obtient *Balmef(f)*, anagramme du français (*f*) *flambe*. Mais
le sens n'est guère satisfaisant. Peut-être un jeu de mots
franco-anglais sur *Burnet*(*h*), à la fois nom propre et troisième
personne du verbe *to burn*, « flamber » (?).

BALNIBARBI (*La*) : Nom du territoire dominé par l'Ile volante.
Il s'agit de l'Irlande et l'aspect anodin du mot franco-latin
« baigne-barbe » ne doit pas nous tromper. Il convient de
se rappeler que Swift appelait ironiquement les Irlandais
Barbarians, mot dont les deux premières syllabes se retrouvent à peine modifiées (l = r), et dont deux autres lettres
sont encore identifiables.

BELFABORAC (*Li*) : Nom d'un château royal à Lilliput. Les
deux éléments se rencontrant en lilliputien, le premier
Blef-(uscu) pour désigner le blé et le deuxième pour évoquer
des beuveries (*borach*), l'ensemble pourrait servir à désigner
le château à la campagne, parmi les champs de froment et
les vignes, par opposition à la résidence citadine de Mildendo.

BLEFUSCU (*Li*) : Nom de l'île voisine de Lilliput. Comme elle
représente symboliquement la France, il est permis de voir
dans son nom les trois mots français : *Blef-aux-culs*, « la
paille au cul », *blef* étant une graphie du mot *blé*, et le peuple

français apparaissant à l'époque aux Anglais comme une nation de paysans en sabots, de « culs-terreux ».

BLIFFMARKLUB (*La*) : Grand Chambellan (traduction de Swift). Nous voyons dans le premier élément l'allemand *Brief*, « la lettre ». Dans le deuxième nous voyons le verbe anglais *to mar*, « empêcher d'arriver ». Le Grand Chambellan de Luggnagg, de même que son collègue Lalcon (*No call*) de Lilliput, arrête les visites, se charge d'arrêter les pétitions. S'il faut trouver un sens au troisième élément, nous préférons y voir une anagramme de *bulk*, « tas » (il met les lettres en tas) plutôt que le mot *club* trop éloigné par sa signification.

BLUSTRUG (*Li*) : Unité de mesure agraire : Le mot est composé de *bus* (en grec βοῦς), le bœuf, avec un *l* de saupoudrage, et d'un mot allemand qui peut être *trag(en)* ou *Tag*; c'est la surface sur laquelle un bœuf tire sa charrue, le « journal ».

BORACH MIVOLA (*Li*) : Le premier mot rappelle l'espagnol *borracho*, « ivrogne », qui a les mêmes consonnes que le français *barrique*. Le deuxième mot est l'auxiliaire anglais *may*. Le troisième est l'espagnol *volar*, qui a le double sens de « éclater » et de « voler ». L'ensemble signifie donc soit « l'ivrogne peut éclater », soit « les tonneaux vont voltiger ».

BROBDINGNAG (*B*) : Nom du royaume des Géants. Swift prévient le lecteur, dans la *Lettre du capitaine Gulliver à son cousin Sympson*, que cette forme est incorrecte (cf. suivant).

BROBDINGRAG (*B*) : Mot composé des deux adjectifs anglais *broad*, « vaste », et *big*, « gros », et de l'adjectif français «*gran(d)*», soumis à une légère anagramme.

BRUNDECRAL (*Li*) : Livre sacré (traduction de Swift). *Recal*, qui se retrouve facilement sous la forme anagrammatique *ecral*, est très exactement l'anglais *recall*, « rappel ». *Brund* est l'allemand *Bund* (surconsonantisé) qui désigne les deux testaments de la Bible. « Rappel de la Bible », bonne définition de la doctrine de Luther.

BURGLUM (*Li*) : Le feu. Contient plusieurs lettres du français *brûler*.

CALIN DEFFAR PLUNE (*Li*) : Nom propre : Le roi de Lilliput. Le deuxième mot ressemblant fort au français *de faire*, on songe forcément à rapprocher le troisième du mot français *pluie*, et du lilliputien *peplom* (cf. *infra*). Or, consonantiquement, le premier mot est le grec κωλύειν, « interdire ». Nous aurions donc, selon le procédé « punique » mais en deux langues, la phrase « défense de faire pipi » que l'on retrouve à la ligne suivante du texte.

CLEFREN FRELOCK (*Li*) : Nom propre (?). Le deuxième mot fait penser à deux mots anglais : *free*, « libre », et *to look* « regarder ». Peut-être une allusion à la fouille (?). D'autre part, le mot φρὴν signifiant « pensée » et *cle-* étant l'anagramme du français *quel*, on peut imaginer (?) le dialogue suivant entre Gulliver et les commissaires : « Quelle opinion ? Regardé libre(ment) ? — Merci, regardé libre(ment) ». (cf. *Marsi*).

CLIMENOLE (*La*) : Frappeur (traduction de Swift), mais le contexte autorise à voir dans la deuxième partie du mot le latin *nolle, noli*, auxiliaire de prohibition, et dans la première la racine gréco-latine *cli*, « se pencher », « s'incliner ». L'ensemble signifierait donc « Ne t'endors pas ».

CLUMEGNIG (*La*) : Nom du port et de son estuaire. La deuxième syllabe rappelle l'allemand *gehen, ging, gegangen*, « aller », que nous retrouverons dans *Glanguenstald*. Quant à la première syllabe, le contexte qui parle de récifs et de hauts fonds obstruant la rade nous permet d'y voir un dérivé du latin *cluo*, « je ferme » (cf. le français *Cluse*).

CLUMGLUM (*Li*) : Titre de noblesse, équivalent de « marquis ». La première syllabe contient les consonnes de l'anglais *to claim* et du français *(ré)clamer*, auxquels le contexte nous autorise à songer.

CLUSTRIL (*Li*) : Nom propre. Un mouchard. La dernière syllabe analogique de l'anglais (*nostril*, « narine »), a déjà été employée par Rabelais (le géant nommé *Widestrill*) et fait penser à un conduit évacuateur. La première, rappelant le latin *clu-o*, « j'enferme », évoque les secrets, les pensées intimes. Le mot désignerait donc celui qui est chargé de soutirer les pensées d'autrui.

DRUNLO (*Li*) : Nom propre. Un mouchard. Sens voisin du précédent, si l'on admet que la première syllabe a les consonnes du verbe *to drain*, « drainer », et que la deuxième pourrait être l'adjectif *low*, « bas » · Celui qui soutire les secrets par en bas (cf. *ranfu-lo*)

DRURR (*Li*) : Mesure de longueur. C'est le mot espagnol *duro* avec des *r* de saupoudrage. La mesure correspond à l'épaisseur d'une pièce d'argent.

FLANDONA GAGNOLE (*La*) : Caverne des Astronomes (traduction de Swift). Mais le contexte autorise à voir dans le second mot un composé de *nole* (cf. *climenole*) et de l'allemand *Gang*, « passage » : Défense d'entrer. Le premier mot fait penser à *flanc*, c'est-à-dire intérieur, suivi du grec (ἔν)δον, « dedans » : Interdiction de pénétrer à l'intérieur.

FLANFLASNIC (*B*) : Nom de ville où se trouve un château royal. Le mot contenant les éléments de *flask*, « bouteille », il est intéressant de le comparer au nom du château de Lilliput où l'on retrouve le mot *borac*, « ivrogne » (cf. *Belfaborac*). On dirait que chez Swift l'idée de déplacement de la Cour est liée à celle de ripailles, d'autant plus que les autres éléments du mot (*ni* = *in*, « dans », et *flan*, « ventre ») suggèrent l'idée de flacons absorbés.

FLIMNAP (*Li*) : Nom propre. Anagramme phonétique de *Pamphile*, « l'ami de tous », c'est-à-dire « l'opportuniste ». Notons aussi que le mot rappelle l'anglais *flimsy*, « léger, sans consistance », et *nap*, « duvet ».

FLUFT DRIN YALERICK DWULDUM PRASTRAD MIRPLUSH (*La*) : « Veuillez me permettre d'introduire mon interprète. » L'ensemble est du sabir à base d'allemand : *f-Luft*, « air » ; *drin*, « dedans » ; *ya*, « oui » ; *ldum/ldom* (anagramme de *dolmetsch*), « interprète » ; *mir*, « à moi ». Il y a aussi du français : *le*, *trad(uire)*, *plus. Dwu* peut être le français *deux*, comme le latin *duo* ; *pra-s* ressemble à l'espagnol *para*, « pour » ; *rick* s'explique mieux comme l'anglais *right*, « très bon » (il maniait parfaitement les deux langues) que comme tout autre mot. Nous proposons donc pour l'ensemble : « Soufflez oui (pour que) rentre le très bon (Nº) deux, l'interprète, pour traduire, en plus de moi. » Il va de soi que la traduction de Swift : « Ma langue est dans la bouche de mon ami », est, encore ici, bouffonne. C'est une parodie du style oriental.

FLUNEC (*Li*) : Vin de Blefuscu. Mot sans doute composé de deux syllabes gréco-latines, extraites l'une de *flux*, « le flot », et l'autre de *nectar*.

GALBET (*Li*) : Grand Amiral (traduction de Swift). La première syllabe évoque le mot *galère* (en anglais *galley*) ou le mot *galion.* La deuxième semble être l'abréviation de l'anglais *better*, qui peut signifier « le supérieur hiérarchique ».

GLANGUENSTALD (*La*) : Nom de ville. La dernière syllabe est le mot allemand *Stadt* surconsonantisé. On peut de même reconnaître *Gang* (ou *gegangen*), « passage » de sortie ou d'entrée. La ville est précisément celle par où se fait tout le trafic du royaume.

GLIMIGRIN (*Li*) : Sorte de vin (traduction de Swift). La dernière syllabe rappelle le français *grain*. Et si les deux premières sont inspirées par l'anglais *glim* (*mering*), « brillant », l'ensemble est fait pour évoquer les grappes de raisin luisant au soleil.

GLONGLUNG (*B*) : Unité de mesure. La grandeur considérable de cette unité (dix-huit milles) semble indiquer que Swift pensait ici à la longitude (le français *long* répété deux fois) dont les problèmes sont mentionnés par lui plusieurs fois, dans son œuvre, en particulier dans le *Journal à Stella*.

GLUBBDUBDRIB (*La*) : Ile des magiciens ou des sorciers (traduction de Swift). Les deux dernières syllabes du nom nous sont données comme équivalentes dans le doublet (*Traldrag*) *dubb*/(*Trildrog*)*drib* (cf. *infra*) et il est probable qu'elles ne signifient rien du tout. Le premier élément en revanche ressemble trop à l'allemand *glauben*, « croire », pour ne pas être rapproché de la racine *lügen*, « mentir », que l'on retrouve dans Luggnagg, les deux idées étant complémentaires.

GLUMDALCLITCH (*B*) : Nom propre : la petite nourrice de Grildrig. La dernière syllabe rappelle l'anglais *to clutch*, « saisir », et pourrait faire allusion à la façon dont la petite géante saisissait le *nanunculus*. Dans ce cas on pourrait faire passer le *i* dans la première syllabe et retrouver l'idée de « brillant », de « joli » (anglais *glimmer*) (?) ; *-dal*, consonantiquement, est l'anglais *doll*, « poupée » ; et dans le *Journal à Stella*, *dallar* est mis pour *girl*, « petite fille ». Faut-il penser à Stella, que Swift précisément appelait « Puppet » ?

GLUMGLUFF (*Li*) : Unité de mesure (traduction de Swift). Comme elle est utilisée pour mesurer une profondeur, on peut voir dans la dernière syllabe l'anglais *gulf* ou le français *gouffre*. S'il faut chercher un sens au premier élément (?), on pourra le rapprocher de *glonglung* (cf. ce mot).

GNNAYH (*H*) : Oiseau de proie (traduction de Swift). Les deux premières lettres sont probablement un rappel de l'anglais *to gnaw*, « ronger ». Les autres éléments sont voisins de ceux qui constituent le mot *Lyhannh* (cf. *infra*).

GOLBASTO MOMAREN EVLAMEGURDILO SHEFIN MULLY ULLY GUE (*Li*) : Les trois derniers mots semblent être l'anagramme de *Lemuel Gulliver ;* le premier, un ablatif burlesque du lilliputien *Galbet*, « l'amiral » ; le deuxième (qu'on peut ramener à *Memoran*) ressemble à une contraction de *memoriam*, du même type que *eksan/ecclesiam* (voir *slamecksan*) : il pourrait rappeler les *mémoires* mentionnés au début du paragraphe. Le reste est indéchiffrable.

GRILDRIG (*B*) : Surnom donné à Gulliver par sa petite nourrice. Swift le traduit en trois langues : le latin *nanunculus*, l'italien *homunceletino* et l'anglais *mannikin*. A ces trois mots correspond l'anglais *grig*, « petit animal » et « petit bonhomme », ce qui nous amène à faire une légère anagramme et à lire *Drill grig*, « petit animal dressé », le *drill* étant l'exercice militaire que le *nanunculus* fait au cours de ses tournées.

GRULTRUD (*B*) : Crieur public (traduction de Swift). Nous avons ici, surconsonantisée, la syllabe *Gul* (latin : *gula*, français *gueule*). Et nous retrouvons dans le deuxième élément du mot les consonnes de l'anglais *trade*, « commerce ». L'ensemble désignerait donc celui dont le métier est de « gueuler ».

GULLIVER : La syllabe *Gull-* si souvent utilisée ailleurs n'offre aucun sens valable pour le contexte. Il faudrait plutôt admettre qu'on est en présence de la racine allemande *lüg*, « mentir », qui a servi à créer le nom de *Luggnagg*, et qui est soumise ici à une anagramme. Le reste du mot se compose de l'espagnol *y*, « et », et du latin *ver(a)* : « les vérités ». « Mensonges et vérités », c'est la formule que Swift a fait paraître sous le portrait du capitaine Gulliver.

HEKINAH DEGUL (*Li*) : L'ensemble rappelle le français « Hé, qu'il a de gueule ! » et sert à exprimer l'admiration des Lilliputiens devant l'énormité du gosier de Gulliver. Il s'agirait donc d'un *pun* à base de français.

HHNM (*H*) : Serviteur. Il s'agit du mot franco-latin *homo/homme*, que Swift, pour l'opposer à la forme gardée complète et même enrichie de *Houyhnhnm*, désignant l'homme supérieur et parfait, a entièrement dévocalisé, en en faisant le nom des serviteurs. Swift employait constamment l'expression *my man*, « mon homme », pour désigner son valet.

HHUUN (*H*) : Exhortation à avancer (traduction de Swift). Vient probablement du français *hue*, par une sorte de retournement ironique qui fait que le cheval le crie à l'homme.

HLUNH (*H*) : Avoine (traduction de Swift). C'est l'anglais *lunch*, « repas », l'avoine étant le pain quotidien du cheval

HNEA (YAHOO) (*H*) : Mal (du Yahoo) (traduction de Swift). Le mot doit être construit sur la négation, le mal étant par définition ce qui ne va pas.

HNHLOAYN (*H*) : Décret pris par l'Assemblée générale (traduction de Swift). Vient du français *loi*, surconsonantisé.

HNUY ILLA NYHA MAIAH YAHOO (*H*) : « Prends bien garde à toi, noble Yahoo » (traduction de Swift). Les trois premiers mots constituent un *pun* franco-chevalin : « Nuis il n'y a », c'est-à-dire « rien ne va te nuire » ; le quatrième mot est une variation sur le gréco-latin μέγ-ας/*mag-nus*, « grand ».

HOUYHNHNM (*H*) : Nom de la tribu des chevaux raisonnables. Il faut mettre ce mot en parallèle avec son doublet dévocalisé *hhnm* (cf. *supra*) et y voir la racine franco-latine *homo/ homme*. La traduction qu'en donne Swift, « la perfection de la Nature », n'infirme pas du tout cette interprétation.

HURGO (*H*) : Grand Seigneur (traduction de Swift). Le mot admet de très nombreuses interprétations, le radical *hur-* existant en plusieurs langues, y compris le lanternois. La plus satisfaisante, au point de vue du sens, est cependant d'admettre l'équivalence phonétique *ur/er* (cf. *Balmuff*), et de voir dans le mot l'anagramme du français *(h)ogre*, « celui qui dévore les petits enfants ».

ICKPLING GLOFFTHROBB SQUUTSERUMM BLHIOP MLASHNALT ZWIN TNODBALKGUFFH SHLIOPHAD GURDLUBH ASHT (*La*) : Phrase en sabir à prédominance d'allemand. Elle semble se rapporter au contexte. *Ick* doit être le pronom allemand *ich*, « je » ; *-pling* rappelle le français *plains*, légèrement germanisé. Dans *gloffthrobb*, on reconnaît le grec γλῶττα, « langue », suivi de l'anglais *to throw*, « projeter ». *Squutse-*

rumm contient probablement l'anglais *to squat*, « s'accroupir », et une forme barbare, qui a des chances d'être verbale et de se composer du latin *sum*, « je suis », et de la racine *er-*, qui appartient aussi à la conjugaison de *sum*. On pourrait donc donner au mot le sens de « je suis accroupi ». *Blhiop* est de toute évidence surconsonantisé : mais il contient les lettres de *boy*, « jeune homme ». *Mlas(hn)alt*, débarrassé de son élément surconsonantisant (*hn*), peut se diviser en trois mots : M- (le français *me*), las- (le français *laisse*) et l'allemand (*h*)*alt*, « arrêter ». Mais le deuxième élément peut également être considéré comme une déformation de *lèche* (?), le mot entier pouvant donc signifier aussi bien : « Laissez-moi m'arrêter » que : « J'arrête de lécher. » *Zwin*, germanique d'allure, pourrait signifier « deuxième » (allemand *zwei*). Dans *T(n)od-bal-kguff*, deux mots allemands : *der Tod*, « la mort », et *bald*, « bientôt », suivis du français (*en*)-*gouffre*. *Shliophad* rappelle l'anglais *soil* suivi de l'allemand *Pfad*, « piste ». *Gurdlubh* pourrait contenir la racine *Gul-* surconsonantisée (?) (cf. *Grultrud*, *Hekinah*). *Asht*, au contraire, est assez proche de l'anglais *ash*, « cendre ». La phrase tout entière pourrait *grosso modo* se lire comme suit : « Je plains, en projetant ma langue (moi qui suis accroupi), le jeune homme. Que je m'arrête de lécher, et ne sois pas le deuxième à engouffrer une mort rapide, cette piste sur le sol faite de cendre et destinée à ma bouche. »

LAGADO (*Li*) : Nom de la capitale de Balnibarbi. Semble être l'anagramme de *Galaad*, avec changement du troisième *a* en *o* (?). Pour Swift, la montagne sacrée de Galaad est le symbole de l'illuminisme des Dissidents, ces demi-fous malfaisants qui administrent la ville.

LALCON (*Li*) : Nom propre : le Chambellan de Lilliput. — Anagramme de l'anglais *No call*, « celui qui n'appelle pas », « celui qui refuse la porte ».

LANGDEN (*La*) : L'Angleterre. Anagramme de *England*.

LANGRO DEHUL SAN (*Li*) : Le premier mot rappelle le grec λαγκάζω, « détacher » ; le deuxième est une reprise, à peine modifiée, du *degul* lilliputien signifiant « la gueule », et le troisième ressemble à un subjonctif barbare du verbe être. Le tout peut donc se traduire par : « Qu'on lui détache la tête. »

LAPUTA (*La*) : Nom de l'île flottante et dominatrice. Étymologie fort claire pour quiconque connaît les langues méridionales. La racine *put* se retrouve dans *Lilliput* où elle ne semble pas avoir un sens péjoratif.

LHNUWNH (*H*) : La mort. « Retour à la première mère », selon la traduction de Swift. Il y a là un problème textuel. L'édition de 1726 porte *shnuwnh*, qui fait penser à l'anglais *to swoon*, « s'évanouir », « disparaître ». Mais l'édition de Faulkner rétablit le *L* initial, de sorte que l'on retrouve les consonnes de *lawn*, « prairie », « gazon ». L'origine de la race houyhnhnm ne serait-elle pas là où pousse l'herbe ?

LILLIPUT (*Li*) : Nom du Royaume des Nains. Le premier élément vient de l'anglais *little*, « petit », et le deuxième du latin *putus*, « gamin » et aussi « bonhomme ». Il ne paraît pas avoir le sens péjoratif qu'il a pris dans les langues romanes et qu'il conserve sûrement dans *Laputa*.

LIMTOC (*Li*) : Nom propre : un général lilliputien. Anagramme de *Mil(itary) Coat*, « uniforme ».

LINDALINO (*La*) : Nom d'une ville. C'est un calembour sur le nom de Dublin : Swift l'interprète comme *Double lin* et il double la syllabe *lin* en intercalant des éléments de saupoudrage hispanomorphes.

LORBRULGRUD (*B*) : Orgueil de l'Univers (traduction de Swift). Les lettres du mot vieux-français *Orgul* se retrouvent presque dans le même ordre. Quant aux lettres restantes, elles peuvent presque encore former le mot anglais *world*, « monde » (exactement urld + br).

LUGGNAGG (*La*) : La première partie du mot rappelle l'allemand *lügen*, « mentir » ; la syllabe *gnagg* ou *nagg* est une variation sur l'allemand *gang*, qui veut dire « passage » mais a à peu près le sens de « pays ». Le mot signifie donc « Terre du Mensonge ».

LUHIMUHS (*H*) : Rat sauvage (traduction de Swift). *-Muhs* vient du latin *mus*, « rat » et *Luhi-* doit être un anagramme de l'anglais *wil(d)*, « sauvage », avec une équivalence $u = w$ et un *h* de saupoudrage.

LUMOS KELMIN PESSO DESMAR LON EMPOSO (*Li*) : « Jurer la paix avec lui et son royaume » (traduction de Swift). Sabir européen, où l'on reconnaît les déformations hispanomorphes de mots anglais connus : *peace*, « paix » (*pesso*) et *emposo*, « empire ». — *Kelmin* paraît composé de deux pronoms personnels, l'espagnol *él* et le grec μίν, précédés d'un *K* emprunté au grec καί. Il signifierait « et avec lui ». *Desmar* rappelle l'espagnol *demás*, « de plus », et *lumos* semble composé de la racine grecque λύω, « je défais », et d'une négation fantaisiste qui lui donne le sens de « ne pas défaire », conclure.

LUSTROG (*Li*) : Le prophète de Lilliput et de Blefuscu. Anagramme de *gros Lut(her)*. L'allusion au théologien allemand, qui était en effet obèse, ressort clairement du contexte consacré au schisme et à l'hérésie, ainsi que du nom de son traité le *Brundecral* (cf. ce mot).

LYHANNH (*H*) : Hirondelle (traduction de Swift). L'auteur indiquant qu'il s'agit d'un oiseau beaucoup plus gros, mais sans préciser lequel, et le contexte parlant de la construction de nids, il se peut que le mot soit simplement un développement de l'anglais *to lay*, « pondre ».

MALDONADA (*La*) : Nom d'une ville, fabriqué analogiquement sur celui de *Lin-(da)-lin-(o)*. Les deux éléments adventices (*do* et *a*) sont pratiquement inchangés. Une fois écartés, ils laissent subsister (*M*)*alnad*. *Alnad* est la transcription, en « petit langage », de Arnagh, la capitale religieuse de l'Irlande. Le *M* permet un calembour avec le nom du théologien jésuite espagnol Maldonado,

MARSI FRELOCK (*Li*) : Nom propre (?). Le premier mot ressemble au français *merci* (cf. *Clefren*). Peut-être un remerciement pour la courtoisie de Gulliver (?).

MILDENDO (*Li*) : Composé du grec ἔνδον, « dedans », précédé du latin *mil*, combiné au chiffre romain D, qui représente cinq cents. La ville en effet « peut abriter cinq cent mille âmes ». C'est la capitale de Lilliput.

MUNODI (*La*) : Nom propre. Composé de deux mots latins *Mun(dus)* et *odi*, « Je hais le monde ». Ce nom s'applique fort bien à un personnage qui représenterait sir William Temple.

NARDAC (*Li*) : Le plus haut titre de noblesse à Lilliput (traduction de Swift). C'est l'anagramme du français *canard*, par jeu de mots entre le français *duc* et l'anglais *duck*.

NNUHNOII (*H*) : « Certain animal fort joli, à peu près de la taille d'un lapin, dont la peau est recouverte d'un fin duvet » (traduction de Swift). La description ressemble tellement à celle d'un chat, qu'on arrive à se demander si Swift n'a pas connu un chat domestique, répondant au nom de *Nuno*, dont il taquinerait le propriétaire en parlant de tailler un habit dans la peau de la bête.

PEPLOM SELAN (*Li*) : Prononcé à l'anglaise (pi-plom), le premier mot semble une synthèse, que le contexte autorise à faire, entre les deux mots français *pipi* et *pluie*. A rapprocher du nom du roi de Lilliput (cf. *Calin*). Le *m* final serait un accusatif burlesque, donnant à penser que le mot suivant est un verbe. Il doit s'agir d'un subjonctif, à rapprocher de *san* (cf. *langro*). Les trois lettres *sel* peuvent être un anagramme phonétique du français *laisser*. D'où l'ensemble : « laissez-le pisser. »

QUINBUS FLESTRIN (*Li*) : « L'Homme-Montagne » (traduction de Swift). Ce surnom semble inspiré par la « clause alimentaire » stipulée au dernier paragraphe du traité. Nous savons (p. 50) qu'une commission impériale réquisitionnait chaque jour six bœufs pour le repas de Gulliver. Or on retrouve ici les éléments suivants : latin *quin(que)*, « cinq » ; grec (βοῦς), « bœuf » ; anglais *fles(h)*, « viande » ; allemand *drin*, « dedans » (cf. *Fluft*) : « Il engouffre cinq bœufs comme part de viande. » Si le chiffre cinq a été préféré au chiffre six, c'est peut-être pour des raisons euphoniques (?).

RANFU-LO (*Li*) : « Couvre-milieu » (traduction de Swift), c'est-à-dire des culottes. On peut deviner le mot rabelaisien (*b*)*ran*, « excréments », l'anglais *full*, « plein de », suivi de *low*, « par en bas », que l'on retrouve dans *Drunlo* (cf. *supra*).

RELDRESAL (*Li*) : Nom propre. On y retrouve toutes les lettres des deux mots anglais *red seal*, « sceau rouge », surconsonantisés.

RELPLUM SCALCATH (*B*) : *Lusus naturae* (traduction latine de Swift). Le premier mot semble être la synthèse de l'anglais *play*, « jeu » (*lusus*) et du latin *rerum* qui s'emploie presque toujours joint à *natura*. Et le latin *calcat*, « il foule aux pieds », est transparent sous le deuxième mot, indiquant le mépris de la nature pour ses propres lois.

SKYRESH/SKYRIS BOLGOLAM (*Li*) : Nom propre. Le Grand
Amiral de Lilliput. Le deuxième mot est l'anagramme de
Malbolog, qui ressemble fort à *Marlborough* (étant admise
l'équivalence *l* = *r*). Le *h* final intermittent du mot précédent peut être un rappel de l'orthographe de ce nom. Quant
au mot *Skyr-es* lui-même, il semble n'être rien d'autre que
l'anglais *esquire*, « monsieur », légèrement transposé. Il est
insultant de donner ce titre à un duc.

SLAMECKSAN (*Li*) : Talon bas (traduction de Swift). Les deux
dernières syllabes semblent une contraction du mot *ecclé-
siam*, qui s'explique par le contexte ; celui-ci fait allusion
à la querelle de la Haute et de la Basse Église. La première
syllabe, qui a toutes les consonnes de *slim*, « mince », et de
slum, « misère », désigne la Basse Église, par opposition à
Tram (cf. *infra*).

SLARDRAL (*B*) : Huissier du Palais (traduction de Swift). On
retrouve dans la première syllabe le mot *slave*, « esclave »
(ou « serviteur »), et dans la deuxième le mot *drawer*, « celui
qui amène ».

SLUMSKUDASK (*La*) : Souvenir (traduction de Swift). Mais,
d'après le contexte, le mot signifie en réalité aumône. Il se
compose de deux mots anglais, *slim*, « menu », et *ask*, « demander ». Le tout signifie « demander une petite pièce ». Entre
les deux le mot hispano-portugais *escudo*, « pièce de monnaie ».

SNILPALL (*Li*) : Loyal (traduction de Swift). Titre de noblesse
inférieur, ne passant pas aux descendants, l'équivalent du
knight anglais. La dernière syllabe paraît empruntée au
français *paladin*, et la première rappelle anagrammatique-
ment *slim*, employé ailleurs pour signifier « inférieur »,
« pauvre ». L'ensemble désignerait par conséquent le dernier
degré de l'échelle nobiliaire.

SPLACKNUCK (*B*) : Nom d'un animal de la grosseur de Grildrig.
Une légère métathèse nous donne *pluck-snach*. Ce deuxième
élément est consonantiquement semblable à l'anglais *snake*,
« serpent ». La première syllabe a toutes les consonnes de
l'anglo-latin *plic-a*, le « pli d'une membrane ». L'ensemble
évoque donc un petit reptile plissé

SPRUG (*Li*) : Monnaie d'or de Lilliput. Notons que le mot *prug*
est le premier du texte lanternois de Rabelais

STRULDBRUGG (*La*) : Immortel (traduction de Swift). Le mot semble comporter deux *r* et un *l* de saupoudrage. Ceux-ci écartés, il reste deux syllabes ayant les consonnes de *stood* et de *beg*, « demeurer immobile » et « mendier ».

TOLGO PHONAC (*Li*) : On reconnaît dans le premier mot la racine latine *tolle*, « enlevez » — suivie de la syllabe *go* qui peut être anglaise. Le deuxième mot paraît composé de deux éléments grecs, φον-, idée de meurtre, et ἀκ- (latin *acutus*), idée d'arme tranchante. L'ensemble peut donc signifier : « Allons, tuons-le! »

TRALDRAGDUBB (*La*) : Capitale de Luggnagg, dont le nom, sous ses deux formes (cf. *Trildrogdrib*), est intéressant du point de vue linguistique, car il prouve bien le peu d'importance des voyelles et l'emploi du *r* de saupoudrage (*dub* = *drib*). *Dub* vient de l'anglais *rub a dub dub*, « tra la la », et *Tral-* doit venir directement du français *tra la la*. Le mot n'est qu'une « inanité sonore ». Quant à *drog*, c'est peut-être, surconsonantisé, le mot *dog* « chien », pris sans intention déterminée, pour compléter un ensemble vide de sens.

TRAMECKSAN (*Li*) : Talons hauts (traduction de Swift). Pour les deux dernières syllabes, cf. *Slamecksan*. La syllabe *Tram* reprend le latin *trans* dans le sens de « supérieur » que le mot a gardé dans le français *très*.

TRIBNIA (*La*) : La Grande-Bretagne. Anagramme de *Britain*.

TRILDROGDRIB (*La*) : Variante indiquée par Swift de *Traldrag-dubb* (cf. ce mot).

UNTUH (*La*) : On peut voir dans ce mot une variante de l'anglais *untug*, « inamovible », étant admise l'équivalence *g* = *h* (lilliputien *dehul/degul*) ; et en tenant compte du sens que Swift donne de « gouverneur ».

WHNAHOLM (*H*) : Enfant (traduction possible de Swift). La première syllabe rappelle assez bien l'onomatopée *waw*, l'équivalent de notre « ouin ».

YAHOO (*H*) : Le mot clé du symbole swiftien. Nous y voyons le pronom personnel de la première personne en italien ou en espagnol, *Io* ou *yo*, plus le *h* du hennissement chevalin. Désignerait donc le « moi haïssable », *the odious yahoo*.

YLNHNIAMSHY (*H*) : Aborigène (traduction de Swift)

YNHOLMHNMROHLNW (*H*) : Maison (traduction de Swift). Dans
la première partie du mot, on peut retrouver la racine *home*,
« maison ». Dans la deuxième partie nous voyons l'anglais
row, « alignement » ; les Houyhnhnms construisaient leurs
maisons à l'aide de piquets plantés en terre.

YNLHMNDWIHLMA (*H*) : Le mauvais temps (traduction possible
de Swift). Sous l'amas des sons chevalins, on peut reconnaître les deux mots anglais *ill wind*, « mauvais vent ».

NOTES

Page 34.

1. Leyde possédait depuis le XVIIe siècle une université et une école de médecine de réputation européenne.

2. La rue aux Juifs, l'un des quartiers réservés, depuis le temps de Cromwell, à la colonie juive de Londres, qui y avait une synagogue.

Page 35.

1. Faubourg est de Londres, sur la Tamise.

2. L'un des noms les plus usuels donnés à l'océan Pacifique au XVIIIe siècle.

3. La Tasmanie.

Page 37.

1. Pour tous les mots d'une langue imaginaire (en italique) comme pour les noms propres de *Gulliver*, cf. Glossaire, p. 398.

Page 46.

1. Nous avons ici le premier exemple frappant de l'importance que les fonctions digestives prennent dans l'œuvre de Swift, qui approche de la soixantaine. Il faut rapprocher ce passage, dont le ton est encore assez discret, de certains paragraphes des *Scandales de Dublin* ou de l'*Apologie du Doyen*, qui est un véritable hymne à la matière fécale, pour comprendre comment l'obsession se fera de plus en plus maladive et finira par être un signe évident de la folie où a sombré le Doyen.

Page 48.

1. Ce trait, qui est purement conventionnel, prouve que Swift quand il écrivait le début de l'histoire de Lilliput (les deux premiers chapitres datent probablement de 1714), n'avait pas d'intentions satiriques contre les hommes politiques de son pays. C'est seulement à partir des chapitres suivants qu'il multiplie les fausses clefs, permettant d'identifier ses personnages imaginaires avec les personnalités marquantes de la vie politique contemporaine. C'est ainsi que l'empereur de Lilliput peut être assimilé au roi George Ier, dont la lèvre en réalité n'avait rien d'autrichien, et dont le nez long et droit ne pouvait être appelé aquilin.

2. Sorte de sabir à base de français utilisé aux Échelles du Levant.

Page 50.

1. Le surnom lilliputien de Gulliver, *Quinbus Flestrin*, vient de là (cf. Glossaire).

Page 56.

1. Il semble que, dans toutes ces descriptions, Swift ait été influencé par la théorie de la vision de Berkeley et se soit attaché à présenter un ensemble cohérent et conforme aux lois de la psychologie : les notions de taille, de grandeur et de petitesse ne sont pas innées en nous, mais simplement le résultat d'habitudes et d'états d'esprit commandés par nos organes sensoriels.

Page 58.

1. Les contemporains de Swift ont vu dans le personnage du trésorier une caricature de Robert Walpole. Ce talent de danseur sur corde raide, en particulier, est un symbole de la dextérité montrée par Walpole au milieu des intrigues parlementaires.

2. Jeu de mots intraduisible en français. Le mot *summerset* existe comme variante orthographique de *summersault*, qui vient du vieux français *soubresaut* et désigne notre « saut périlleux ». Mais il est homonyme du nom de *Somerset* : le duc et la duchesse de Somerset étaient à la tête du parti whig. La duchesse était la favorite de la reine, et l'ennemie personnelle de Swift.

3. L'hypothèse la plus courante est de voir en lui lord Carteret.

4. Allusion à la première chute que fit Walpole en 1717, lorsqu'il refusa de suivre la politique belliciste de Stanhope. Le coussin du roi symboliserait la duchesse de Kendall, à l'influence de laquelle Walpole dut de rentrer en grâce.

5. Ces trois fils de soie représentent les trois ordres les plus cotés de l'Angleterre. Le bleu, c'est le ruban de la Jarretière, fondé au XIVe siècle, par Édouard III. — Le vert, c'est celui du Chardon, un vieil ordre écossais, remis en honneur en 1687 par Jacques II. Quant au ruban rouge, il représente précisément la décoration que Walpole était en train de ressusciter à l'époque, celle de l'ordre du Bain.

Page 62.

1. L'étude philologique du nom même de Bolgolam, le fait qu'il s'agisse d'une anagramme fort reconnaissable de *Malbolog* (graphie à peine déguisée de *Marlborough*) nous autorisent à voir, dans ce militaire acharné contre le héros de l'histoire, le fameux chef anglais. Les démêlés de Swift avec ce grand champion des whigs et avec sa femme expliquent son désir de le caricaturer.

Page 63.

1. Swift connaissait la traduction française des *Mille et Une Nuits* que Galland avait donnée en 1708. L'ouvrage avait eu immédiatement de très nombreux imitateurs.

Page 64.

1. Le royaume rival de Lilliput est, par de très nombreux traits, celui de la France louis-quatorzième. La crainte d'un débarquement de la flotte française n'avait jamais cessé, à l'époque, de hanter les esprits anglais. Toutes les leçons de stratégie que Swift donne dans *La Conduite des Alliés* sont essentiellement navales. Il est à noter que c'est un amiral qu'il place à la tête des forces lilliputiennes.

Page 65.

1. Le cube de 12. Voir note 2, p. 151.

Page 66.

1. D'où le nom de Mildendo. Voir Glossaire.

Page 68.

1. Cette attitude amicale du personnage lilliputien est un
argument de plus en faveur de l'identification du Principal
Secrétaire des Affaires privées de Lilliput avec lord Carteret,
qui fut le protecteur de Swift en Irlande.

2. Cette indication, si l'on admet que ce passage a été écrit
vers les années 1720 ou 1721, nous ramènerait à la période de
la mort de la reine Anne (1714) et de l'arrivée au pouvoir des
whigs, appuyés par le roi hanovrien George Ier.

Page 69.

1. Allusion fort claire, même par le vocabulaire (cf. Glossaire), à la division de l'Église anglicane en Haute Église et
Basse Église. Cette division se retrouve sur le plan politique :
le parti tory, favorisant la première, et les whigs, la seconde.
Swift, dans ses autres écrits, emploie indifféremment les termes
religieux et le terme politique pour désigner la même entité.

2. George Ier eut toujours une préférence marquée pour
les whigs et les garda au pouvoir pendant toute la durée de
son règne.

3. L'héritier de la Couronne d'Angleterre, celui qui allait
être bientôt le roi George II (1727-1760), vivait plutôt en
mauvais termes avec son père, et donnait l'impression d'être
un ami des tories, qui mettaient toute leur confiance en lui.
Leurs espoirs d'ailleurs furent déçus, car George II sous
l'influence de sa femme Caroline « oublia les promesses du
prince de Galles » et garda les whigs au pouvoir (Walpole garda
la charge des affaires jusqu'en 1742).

4. Le scepticisme des Lilliputiens quant à l'existence d'êtres
différents d'eux-mêmes n'est pas un trait original, mais se
retrouve dans tous les récits de voyages imaginaires.

Page 70.

1. Il est traditionnel de voir dans les Gros-Boutiens les
catholiques et dans les Petits-Boutiens les protestants. Mais
l'histoire, telle qu'elle est racontée ici, n'est qu'un rappel
assez lointain des luttes religieuses qui se déroulèrent entre
Anglais, et aussi entre la France et l'Angleterre. Swift en
tout cas prend soin de ne pas préciser si ce furent des empereurs ou non qui perdirent l'un la vie, l'autre le trône dans
les guerres civiles lilliputiennes. Car, justement, les deux rois

d'Angleterre à qui il semble faire allusion se voyaient reprocher leur conservatisme religieux. Le premier, Charles Ier, s'opposait aux dissidents presbytériens, et le second, Jacques II, était catholique.

2. Nous retrouvons ici un problème qui a toujours préoccupé Swift : celui du départ des Irlandais catholiques pour les armées du Prétendant. On y trouve de nombreuses allusions dans les tracts politiques, en particulier dans la *Modeste Proposition*.

3. Ce nouveau détail, joint aux idées exprimées dans tout le paragraphe, prouve que l'assimilation pure et simple des Gros-Boutiens aux catholiques et des Petits-Boutiens aux protestants a besoin d'être nuancée. Car si tous les catholiques étaient tenus éloignés des fonctions publiques depuis le *Test Act* (sous le règne de Charles II), 1673, il existait aussi depuis 1711 le « *bill* contre le conformisme occasionnel » qui frappait du même interdit les protestants non conformistes.

Page 71.

1. Si l'on donne à *lune* le sens de mois, il s'agit d'une guerre de trois ans. Mais l'expression « trente-six lunes » est peut-être tout simplement synonyme de : « une éternité ».

Page 74.

1. Il ne s'agit plus ici des guerres franco-anglaises, mais peut-être de la conquête de l'Irlande par Henri VIII.

Page 76.

1. Swift mêle dans cet épisode des traits pris à sa propre carrière politique et des traits pris à la carrière de son ami Bolingbroke.

Page 78.

1. Ce passage semble tiré de *Gargantua*.

Page 79.

1. Une autre idée que Swift emprunte à la philosophie de Berkeley : l'esprit et la matière restent en dépendance étroite dans un monde donné. Si le divertissement philosophique consiste à introduire dans un système un élément qui, lui, est

aberrant — ici Gulliver —, le monde lui-même n'en reste pas moins conforme à la représentation des êtres conscients qui le peuplent.

Page 80.

1. Nous n'avons pas classé ce mot dans le glossaire, bien qu'il soit de l'invention de Swift, mais l'auteur ne le présente pas comme faisant partie d'une langue imaginaire. Il doit être fabriqué sur l'espagnol *Cascajo*, employé souvent comme euphémisme pour désigner l'organe génital.

2. Allusion à un contresens fréquent sur un verset de la Bible (Isaïe, XXIV, 1).

Page 82.

1. En réalité, les *Voyages* n'ont pas de schéma cohérent, et Swift y traite coup sur coup, sans se préoccuper de logique, le genre satirique, puis le genre utopique. Dès le chapitre VII, il revient au genre satirique.

Page 83.

1. Aucune allusion historique précise. Nous sommes en pleine fiction.

2. Réminiscence, assez vague, semble-t-il, des textes grecs parlant de l'éducation des Perses.

Page 85.

1. Une des idées favorites de Swift, qui reviendra encore dans *Gulliver*, lors de la description de la société des Houyhnhnms (cf. p. 336). Il ne se contentait pas d'exposer ses vues sur l'éducation des femmes de façon théorique et abstraite. Il a consacré une grande partie de sa vie à former des intelligences féminines : Stella, Vanessa, et lady Acheson furent ses disciples et même beaucoup plus que cela.

Page 86.

1. Un des leitmotive de l'œuvre de Swift : les dangers de la surpopulation. Ce thème fait l'objet de la plupart des *Tracts Irlandais*. Les rues de Dublin, au XVIIIe siècle, étaient encombrées de mendiants.

2. Deuxième leitmotiv de l'œuvre swiftienne : l'excellence de l'institution hospitalière. Il laissera toute sa fortune à l'hôpital psychiatrique de Dublin.

Page 90.

1. Aucune « clef » ne s'applique réellement à cette histoire de femmes. C'est une simple parodie des ragots de la Cour.

Page 93.

1. Ce point de l'accusation est en réalité une défense de Bolingbroke, qui, selon Swift et ses amis tories, n'aurait rien eu d'autre à se reprocher que son amabilité pour le duc d'Aumont, ambassadeur de Louis XIV. En réalité, les diplomates français intriguaient à Londres contre les Hanovriens et pour les Stuarts. Bolingbroke s'enfuit finalement en France pour rejoindre le prétendant.

Page 97.

1. Allusion fort claire à la proclamation faite par George Ier en 1714, et suivie en avril 1715 par le « Riot Act » ou lois sur l'ordre public, assimilant à la félonie tout désordre dans les rues, ce qui permit de réprimer férocement les mouvements antihanovriens de 1715.

Page 101.

1. Dans tous ses ouvrages politiques, quand Swift dit « la Cour », cela signifie « le gouvernement ».

Page 105.

1. Dans les faubourgs de Londres, près de Greenwich.

2. A mi-chemin entre Douvres et Ramsgate. Son mouillage dispensait les navires de la périlleuse entrée dans la Tamise.

Page 106.

1. Swift a écrit plusieurs tracts sur l'organisation paroissiale de la charité. Comme Doyen de St Patrick's à Dublin, il était mêlé directement à ces problèmes.

Deuxième partie

VOYAGE A BROBDINGNAG

Page 113.

1. Tout ce paragraphe depuis *Prévoyant que le vent allait fraîchir...* est un emprunt de Swift au *Compleat Mariner* de

Sturmy, paru en 1669. Nous reprenons pour ce passage la traduction de Robert Merle (E. F. R., 1959).

2. Lapsus de Swift : il met « nord-ouest » au lieu de « nord-est » (le Pacifique est à l'est de la Sibérie, qu'il appelle Grande Tartarie).

Page 115.

1. Une note de sentimentalité, qui tranche avec tout ce qu'il y a de sec dans la conception swiftienne des relations de famille. Il est permis de deviner là-dessous une intention de parodier les ouvrages pleurnichards dont le XVIIIe siècle était friand.

Page 116.

1. Cette réflexion de Gulliver n'aura pas de suite dans le récit. Au contraire, Swift va suivre bientôt l'idée rabelaisienne du bon géant, rôle que Gulliver assumait à Lilliput et qu'il troquera tout naturellement à Brobdingnag pour celui d' « odieuse petite vermine ».

2. Nous retrouvons ici un écho de la philosophie de Berkeley et de la doctrine de la relativité à laquelle les récentes et célèbres découvertes de Newton et de Hooker avaient ouvert les esprits.

Page 122.

1. Tout ce passage et le paragraphe qui le suit fournissent à Swift un cadre commode pour exposer une de ses idées philosophiques qui lui sont le plus chères : celle de la nécessité où nous sommes d'être trompés par nos sens pour percevoir quelque chose de beau dans l'univers. Cette conception fort pessimiste de l'esthétique a fait l'objet d'un exposé sur le ton humoristique dans le *Conte du Tonneau,* au chapitre de la « Digression sur la Folie ».

Page 129.

1. Petite ville du Hertfordshire, située a quelques milles au nord-ouest de Londres.

Page 132.

1. L'atlas de Sanson était un gros in-folio fort répandu au temps de Swift.

Page 133.

1. Pièce portugaise (dont le nom est la contraction ae *moeda de ouro*, « monnaie d'or »), supérieure en poids à la guinée britannique. Elle valait exactement vingt-sept shillings.

Page 135.

1. Swift semble admettre qu'il n'existe qu'un seul style ae Cour, employant les mêmes formules ampoulées, ce qui n'est pas sans quelque contradiction avec sa thèse du géant simple et débonnaire dont le roi de Brobdingnag va être le prototype.

2. William Temple avait pour épouse une femme au caractère très enjoué, lady Betty ; le couple a sans doute servi de modèle pour le roi et la reine des géants.

Page 136.

1. Le terme « insecte » était utilisé au XVIIIᵉ siècle dans un sens beaucoup plus vaste que de nos jours. Il faut attendre les classifications lamarckiennes pour distinguer parmi les invertébrés, les crustacés et les mollusques, par exemple, des insectes proprement dits.

2. Nous traduisons par « expert » le mot *virtuose* qui était celui qu'employaient pour se désigner eux-mêmes les membres de la *Philosophical Society* de Dublin, dont Swift fera une satire virulente au troisième livre (cf. n. 1, p. 228). Le mot, qui avait paru dans l'édition de Motte en 1726, fut supprimé dans l'édition irlandaise de Faulkner, Dublin, 1735.

Page 137.

1. L'origine de l'agressivité de Swift contre l'aristotélisme remonte à ses années de Trinity College, à Dublin, pendant lesquelles il s'était montré absolument réfractaire à la logique. Le personnage même d'Aristote est caricaturé lors de l'évocation des spectres dans l'île de Glubbdubdrib (III, p. 248).

2. Même au pays des bons géants les pédants sont exactement aussi ridicules qu'à Lagado.

Page 144.

1. C'est dans les murs de ce collège qu'avaient pris l'habitude de se réunir, aux environs de 1645, un groupe d'hommes qui s'intéressaient aux sciences naturelles et qu'on appelait d'abord le « Collège invisible », puis les « Virtuosi ». Ils devinrent, en 1663, la *Royal Society*. Celle-ci se trouvant être la société

mère de la *Philosophical Society* de Dublin, que Swift ridiculise
au livre III, on comprend que l'allusion faite ici à Gresham
College répond à une intention précise.

Page 148.

1. Le clocher de Salisbury ayant cent vingt-deux mètres
de haut (quatre cent quatre pieds), le temple brobdingnagien
doit atteindre mille cinq cent quinze mètres de haut pour lui
être comparable, toutes proportions gardées.

Page 151.

1. C'est là que Swift fait preuve de plus d'originalité dans
sa façon de traiter le thème du pays des géants. Contrairement
à ce qu'avaient imaginé tous les autres auteurs de *Voyages
Imaginaires* les phénomènes naturels participent au gigan-
tisme des hommes, des plantes et des animaux. Swift se rend
compte du caractère exorbitant de la nouveauté qu'il introduit dans son genre littéraire, et s'en excuse dans la phrase
suivante.

2. 1 800 est un chiffre approximatif, mais obtenu métho-
diquement : le cube de 12 est en effet 1728, chiffre donné, en
proportion renversée, pour l'estomac des Lilliputiens, par les
deux premières éditions des *Voyages* (voir p. 65).

Page 158.

1. La comparaison de l'homme avec les différents animaux,
qui s'épanouira au IVe livre avec la présentation des Yahoos,
occupe une large place dans l'œuvre de Swift, mais ici ne
fait l'objet que d'une simple réflexion humoristique.

2. Une lettre de Vanessa à Swift (probablement de juin 1722)
décrit ainsi une réception chez une grande dame : « Leurs
manières et leurs attitudes étaient exactement celles des
babouins et des singes. Ils grimaçaient et caquetaient tous
ensemble sur des sujets qui m'échappaient... » Par cette
allusion à un texte précis des *Voyages*, Vanessa nous apparaît,
quatre ans avant la publication de l'ouvrage, comme la confi-
dente privilégiée de la création gullivérienne.

Page 160.

1. Cette réflexion n'a pratiquement pas d'équivalent dans
les trois autres *Voyages*. Swift tient à nous exposer sa croyance

en un nanisme moral, intellectuel et social, qui fait de « l'odieuse petite vermine humaine » un être non moins ridicule que méprisable. C'est une transposition sur le plan moral de la théorie de la relativité, que nous avons vu se développer sur le plan psychologique et esthétique.

Page 164.

1. Le roi des Géants est censé n'avoir jamais quitté sa pres·qu'île.

Page 165.

1. Sur la véritable opinion de Swift en matière de lignage, voir la III⁰ partie, chapitre VIII, page 249 sq.

2. Propos ironiques, à mettre en parallèle avec les notes très brèves que Swift a ajoutées aux *Portraits de personnages de la Cour de la Reine Anne*, de Macky (1733).

3. Malgré plusieurs tentatives, et malgré l'appui d'amis puissants, Swift n'a jamais pu être nommé évêque. La raison de cet échec, disait-on, était la réputation d'impiété que lui avait value le *Conte du Tonneau*. En réalité, il s'agissait plutôt d'un empêchement canonique dû à sa naissance illégitime, dont les archives ecclésiastiques conservaient sans doute la preuve.

Page 166.

1. Dans les *Quatre Dernières Années du Règne de la Reine Anne*, Swift ne se montre pas trop agressif envers la Chambre des Communes, en raison de la majorité tory que l'on y trouvait alors. Mais dans *La Conduite des Alliés*, il donne plusieurs exemples de manœuvres parlementaires scandaleuses.

2. La satire des hommes de loi sera développée plus loin, dans les conversations avec le seigneur Houyhnhnm.

3. Allusion ironique aux désastreuses mesures financières prises par le gouvernement Godolphin pendant la guerre de Succession d'Espagne (1707-1710), et impitoyablement attaquées par Swift dans *La Conduite des Alliés*.

4. La Reine Anne avait en 1712 fait un véritable coup d'État en créant douze pairs tories à la fois, qui devaient assurer, à la Chambre des Lords, une majorité pour la politique de paix préconisée par Harley (nommé lui-même comte d'Oxford).

Page 168.

1. Juridiction spéciale, créée sous le règne d'Édouard III, et destinée à statuer dans les cas non prévus par le droit coutumier. La procédure y était d'une lenteur proverbiale.

2. Allusion aux budgets de Godolphin (1707-1710).

Page 169.

1. Allusion transparente à Marlborough, qui avait amassé une énorme fortune pendant la guerre de Succession d'Espagne.

2. L'antimilitarisme de Swift n'est pas seulement un des aspects de son pacifisme, il est aussi la protestation d'un citoyen dublinois contre la soldatesque anglaise.

Page 172.

1. La citation est faite de mémoire et la réminiscence n'est pas très exacte. Denys d'Halicarnasse reprochait à ses compatriotes grecs d'avoir, par orgueil national, sous-estimé la puissance de Rome.

Page 175.

1. Il est clair que Swift pense beaucoup plus à l'Irlande qu'à l'Angleterre quand il se pose le problème du bien-être des peuples.

2. L'anti-intellectualisme de Swift se donnera libre cours au livre suivant, dans la satire des philosophes et des mathématiciens de Lagado. Ceux-ci, à l'opposé des géants de Brobdingnag, sont extrêmement forts en mathématiques pures, mais incapables de bâtir une maison.

Page 178.

1. La première tentative pour instituer en Angleterre le vote secret eut lieu en 1705.

Troisième partie

VOYAGE A LAPUTA, BALNIBARBI GLUBBDUBDRIB, LUGGNAGG ET AU JAPON

Page 195.

1. Nous publions le titre dans l'ordre que donnent le manuscrit et l'édition originale de 1726. Mais cet ordre n'est pas

suivi par Swift lui-même dans le cours de son récit, puisque nous trouvons le voyage à Luggnagg aux chapitres IX et X, tandis que les évocations des morts de Glubbdubdrib se situent aux chapitres VII et VIII.

Page 198.

1. Poste militaire établi en 1640 par Francis Day, de la Compagnie des Indes orientales, et autour duquel s'est développée la ville de Madras.

Page 199.

1. Ce rappel de l'alliance anglo-hollandaise est ironique. C'est Swift qui, en 1711, comme pamphlétaire du parti tory, avait le mieux travaillé à la rompre.

2. Le terme est espagnol (ou portugais). De fait, historiquement, ce sont des missionnaires venus de la péninsule qui établirent les premiers contacts entre l'Occident et les mers d'Extrême-Orient.

Page 201.

1. Tout ce passage est un pastiche de *Robinson Crusoé*.

Page 202.

1. L'idée d' « île volante » ou « flottante » est prise à Homère (*Oayssée*, chant X, v. 3-4). Le même chant X de l'*Odyssée* va fournir à Swift le thème de la nécromancie.

Page 203.

1. Ce détail bizarre est allégorique, et contient une des clefs du mythe. Il convient de le rapprocher du portrait de la Déesse Critique dans *La Bataille des Livres* : « Ses yeux étaient retournés en arrière, comme si elle se regardait elle-même. »

Page 204.

1. Cette description de l'éternel distrait réutilise les excentricités commises par Jack, l'un des trois frères du *Conte du Tonneau*.

Page 205.

1. Ce trait semble avoir été inspiré par une anecdote fort connue que l'on raconte sur Newton dont la distraction était proverbiale.

Page 207.

1. Toute cette démonstration étymologique est bouffonne. C'est une parodie des savantes dissertations que faisait un grammairien comme Bentley, le héros de *La Bataille des Livres*.

2. Ce passage sert de contrepartie à ceux de *Lilliput*, où il est question de l'habillement de Gulliver (cf. p. 86-87). Les Lilliputiens eux aussi étaient mathématiciens, mais ils ne se trompaient pas dans leurs formules et habillèrent parfaitement le héros de l'histoire.

Page 208.

1. La « musique des sphères célestes » est le symbole de l'illuminisme des sectes dissidentes, dont Swift, doyen anglican, se moque tout au long de son œuvre.

Page 209.

1. Ce passage sert de contrepartie à celui qui décrit les bons géants de Brobdingnag, incapables de connaissances scientifiques qui ne soient pas appliquées (cf. p. 175). Nous avons vu le même effet utilisé à propos des tailleurs, mais il s'agissait de Lilliput.

2. Mot à mot : l'astronomie judiciaire, c'est-à-dire l'étude des influences astrales sur les destinées. La distinction ne se faisait pas encore nettement à l'époque de Swift, entre un astrologue et un astronome.

3. Allusion claire à l'intervention intempestive de Newton dans l'affaire des « demi-penny » de Wood.

Page 212.

1. Comparer avec la violente attaque contre les lignages à l'occasion de la nécromancie de Glubbdubdrib (p. 249).

Page 213.

1. L'île flottante d'Homère était l'Éolie, le royaume des Vents.

Page 216.

1. Swift, ici, se souvient des conversations qu'il avait eues au Scriblerus Club avec ses amis Arbuthnot, Parnell, Gay, Pope, en 1713-1714.

Page 217.

1. Swift s'est amusé à faire le calcul : le cube de cinq,

soit cent vingt-cinq, divisé par le cube de trois, soit vingt-sept, donne 4,6296. Et le carré de vingt et un et demi divisé par cent, carré de dix, donne 4,6225. C'est donc avec beaucoup de bonne foi qu'il précise : « Ils sont, à très peu de chose près, proportionnels. » La loi de la gravitation qu'il énonce est la troisième Loi de Kepler (1618) : *Les carrés des temps des révolutions planétaires sont proportionnels aux cubes des grands axes de leurs orbites.*

2. Le chiffre avancé est probablement choisi pour son énormité, mais s'il pouvait faire rire à ce titre les contemporains de Swift, qui n'avaient entendu parler que de la comète de Halley, il semble à notre époque très modeste.

3. A l'époque où Swift écrivait *Gulliver*, l'hypothèse de Newton, selon laquelle les comètes étaient des astéroïdes soumis aux mêmes lois d'attraction que les autres corps célestes, n'était pas encore confirmée. Les calculs de Halley établissant la périodicité (soixante-quinze ans) de la comète qui porte son nom ne devaient être vérifiés que le 12 mars 1759.

4. Nous voilà revenus à l'allégorie : Laputa représentant l'Angleterre et Balnibarbi l'Irlande. L'allusion est claire à la politique anglaise qui empêche l'île de profiter « des bienfaits que Dieu et la Nature lui ont octroyés ».

5. Allusion aux différentes répressions de révoltes irlandaises où des comtés entiers furent vidés de leur population, pour être repeuplés ensuite de colons anglais et protestants.

Page 218.

1. Tout l'épisode qui suit a été omis des éditions de *Gulliver* jusqu'à l'époque contemporaine. On n'en conservait qu'un feuillet manuscrit, glissé dans l'exemplaire de Ford, et se trouvant actuellement au « Victoria and Albert Museum » à Londres. La raison pour laquelle les éditeurs contemporains de Swift ont hésité à publier ce texte est évidente. Il est une relation, d'un ton agressif, de l'affaire des « demi-penny » de Wood et de la reculade finale du gouvernement de Londres devant l'attitude résolue du peuple irlandais dirigé par Swift.

2. Peut-être un symbole des quatre principaux piliers de la résistance irlandaise à l'escroquerie des « demi-penny » de Wood, à savoir : le Parlement irlandais, le Chancelier, l'arche-

vêque de Dublin et le Conseil privé dont Swift évoque constamment l'autorité, au long de ses pamphlets.

Page 219.

1. Symbole des *Lettres du Drapier* et autres pamphlets anti-woodiens.

2. Notons que la ville de Dublin est précisément bâtie sur une grosse rivière, la Liffey. Son nom transparaît sous celui de *Lindalino*.

Page 220.

1. Allusion aux différents procès intentés par le juge Whitshed, dans l'affaire de Wood, et qui chaque fois tournèrent à la confusion de l'administration.

Page 221.

1. Il y a un accent autobiographique dans cette phrase, surtout pour qui admet que Laputa est l'Angleterre et Balnibarbi l'Irlande. En 1714, à la mort de la Reine Anne, Swift prit la résolution de se fixer définitivement dans son île natale et de renoncer à la carrière politique.

Page 223.

1. D'après l'étymologie du mot (voir Glossaire), ce Lagadien paisible et éclairé serait William Temple. Swift avait gardé toute sa vie un souvenir dominant de cette personnalité, qui avait modelé son esprit adolescent pendant les années de Moor Park.

2. Il y a chez Swift comme une obsession des foules misérables qui se pressaient dans les rues de Dublin.

Page 224.

1. Les indications géographiques apportent un argument nouveau à l'hypothèse qui identifie Munodi avec William Temple. Lorsqu'il était en effet au service de l'homme d'État, le jeune Jonathan résidait avec lui tantôt à Londres, tantôt à la campagne, et le voyage en voiture d'un point à l'autre était comparable en durée à celui que Gulliver fait en compagnie de son hôte lagadien.

Page 225.

1. La description de la propriété habitée par Munodi à la campagne a l'air d'être mot pour mot celle de Moor Park.

2. Si les planificateurs qui ont réduit l'île à la misère ont commencé leurs travaux une quarantaine d'années avant la rédaction de *Gulliver*, cela nous reporte aux environs de 1685. Or, c'est exactement en 1683 que s'est fondée la *Philosophical Society* de Dublin.

3. Allusion au fait que la *Philosophical Society* de Dublin est une filiale de la *Royal Society* anglaise.

Page 226.

1. Pain et vêtements, mots qui reviennent constamment accouplés dans les tracts écrits par Swift pour la défense de l'Irlande.

Page 227.

1. Deux données géographiques qui aident à identifier la propriété de Munodi avec Moor Park.

Page 228.

1. Les savants dont Swift se moque sont à rechercher parmi ces « virtuoses » dublinois dont l'Administration suivait les idées, et qui sont responsables de la ruine matérielle et morale du peuple irlandais. L'un des fondateurs de la *Philosophical Society* avait été Bartholomew Vanhomrigh, le père de Vanessa.

2. Allusion à certaines expériences de Robert Boyle, un des grands hommes de la *Philosophical Society* et un des piliers du protestantisme en Irlande.

Page 229.

1. Nouvelle allusion à Robert Boyle qui proposait d'extraire le phosphore des urines. Mais l'on sait l'étrange intérêt que Swift porte à la matière fécale, et qui explique la transposition.

2. Allusion à Boyle et à Molyneux, auteurs de plusieurs communications à propos d'expériences faites sur la glace et la poudre.

Page 230.

1. L'idée est tirée des *Aventures de Jacques Sadeur* de Gabriel de Foigny, un livre de *Voyages Imaginaires* qui se trouvait dans la bibliothèque de Swift.

Page 231.

1. C'est William Molyneux, membre de la *Philosophical Society*, qui est visé dans ce paragraphe.

2. Le même William Molyneux avait fait des expériences sur la respiration artificielle, à l'aide d'un soufflet et d'un tube passé dans la trachée artère du sujet, et il avait fait des observations sur ses résultats.

Page 232.

1. Il doit s'agir de Robert Boyle, qui était la personnalité la plus marquante du groupe des « virtuoses ».

2. Allusion aux travaux de Boyle sur l'élasticité de l'air.

3. Allusion aux nombreuses communications de Boyle sur les carrières de marbre d'Irlande.

4. La satire devient politique et vise l'interdiction faite à l'Irlande d'exporter ses tissus de laine.

Page 236.

1. Il y a sans doute là-dessous une allusion comique au dogme catholique de la valeur *ex opere operato* du sacrement de l'eucharistie.

Page 238.

1. Tout ce passage de médecine burlesque, où se sent incontestablement l'influence d'Arbuthnot, est une réminiscence des joyeuses plaisanteries des compagnons du Scriblerus Club.

Page 241.

1. Cf. n. 1, p. 46.

2. Ces deux mots figurent au Glossaire, bien qu'on ne puisse parler à leur sujet de « langue imaginaire ». Ils sont tout simplement les anagrammes de *Britain* et de *England*.

Page 242.

1. Il y a là une allusion à la condamnation pour haute trahison, en 1722, de Francis Atterbury, évêque de Rochester, dépouillé de sa dignité ecclésiastique et exilé en France.

Page 243.

1. Comparer avec la situation géographique attribuée au Royaume des géants (p. 144).

Page 245.

1. Les légendes celtiques sont pleines d'histoires de revenants et l'allusion à la langue de *Balnibarbi* prouve qu'on reste dans le domaine gaélique.

Page 246.

1. Alexandre le Grand est l'un des personnages rencontrés par Épistémon, au chapitre xxx du Second Livre de Rabelais.

2. Également cité par Épistémon, parmi les personnalités rencontrées en Enfer, où il tenait l'emploi de « cocquassier », c'est-à-dire de casseur d'œufs.

3. On a cru en effet très longtemps, à la suite d'une mauvaise lecture des *Annales* de Tite-Live, qu'Annibal avait élargi un défilé en dissolvant les roches calcaires dans du vinaigre. Les éditeurs modernes ont rétabli la lecture *acuto*, à « coups de pic », au lieu de *aceto*, « avec du vinaigre ». Swift a deviné juste.

Page 247.

1. L'admiration que Swift manifeste pour le martyr de la résistance catholique au schisme d'Henri VIII est assez extraordinaire si l'on songe que les professions de foi anglicanes avaient abondé dans son œuvre. Mais en vieillissant, il devient avant tout un homme du xviiie siècle, ennemi de tout fanatisme.

Page 248.

1. Le portrait est allégorique, et l'anglais « hollow » que nous avons dû traduire par « caverneuse », car il s'applique à la voix, signifie aussi « creux », et il s'applique à la doctrine.

2. L'idée de confronter Homère avec ses commentateurs est de Lucien (*Dialogue des Morts*).

3. La colère d'Aristote contre Duns Scot fournit une des clefs du quatrième Livre de *Gulliver*, le mythe des *Houyhnhnms* et des *Yahoos*.

Page 249.

1. Les deux mathématiciens sont des héros modernes dans *La Bataille des Livres*.

2. Swift, assez mal à l'aise dans les questions scientifiques, n'attribue pas plus de valeur déductive aux conclusions de Newton qu'à celles de Descartes, dont il rejette la cosmologie pour des raisons surtout théologiques, la théorie des tourbillons semblant nier la notion même de Providence.

3. L'agressivité de Swift contre Newton s'explique par des raisons surtout politiques.

Page 254.

1. Allusion à Marlborough.

Page 257.

1. Quelle que soit la Cour où se rend Gulliver, le style officiel est oriental : nous trouvons le même pastiche des *Mille et Une Nuits* que dans le Protocole de Lilliput (p. 63) et dans le compliment à la Reine des Géants (p. 135, note 1).

2. Comparer avec la loi lilliputienne punissant de mort le fait d'uriner dans l'enceinte du Palais royal.

Page 259.

1. Le mythe des Struldbruggs contient maints éléments autobiographiques. Swift en effet écrivait ces pages tout de suite après la mort de Vanessa, encore jeune, et au moment où Stella s'éteignait, minée par la maladie. Lui-même, presque sexagénaire, était atteint de graves troubles de santé.

Page 263.

1. Comparer avec la sérénité des Houyhnhnms devant la mort (p. 342).

2. La mention de la « longitude » parmi les grandes inventions est ironique. Swift avait été mis au courant de ce pseudo-problème par un fou, qu'il décrit dans le *Journal à Stella*.

3. Ironie également. Swift ne croyait pas aux calculs de Halley sur la périodicité de la Comète.

Page 271.

1. Il y a certainement un peu de mauvaise foi chez Swift, quand il admet comme un fait indiscutable que les protestants bataves payaient leur droit d'entrée dans l'Empire du Levant par une insulte à l'emblème catholique.

Quatrième partie

VOYAGE CHEZ LES HOUYHNHNMS

Page 275.

1. Sur la côte du Mexique. Les bois qu'on y chargeait (le bois de campêche, ou haematoxylon) étaient utilisés en teinturerie pour leur couleur rouge.

Page 276.

1. Il est indéniable que tout ce chapitre donne l'impression d'être plein de sous-entendus à des faits réels. Qui sont Purefoy et Pocock ? Il y a trop de conjectures possibles, dans le domaine de la politique, et même dans celui de la cabale, pour qu'on puisse se risquer à les déterminer.

Page 282.

1. Il est impossible de nier que Swift ait voulu voir plus loin que la satire politique et que ce soit toute sa conception de l'homme qui est en jeu. C'est le pronom de la première personne — le *Moi* pascalien — qu'il faut retrouver sous le son chevalin qu'émet ici pour la première fois l'être idéalement rationnel incarné par le Houyhnhnm.

2. Entre toutes les explications proposées, nous préférons admettre avec J. Richer que la racine du mot est le franco-latin : *homo/homme* (voir Glossaire).

Page 291.

1. Le langage houyhnhnm, tel que Swift le transcrit, est surtout nasal, et à part le *h*, qui est d'ailleurs un son continu et assez faible, ne contient aucune gutturale. Il ne ressemble donc pas à l'allemand dont les occlusives sont extrêmement brutales, et par sa graphie semble une parodie de l'irlandais. Il vaut mieux, dans le rappel du mot historique de Charles Quint, voir une plaisanterie sur les Allemands, « mâcheurs de paille », comme disent les Français. L'Empereur en question ajoutait d'ailleurs qu'il « parlait à Dieu en espagnol et à sa maîtresse en italien ».

Page 292.

1. Voir Glossaire au mot Houyhnhnm, p. 404.

Page 301.

1. Phrase empruntée mot pour mot à Cyrano de Bergerac, *Histoire des Oiseaux*. Le reste de la critique de l'homme par le cheval est un emprunt moins littéral, mais indéniable, au même livre.

Page 302.

1. C'est de la reine Anne qu'il s'agit. Gulliver place en effet en 1710 son quatrième voyage.

Page 303.

1. Cette phrase se rapporte à une controverse qui battait son plein à l'époque : la pratique des vices est-elle nuisible ou avantageuse à la société ? La question s'était posée à propos de la parution, en 1723, d'un poème de Mandeville intitulé *Fable des Abeilles, ou le Bien Public sort des Vices privés.*

Page 305.

1. En 1711 (la paix d'Utrecht est de 1713).

2. Persiflage anticatholique sur l'eucharistie, hérité du *Conte du Tonneau.*

3. Allusion à la querelle sur la musique sacrée, et sur l'emploi des orgues dans les églises. Le persiflage ici est antipresbytérien.

4. Allusion aux controverses sur le culte des reliques et en particulier sur le bois de la croix.

5. L'allusion porte évidemment sur la querelle des vêtements liturgiques. Mais la complaisance avec laquelle Swift détaille les variations possibles du costume ecclésiastique reste dans la ligne de sa théorie « esthétomorphique » : l'homme, ce « microcostume », est sensible à l'extrême à ces questions de vêtements.

6. Voir la note sur les querelles petit-boutiennes (n 1, p. 70).

Page 307.

1. Allusion au duc de Hesse, le grand fournisseur de mercenaires à la Couronne britannique.

Page 308.

1. Cf. Molière, *Le Misanthrope*, acte I, scène 1 : « ... Que de voir des vautours affamés de carnage. »

Page 309.

1. La satire des hommes de loi qui va suivre est d'une âpreté qui s'explique mal par l'expérience personnelle de Swift. C'est sa compagne Vanessa qui n'a cessé toute sa vie de batailler contre les juges et les notaires, et qui mourut sans être entrée en possession de ses biens, ayant perdu en quelques années ses parents et tous ses frères et sœurs.

Page 311.

1. Allusion à l'épuration anti-tory de 1714.

Page 313.

1. Gulliver est bien forcé de mettre ces défauts au compte des Anglais et des Anglaises puisqu'il est Anglais dans l'histoire. Mais il est bien évident que Swift pense à l'Irlande en écrivant ces lignes qui sont une reprise exacte des idées exprimées dans les *Tracts*.

Page 315.

1. C'est une idée bien ancrée chez Swift que les troubles de santé dont il souffrait venaient d'une indigestion de pommes vertes, remontant à sa prime jeunesse. En fait, il s'agissait probablement d'artériosclérose.

Page 316.

1. Le texte anglais dit *pronostics*. Swift ne distingue pas entre les prédictions astrologiques et les conclusions d'un médecin.

Page 317.

1. Il se pose ici une question textuelle : le texte que nous reproduisons, jusqu'à « Essayons d'en dépeindre un », est tiré de l'édition de Motte (1726) et a été supprimé dans les suivantes. Il a provoqué une véhémente intervention du « capitaine Gulliver » dans sa *Lettre à son cousin Sympson* (p. 372). Il est clair pourtant qu'en dépit de l'accusation d'interpolation, tout est de la main de Swift : son intention, évidemment, est d'attaquer Walpole, premier ministre depuis 1726.

2. Voici comment enchaîne l'édition Faulkner, en 1735, une fois supprimé le paragraphe relatif à la reine : « *Je lui dis qu'un premier ou principal ministre, c'est-à-dire la personne que je voulais lui dépeindre, était un homme...* »

Page 318.

1. Allusion à la première femme de Walpole, Catherine Shorter.

2. Walpole avait fait passer, pour se concilier les bonnes grâces des Dissidents, un acte les dispensant des taxes spéciales qui les frappaient.

Page 319.

1. Phrase sans équivalent dans l'œuvre de Swift, écho des rumeurs qui circulaient sur son appartenance à la famille Temple.

Page 321.

1. Il y a peut-être une confession personnelle dans cet aveu. C'est en effet vers cette époque que la misanthropie de Swift devient systématique et consciente, ainsi que l'atteste la lettre à Pope du 29 septembre 1725 : « *La fin principale que je me propose dans toutes mes œuvres est de meurtrir les hommes plutôt que de les amuser.* »

Page 329.

1. La misogynie s'était longtemps alliée chez Swift avec une curieuse vocation d'éducateur de jeunes dames. Vers la fin de sa vie, elle n'est plus qu'une forme de sa misanthropie.

Page 331.

1. Cette mention particulière de la perversité des rouquins s'explique par la haine qui existait entre Swift et la duchesse de Somerset, surnommée « Poil de Carotte ».

Page 332.

1. Swift n'a jamais connu de foyer familial. Il y a ici le regret lancinant d'une présence maternelle.

Page 333.

1. Voici le commentaire que donne de cet épisode J. M. Murry (*Jonathan Swift*, Londres, 1954, page 354) : « *Cette façon d'insister sur la beauté relative, la jeunesse et surtout sur les cheveux noirs comme le jais de la femelle Yahoo provoque en nous un étrange malaise... Il est impossible de ne pas avoir l'impression que Swift s'efforce d'annihiler Stella en tant qu'être sexuel ; on dirait qu'il veut extirper au fer rouge de son esprit, et rétrospectivement depuis le moment où il est devenu conscient de sa beauté, la possibilité de relations sexuelles avec elle.* »

Page 334.

1. Swift fait semblant d'oublier que l'ironie socratique doit obligatoirement scandaliser les Houyhnhnms, ennemis de la « Chose-qui-n'est-pas » sous toutes ses formes

Page 336.

1. Cf. n. 1, p. 85.

2. Le « sport » préféré de Swift était de monter et descendre les escaliers (témoignage de Mrs. Pilkington)

Page 337.

1. L'outrance même de cette morale familiale révèle l'intention ironique de Swift. Ces chevaux raisonnables sont des « sans-cœur ».

2. Au fur et à mesure que le mythe avance, la férocité des chevaux raisonnables se révèle plus nettement. Cette défense du génocide ramène les Houyhnhnms au niveau des tyrans de Laputa.

Page 338.

1. Les chevaux apparaissent maintenant comme capables d'imprudence, ce qui est incompatible théoriquement avec leur état d'animal parfaitement raisonnable.

Page 342.

1. Allusion à la mort de Socrate.

Page 352.

1. Le Dieu de Swift, et des philosophes du XVIIIe, est avant tout un Dieu indulgent. Comment croire que la sympathie du Doyen va à ces êtres vertueux qui ont « damné » Gulliver ?

Page 354.

1. L'Australie.

2. Nouveau lapsus sur les points cardinaux. Venant de l'océan Indien, Gulliver doit toucher la pointe sud-ouest de l'Australie (v. n. 2, p. 113).

3. Cartographe contemporain de Swift, dont l'*Atlas Minor*, justement, ne donne pas la côte est de l'Australie, encore inexplorée, mais la côte ouest, située cinq degrés trop à l'ouest.

Page 359.

1. Tout le paragraphe précédent, depuis : « d'autant plus que... », a été supprimé après l'édition de Motte.

Page 360.

1. Cette ville est un point fixe de l'imagination de Swift. Il avait essayé d'y obtenir un poste dans sa jeunesse.

Page 364.

1. Virgile, *Énéide*, II, v. 79-80 : « *Si la destinée a fait de Sinon un malheureux, elle n'en fera ni un fourbe ni un menteur.* »

Page 366.

1. Horace, *Satires*, II, 1, v. 20 : « *Dressé sur ses pieds arrière, il se couvre de tous côtés.* »

Page 368.

1. C'est cette affirmation qui a fait supprimer, dans l'édition de Motte, l'anecdote des visiteurs hollandais débarqués chez les Houyhnhnms.

Page 369.

1. Tout ce paragraphe, à partir de : *à moins que,* qui avait paru dans l'édition de Motte, a été supprimé dans les suivantes.

Lettre du capitaine Gulliver à son cousin Sympson

Page 372.

1. Malgré sa date du 2 avril 1727, qui est certainement fictive, Swift a écrit cette lettre comme une espèce de deuxième préface, destinée à l'édition de Faulkner en 1735. L'indignation qu'il y exprime semble être surtout de façade, encore que l'auteur se soit plaint réellement des libertés que l'éditeur Motte avait prises en 1726 avec son manuscrit.

2. Allusion aux propos sur le principal ministre, p. 317.

Page 376.

1. Voir Glossaire, p. 399.

Lettre de Swift à l'abbé des Fontaines

Page 378.

1. La perfection avec laquelle le rédacteur de cette lettre manie la langue française laisse supposer qu'il s'agit là d'une

traduction. Et, étant donné les circonstances de lieu et de temps, il est assez naturel de conjecturer que la main amie était celle de Bolingbroke.

2. Swift s'affirme ici comme Irlandais de naissance, et partant comme non-Anglais.

Deuxième partie.

VOYAGE A BROBDINGNAG

Table

441

Troisième partie.

VOYAGE A LAPUTA, BALNIBARBI, GLUBBDUBDRIB, LUGGNAGG ET AU JAPON

Table 443

*Impression Bussière Camedan Imprimeries
à Saint-Amand (Cher),
le 17 octobre 1996.
Dépôt légal : octobre 1996.
1er dépôt légal dans la collection : mai 1976.
Numéro d'imprimeur : 1/2519.*
ISBN 2-07-036597-2./Imprimé en France.

79721